明月珰 著

左先生，向右转

长江出版传媒 长江文艺出版社

北京长江新世纪文化传媒有限公司

www.cjxinshiji.com

出品

目 录
CONTENTS

Chapter 1

　　何凝姝合拢书本抬起头，望着对面的俞又暖，短短的头发剪成了波波头，让她年轻得仿佛 20 出头的样子。比起她第一次见到俞又暖的时候，可谓有天壤之别。

　　那时候的俞又暖是个光头，做了两次开颅手术，记忆中枢受到了损伤，人生雪白得仿佛一张没被书写过的纸，等着重新涂绘。而何凝姝则是暖仁医院的护士。

　　"又暖。"何凝姝轻唤道，"今天就读到这里吧？"

　　俞又暖抱着双膝坐在藤椅上，下巴搁在膝盖上，眼眸低垂，睫毛在眼下投下一片小扇子般的阴影，被树叶筛过的阳光洒在她薄绿色的裙摆上，就像一幅价值连城的油画。

　　真是少见的美人儿，何凝姝感叹。

　　"又暖，我们说会儿话吧？"何凝姝道。俞又暖的语言能力恢复得不错，和人交流已经没有障碍。她是成年人，在度过了最艰难的前半年之后，成人的智力和意识之下潜在的记忆都会帮助她快速地重新获得生活的能力。何况现在车祸已经过去将近两年了。

　　俞又暖看向何凝姝，听见她道："这是你以前朋友的列表，左先生给出的资料非常翔实，你想约她们见面吗？"

　　俞又暖还没回答，就听见了大门开启的声音，她一下就跳下了藤椅，赤着一双脚跑到路上，果然看见左问的车驶进了大门。

　　左问从车上下来，身上是剪裁合身的铁灰色手工定制西服，衬衣领口被微微扯开。

　　正装总能赋予男人一种禁欲的魅力，可衬衣领口些微打开，又能将禁欲的诱惑反转成慵懒的魅力。

这一年多，俞又暖看过不少的杂志和电视，身材和左问不相上下的男模也看过不少，可是他们身上都缺少左问的这股魅力。

那些男模的性感，的确令人想骑在他们的腰上，可左问的魅力，则让女人不仅想肆虐他的腰，同时还疯狂地想攫取他的心。

俞又暖看着左问，谁能想到眼前这个儒雅贵气、商场上纵横捭阖、呼风唤雨的男人，不过是普通家庭出身呢。

俞又暖扫了一眼耳根羞红、手足无措的何凝姝，觉得自己不再需要这样一位陪护了。

"老公。"俞又暖上前挽住左问的手臂。

左问微皱眉头地看着俞又暖雪白的赤足，他缓慢而坚定地从俞又暖的手中抽出了手臂，淡淡地"嗯"了一声，往别墅里走去。

俞又暖不以为意地小跑着跟了上去，活泼地道："你今天回来得挺早的呀。"

左问又松了松衬衣领口，没说话。

俞又暖用食指轻轻拨了拨刘海，"我今天换了个新发型，你觉得怎么样？"

左问闻言这才看了俞又暖一眼，"不错。"依然是惜字如金。

俞又暖目送着上二楼换衣服的左问，这么久以来这个男人对她说的每句话几乎都不超过三个字，她很疑惑自己当初怎么会嫁给左问呢。左问一个穷小子，既不懂浪漫，又不是能言善道的人，他是怎么追到自己的？

俞又暖看过自己的相册，里面的她活泼、外向，滑雪、潜水、骑马、打猎……就没有她不玩的，她怎么会和左问这种一周工作 80 个小时的工作狂结婚的？

就因为左问长得帅？

俞又暖摇了摇头，她和左问都结婚十年了。十年前的左问什么模样？俞又暖自动在脑子里为他勾勒了一副农民工进城打工的模样，长得再帅，那也得有衣装可衬托。

只是十年河东，十年河西，如今的左问，可再也不是当年的穷小子了。俞又暖想起今天早晨在何凝姝"无意间"带来的八卦小报上看到的左问的绯闻。

以左问如今的财力，玩女明星实在太正常了，不玩那才是不正常。俞又暖低头玩着自己的指甲，她猜得出来，她和左问以前的婚姻大概存在很大的问题。

不过那都是以前的事情了，以前的事情俞又暖都不记得了，她想要有一个新的开始，每一个大难不死的人都应该有一个崭新的开始不是吗？

俞又暖坐在餐桌边等着左问，左问换了衣服从楼上下来，直接坐到了俞又暖的对面。

饭桌上自然而然地空出了主位。据俞又暖所知，她的父亲已经去世四年多了，左问早就该升级成这幢半山别墅的男主人了，可这一年多里他每次在家里用饭，都是坐在自己的对面。

俞又暖咬着筷子头发愣，难道左问从来没将他自己当成过这里的主人？

俞又暖看着左问，问道："当初，我们为什么会结婚？"在她才20岁的时候，这太不可思议了，她居然会那样早婚。

左问吃饭的速度一直不慢，在俞又暖一口菜未动的情况下，他已经两碗米饭下肚了，"你父亲逼你嫁给我的。"

俞又暖张大的嘴巴几乎可以容纳下一个鸡蛋了，想也没想就道："这不可能！"她爸爸又不是脑子进水了，要逼着他如花似玉的女儿——她，嫁给一个穷小子，她爸爸是图左问哪一点儿啊？

左问没搭理俞又暖。

直到左问吃过饭，进了书房，俞又暖都还在思考这个问题。最后俞又暖排除了所有不可能的原因，只剩下了一个可能。尽管匪夷所思，但是众多的书本都告诉我们，如果所有的原因都排除了，那么剩下的原因不管看起来多荒唐，也将是事实。

左问刚结束电话会议，回到房间洗了个澡，就听见了敲门声。

这么晚了，还敢敲他房门的除了俞又暖，不作第二人之想，左问躺上床，选择性地失聪。

漫长的敲门声在得不到回应后，终于停了下来。

左问听见俞又暖离开的脚步声后，这才睁开眼睛，揉了揉眉心。

不过左问显然是放心得太早了，很快他就听见了钥匙开门的声音。

俞又暖轻轻地用钥匙开了左问房间的门，房间没有开灯，她借着透窗而入的月光打量了一下床上躺着的人，然后轻手轻脚地进了浴室。

左问睁开眼睛，有些烦躁地坐起身。

不过在俞又暖从浴室出来的时候，左问已经重新躺下假寐了。俞又暖偏了偏脑袋，蹑手蹑脚地走进左问的衣帽间，挑了一件淡蓝色的衬衣穿上，把袖口挽到手肘处，这才重新回到左问的床边，丝毫不客气地掀开被子，躺到了左问的身边。

"回你的房间去。"左问无法再装睡。

"你没睡着啊？"俞又暖用手肘撑起身子，趴在左问的旁边。不合身的衬衣，领口因为她的动作而大开，露出一片雪白得晃眼的风光。

左问再次冷冷地重复："回你的房间去。"

俞又暖不为所动地眨了眨眼睛，又长又翘的睫毛像虎凤蝶的翅膀一样扑扇着，眼睛里还带着浴室的氤氲水色，"左问，你都没有需要吗？"

夜色能掩盖人的神情，让俞又暖可以肆无忌惮地说出一些令人面红耳赤的话。

左问想将俞又暖扔出去，可又考虑到她是个脑子动了两次手术的人，深呼吸一口，缓和了情绪这才道："又暖，你的身体还没有康复。"

俞又暖语不惊人死不休地道："我是脑子有问题，可身体没有问题啊。你是我的丈夫，我理应履行做妻子的义务啊。"俞又暖往左问挪近了一点。

左问闭上眼睛，发现不和俞又暖说话还好一点。俞又暖独有的体香渐渐感染了干净的空气，让人烦躁。

如果一个女人，什么也没穿地裹在一个男人的衬衣里，而这个男人还无动于衷，那问题就真大了。

俞又暖皱了皱眉头，久久之后才低叹一声，"是不是，你才是我爸的亲生儿子，而我是抱养的，爸想让你认祖归宗，又不想伤了我的心，这才逼着我嫁给你的？"

左问坐起身，略微有些粗鲁地一把将俞又暖从床上拉起来，"别整天看肥皂剧。"

左问拉开门，就要把俞又暖推出去，结果俞又暖踉踉跄跄地往后一退，就碰到了门框上，她脑袋一疼，反射性地抬手一摸，目光却抓住了左问神情里的一丝担心。

俞又暖这才想起来，她的脑子受过伤，自然格外脆弱。

"痛！"俞又暖的眼泪说来就来，凭她这演技和脸蛋，演琼瑶阿姨的女主角都可以。

左问上前一步，大掌摸上俞又暖的后脑勺，"碰得厉害？头晕吗？想吐吗？"

俞又暖一副疼得说不出话来的模样，身体沿着门框就往下滑。左问拦腰抱起俞又暖，将她放到床上，空出一只手来就给医院打电话。

"我送你去医院。"左问想抱俞又暖起来。

俞又暖眼泪汪汪地伸手按住衬衣下摆，可怜兮兮地道："没，没穿……"

左问半秒钟之后才反应过来俞又暖的意思，他的眼角抽了抽，"你等等。"左问很快就从俞又暖的房间返回，手里拿了一条薄透的蕾丝小可爱。

"你自己能穿吗？"左问问俞又暖。

俞又暖手摸着脑袋，满脸的痛楚模样，可还是咬着下唇坚强地点了点头，这样一副"身残志坚"随时会倒下的模样，让左问没好意思再压榨病人。

左问快速地替俞又暖从脚底套上小可爱，几秒钟就解决了，整个过程完全没有俞又暖设想的面红心跳，在左问的眼里她仿佛就跟一截木头似的。

不仅如此，左问还替俞又暖取了一条裤子穿上，迅速将她打包到了车上。

俞又暖闭着眼睛"怒瞪"着左问，这个男人还真是关心她的死活啊，她都不知道是该开心还是该伤心左问的这种"人道主义"。

"头很疼吗？"左问低头问躺在自己腿上的俞又暖，转而又吩咐司机，"开快点儿。"

俞又暖一副病蔫蔫的模样，头其实早就不疼了，就是心里难受得紧，她的丈夫居然如此无视她的女人魅力，而且还是在她对这个沉默寡言的男人产生了巨大的兴趣之后。

车驶入暖仁医院后，俞又暖得到极为热情周到的看护，因为这医院是俞又暖出生后，她父亲以她的名义投资修建的，也是根据她的名字命名的。

大半夜的，经历了多种检查后，俞又暖终于躺到了病床上，左问替她拉好被子，就转身去了阳台上打电话。

等左问结束电话后，俞又暖还没有睡着，只是眼巴巴地看着他。

左问揉了揉眉头，放轻了声音道："睡吧，我陪着你。别担心，只是留院观察几天而已，刚才李院长也说了，没有大问题的。"

"你第一次对我说这样长的句子。"俞又暖的眼睛又大又亮，此刻眼里满是星光，像一个刚得到表扬的孩子一般。

左问叹息一声，他跟俞又暖闹什么呢，她现在记忆一片空白就像个孩子。

"睡吧。"左问又为俞又暖掖了掖被子。

"你回去休息吧，明天还要上班呢。我一个人不害怕的，不是有护士嘛。"俞又暖觉得自己真是一个善良又体贴的好妻子。

"这次不关你的事，都是我自己不小心撞上去的。"俞又暖决心好人做到底。

"好，那你好好休息，我明天再来看你。"左问站起了身，为俞又暖调暗了房间里的灯光。

俞又暖看着左问的背影，看着他在病房门口交代护士。俞又暖心底那个气啊，这个左问，真是个木头疙瘩。她这样温柔体贴，他这个做丈夫的怎么好意思大半夜把妻子扔在医院里啊？

刚才如果左问表示要继续留下来的话，俞又暖就会顺理成章地邀请他共享大床，结果，结果这个男人连禽兽都不如。

俞又暖赌着气闭上眼睛，听见左问对护士说："她不喜欢睡觉的时候被人吵醒，不用给她送饭菜，她吃不惯……她脾气有些糟糕，你不要介意。"

俞又暖真想叫左问赶紧闭嘴。

第二天晚上，左问很晚才来，身上的衣服没有换，可见是直接从公司过来的。俞又暖心想，左问还真是勤勉，难怪最后她父亲的遗嘱上，分给了左问 20% 的股份。

俞又暖放下手里的书，问左问："你吃过晚饭了吗？"

左问摇了摇头。

俞又暖道："保温桶里有慧姐熬的粥，她猜你肯定不吃饭就会过来，特地多熬了一些，我帮你盛。"

左问不置可否，俞又暖从沙发上站起身，替他盛了粥。

"何小姐怎么没来陪你？"左问皱了皱眉头。

"我已经把她的薪资结算了。"俞又暖将粥和小菜放在桌上，"你过来吃啊。"

左问没有问为什么。俞大小姐吹毛求疵，这一年多里，何凝姝这样的陪护换了五六个，何凝姝算是做得最长的，但左问也没指望她能干一辈子。

俞又暖见左问不再追问，也就乐得解释。她对何凝姝的印象很不错，而且何凝姝的眼光也不错，能看到左问的优点。俞又暖虽然不怕何凝姝这个情敌，可是谁知道左问那样的出身，会不会审美畸形喜欢小白菜，她不想冒那个险。

喝了粥，左问就准备离开，俞又暖赶紧道："我不想在医院住了，我睡不着。"

"医生不是说要观察三天吗？"左问道。

"可是我头也不疼了啊，也没有不适，没必要留院三天啊。"俞又暖道。昨天她夸大痛楚，打的本来是和左问在医院的病房里培养感情的主意，哪知道左问根本不知道体贴为何物，反而把她自己给束缚了。

"不行。"左问想也没想就回绝了俞又暖。

不过左问的话对俞又暖没有命令效果，他前脚刚走进半山别墅，俞又暖后脚就到了。

俞又暖在左问冰冷的眼神里抖了抖，但最终还是抛给他一个挑衅的眼神，本小姐不爱住就不住！

不过俞又暖的挑衅就像小溪入了大海一般，连浪花都没在左问的眼里激起一朵，接下来的几天，左问更是当她像透明人一样。

"这是冷暴力！"冷暴力虽然不是新鲜词，不过却是俞又暖今天从杂志上新学来的。

俞又暖在被无视了三天后，终于忍不住去敲了左问寝室的门，可惜却无人应她。俞又暖是看见左问进去的，她不死心地敲了十几声，还是没有人回答。

俞又暖跑下楼找慧姐，"慧姐，把先生房间的钥匙给我。"

慧姐道："前几天小姐在医院的时候，先生找人来安装了密码锁。"

俞又暖不敢置信地睁大了眼睛，她"咚咚咚"地跑回去一看，果然看到了刚才被她忽略了的密码盒，居然还是趁着她在医院的时候装的。

俞又暖跺跺脚，左问可真是过分，害她撞了头不仅不内疚，居然还将她当贼一样防。

俞又暖"啪啪啪"地拍着门，里面的左问却像失聪了一样。"左问，你给我开门。"俞又暖叫道。

片刻后门从里面打开来，俞又暖正想兴师问罪，却见左问手里拿了外套，径直地往外走。

"这么晚你要出去？"俞又暖追了上去。

左问回头道："太吵了，我去公寓住。"

俞又暖有气无处发，拉住左问的衣服道："左问，你为什么这样对我？我不是你的妻子吗？"

左问的脚步顿了顿，沉默了片刻才转过身看着俞又暖，"你如果无聊，可以去找你的那些朋友。"

俞又暖上前一步，却见左问转过身继续往外走，她吸了一口气，也不想逼得左问太紧，只是在他背后可怜兮兮地道："我不吵你了，你别去公寓住好不好？"

左问停住了脚步。

俞又暖心中一喜，轻轻走了过去，将脸贴在左问的背上，男人的体温透过衣裳熨帖着俞又暖惶恐的心，她见左问没有阻止，便得寸进尺地伸手环住了左问的腰。

可是下一刻左问就毫不留情地掰开了俞又暖的手，头也不回地去了车库。

俞又暖委屈的泪水再也止不住了，蹲在地上就开始哭，大概是蹲着太累脚了，她索性坐到了地上，抱着膝盖哭。

左问的车经过俞又暖的身边时，摇下了车窗。

俞又暖听见引擎的声音，抬起了头，眼泪汪汪地看着冷血动物左问。

"俞又暖，要是寂寞的话，就去找你以前的朋友。"左问说完就摇起了车窗，汽车绝尘而去。

俞又暖失魂落魄地走回房里，见慧姐一脸担忧地望着她，她揉了揉眼睛，"慧姐，我跟先生的事情你知道吗？"

慧姐叹息一声，"先生是个心软的人，小姐再等等，先生一定会心软的。"

俞又暖听慧姐说过，在她出生的时候，慧姐就在她家帮佣了，这样的人没道理会帮着左问说话啊，除非连慧姐都觉得她不对。

俞又暖低下头抓着自己的头发，以前的事情她真的一点儿也想不起来了，完全不知道症结所在。俞又暖发疯地想知道过去的自己是什么样的人。

大约，她真的只能从过去的朋友入手了。

上午，是俞又暖见心理医生的时间，遭遇了这样的车祸，又完全失忆，俞又暖实在需要心理医生。

头三个月的时候，都是左问陪她到医院的，后来则是俞又暖独自前来。

俞又暖在诊所的走廊里，拨通了向颖的电话，据说这是她的头号闺蜜，也是城中名媛，不过俞又暖车祸之后就没有再见过她，对于这样的朋友，俞又暖本来没有心思见，只是不见她们，就无法了解以前的自己。

"又暖？！"电话里传来微带惊喜的声音。

"是我，向颖。"俞又暖道。

"你能说话了？"向颖仿佛十分惊奇。

俞又暖皱了皱眉头，"有空吗，我们好久没见面了。"

"好啊。"向颖的声音有些迟疑。

两个人在约定好时间地点后，就再没有话说，索性挂了电话。

向颖定的地点是"Star"，"Star"的私密性非常好，有专门的进出通道，所以备受明星大腕的青睐。

俞又暖走进包间时，向颖和她身边的男人同时站了起来。至于向颖，俞又暖见过她的照片，本人比照片上更为美艳，她身边的男人倒是有些眼熟，只是一时想不起来在哪里见过。

"又暖。"向颖热情地跟俞又暖打了招呼。

俞又暖点了点头。

向颖道："你穿成这样，刚才险些没认出你来。"

俞又暖明白向颖的意思，她如今的穿衣风格和她以前衣帽间里的衣服风格的确大相径庭，以前的衣服偏于性感、妖媚，现在俞又暖的衣服更淑女一些。

"又暖你这样打扮，看起来好年轻啊，就像刚大学毕业似的。你恢复得也挺好的，一点儿也看不出脑子动过手术。"向颖旁边那位生得玲珑小巧的女人道。

"珊珊，谢谢你。"谢珊珊也是俞又暖的朋友。

在场的其他人也顺势和俞又暖打了招呼，有些人俞又暖见过照片，有些人则不认识。

寒暄过后，唯一没跟俞又暖打过招呼的就是向颖身边的那个男人。生得十分英俊，皮肤是漂亮的古铜色，显得十分酷，不过他身上的酷感觉像是装出来的，而左间的那种酷，则像是天生的冷漠。

"这是我男朋友，关兆辰。"向颖大约察觉了俞又暖的关注。

俞又暖冲关兆辰淡淡一笑，"我觉得你有些眼熟。"

关兆辰露齿一笑，他的牙齿很白，笑起来十分俊朗，很外向的感觉，和沉默时判若两人。

"是吗？"关兆辰挑了挑眉。

俞又暖不太喜欢关兆辰的桃花眼，感觉向颖的这位男友不太安分，刚才趁着向颖不注意的时候，他已经看过她好多眼了，否则她也不会打量他。

俞又暖的微信响起了提示音，她低头看了看手机，顺带看到了一条娱乐星闻，是一部新戏上映，里面的男主角不是关兆辰又是谁？

"是你啊？"俞又暖抬起头，"你就是那个男星。"俞又暖看向关兆辰，又看了看向颖。

"是。俞小姐若是有兴趣的话，我可以送你两张首映票。"关兆辰道。

"谢谢。"俞又暖道，此外再无话题，她感觉自己和屋子里这七八个男男女女仿佛不是一个世界的人一般。他们说的话题她都不感兴趣，而他们只会偷偷打量她，带着探究、好奇，却唯独没有关心。

俞又暖心里有些烦躁，不知道自己过去究竟是个什么样的人，最好的朋友看起来像是酒肉朋友，丈夫看起来比陌生人还冷漠，怎么看她过去好像都不太成功。

俞又暖正想起身告辞的时候，"Star"里突然响起了激烈的音乐声。

谢珊珊笑道："颖姐的时间到了。"

所有人都看向了向颖，她穿着一件红色贴钻的短裙和黑色皮裤，刚才没觉得有什么，现在一看才发现是为跳舞专门准备的。

向颖扫了在场所有人一眼，嘴角含着笑，"别说了，又暖该笑话我了，她跳舞，能热得把你们眼睛都烧掉。"向颖转向俞又暖，"又暖，有没有兴趣，咱们比一场？"

今天恰逢"Star"每年举办一次的"Star女王"的日子，现场谁得到的"蓝色妖姬"越多，谁就获胜，可以获得未来一年"Star"的贵宾包间使用权。要知道"Star"可不是普通地方，是本城排名第一的夜店，每天晚上排队都能排半公里长。

席位有限，即使你有权有势，也未必就能订到当日的包间。所以这个保留一年的专属女王包间，吸引力十分巨大的，而最重要的当然还是"Star"的女王头衔，不是本城最闪亮的明星或者名媛，根本不可能问鼎。

私下里很多人都在为之较劲。

俞又暖自然是不知道这些的，不过即使知道，她也不可能跟向颖比。那次车祸还损伤了她的运动中枢，能恢复成正常人的模样，已经极为辛苦了，跳舞已经不可能再想。

俞又暖摇了摇头，"我不会跳舞。"

"怎么可能？！"谢珊珊叫道，"你可是好几届的'Star女王'呢。"至少在俞又暖车祸之前的几年，她从没走下过女王的神座。

向颖撇嘴道："算了，这都是又暖玩得不玩的了。"向颖的话一出，旁边的关兆辰就微微变了脸色，不过在向颖看向他时，他又缓和了神情。

向颖冷冷一笑，一口饮尽了杯中酒，按下了座位旁边的按钮，只见包厢对着中庭的那面墙自动滑开，露出了中庭的舞台。

向颖像女王一样走了出去，场中顿时响起了热烈的掌声。

向颖的舞蹈热情、火辣、性感，带动了全场的气氛，那种热辣，几乎让人觉得热浪扑面而来。

谢珊珊在鼓掌的同时，将手机拿出来点了点，递给俞又暖，"又暖，你看，你当初跳舞的视频我还保留着呢，太经典了。"

俞又暖接过来一看，几乎不敢相信里面那个穿着黑色西服套装跳着极为挑逗的舞蹈的人会是自己。但不可否认，这舞跳得太美了，不是火辣，而是一种踏着节律的禁忌的诱惑，像吸血鬼女王的夜宴。

俞又暖看着视频，开始愣神，面对自己过去的视频，她居然一点儿熟悉感都没有，视频里的人她只觉得陌生，陌生得可怕。

良久后俞又暖不经意地抬头，就看见了向颖的加冕仪式。

穿着黑色斗篷，不露真面的国王正在为向颖戴上璀璨的皇冠和敬献王之权杖。

俞又暖的眼前突然闪出一组画面，好像坐在那个红丝绒宝座上的人换成了自己，然后关兆辰走了过去，他们忘情地热吻，关兆辰的吻一路膜拜到了她裸露的肚脐上，俞又暖看见宝座上的自己转过了头，斜向上方的包间看去，那里只坐了一个人，她的丈夫——左问。

俞又暖手中的手机一下就掉到了地上，她的世界开始天旋地转，她看着谢珊珊惊慌的脸，缓缓地倒了下去，只来得及说出"左问"两个字。

丝毫没有出乎俞又暖的意料，她是在医院醒过来的，熟悉的装饰说明这是暖仁医院，俞又暖松了一口气，环顾四周却没看到左问的身影，空荡荡的病房里只有她一个人。

俞又暖侧过身子，整个人蜷缩了起来，就像在羊水里的婴儿一般。她的眼角缓缓地淌着泪，她没想到会在记忆里看到那种画面，也不知道是真实发生的，还是臆想，可是俞又暖没来由就觉得害怕，她害怕那些都是真的，那对她和左问的婚姻，绝对是一种毁灭性的破坏。

门把手转动的声音，让俞又暖往被子里躲了躲，头埋得更深。有人走到床边，摸了摸她的额头，"又暖。"

俞又暖没有动。

左问用手将俞又暖从令人窒息的羽绒枕里拯救了出来，"没事了。"

不知为何，左问平静的声音抚平了俞又暖的隐痛。她的脸颊贴在枕头上，泪眼蒙眬地看着左问，眼角还在淌着泪水，不过这一次的泪水是那种喊着"快来关心我安慰我"的泪水。

俞又暖的眼睛非常漂亮，是大大的杏仁眼，被泪水清洗后，就像夜色里倒映着繁星的湖泊，闪着银白色的水光。

良久后左问才低叹一声，坐在了床沿上，低头看着俞又暖，不说话。

俞又暖多想左问能摸摸她的头发，用他的声音温暖她。

俞又暖没有多想，抬起头，挪了挪身子，将头搁在了左问的腿上，并在他的大腿窝里蹭了蹭眼泪。

俞又暖没说话，生怕左问问自己为何会突然晕倒。左问好像读出了她的心声，居然一句话也没问。

最后还是俞又暖自己抹去了眼泪，"医生怎么说？"

"他说没有大碍，你只是一时受到了刺激。"左问道。

实际上，俞又暖晕倒的过程，谢珊珊已经巨细无遗地告诉了左问，以左问自己公司的风光，还有俞氏的风光，本城很多人都愿意在各种场合向他示好，即使他不问，谢珊珊也不会隐瞒。

俞又暖听了，身体僵了僵。

"李院长说，你只要坚持训练，将来若是想跳舞，也不是不可能的。人总是在创造奇迹。"左问道。

俞又暖听了之后松了一口大气，还好左问误以为她是为了不能跳舞而受刺激的。

俞又暖抬头看了看屋子里的钟，"你今晚要走吗？"

楚楚可怜的表情，天真信任的眼神，连石头都能软化了，可是在左问这里，只换得了一个"嗯"字。

俞又暖满脸的失落，遮掩也遮掩不住。"那你快走吧，已经很晚了。"

第二天俞又暖顶着两个大大的黑眼圈坐在窗台上，失神地看着窗外的绿色，她曾经疯狂地想回忆起过去，还联系过催眠师，但是都徒劳无功，而如今，俞又暖突然就害怕打开过去的那扇窗户了。

左问进来的时候，看到的就是身着墨色及膝裙的俞又暖，一脸茫然地抬头望着窗外，已经失去了威力的淡金色阳光洒在她的头发上，像一幅珍贵的三四十年代的黑白照片。

无可否认，俞又暖的确美得令人惊叹，而且是现代人中少有的丽质天生。

俞又暖听见熟悉的脚步声后回过头去，"你今天怎么这么早？"俞又暖脸上带着惊奇，左先生准点儿下班可是很少见的事。

左问在门边打量了俞又暖一番才道："我来接你回家。"

"回家？！"俞又暖惊讶地睁大了双眼，自己主治医生的习惯她都摸透了，每回进来都要建议她留院观察三天，谁让她金贵呢，李院长一点儿也不敢拿她的脑子冒险。

"嗯。"左问走上前，开始动手替俞又暖收拾东西。

"这次不用观察三天吗？"俞又暖从窗台上站起来，有些不解地小声道。

左问看着俞又暖脸上碍眼的黑眼圈反问："你想留在医院？"

俞又暖赶紧摇头。

左问看见俞又暖这个动作就想皱眉，她难道就不能别加重她那脆弱的脑袋的负担吗？

俞又暖跟在左问的身后走出病房，她觉得自己的步伐轻盈得几乎可以飞起来了。

左问回过头看了一眼俞又暖。

俞又暖可爱地耸了耸肩膀，下意识就想开口抱怨左问步伐太大，不等自己。不过不到一秒钟，俞又暖就改变了主意，她快步跑上前，抱住左问的手臂，侧脸期盼地看着他道："你今天也回俞园住吗？"

左问将手臂从俞又暖的怀里拿出来，并谨慎地没有碰到任何不该碰的地方，然后走向车尾将俞又暖的行李放好。

"上车。"左问没有替俞又暖打开车门，而是自顾自地坐进了驾驶座。

俞大小姐也没敢指责左问没有绅士风度，乖乖地坐到了副驾位子上，耍了个小心机，仿佛忘记了系安全带。不过左先生毫无情趣，绝没有弯腰替俞又暖系安全带的意思。只是在提示音响起后，才以他惯有的冷淡的声音道："系好安全带。"

俞又暖鼓了鼓双颊，不情不愿地系上安全带。

用过晚饭，左问就进了书房，俞又暖眼巴巴地坐在外面，竖着耳朵听书房的动静，左问刚出来，她就站起了身。

"有事？"左问用眼神问着俞又暖。

俞又暖有些紧张地将手背到了身后交握，"我们能不能谈谈？"

左问揉了揉眉心，点了点头。

俞又暖深吸了一口气，才在左问的对面坐下，"我们……"俞又暖顿了顿，在看到左问因为不耐而微微皱起的眉头后，一鼓作气地道："以前，我们两人的婚姻是不是存在很大的问题？"

对这个问题，左问没什么反应，只是抬了抬眼皮看向俞又暖，没有开口的意思。

"是不可调和的矛盾吗？"俞又暖追问道，她已经紧张得将交握的双手支撑在膝盖上给自己力量了。

左问还是没说话。

俞又暖心里暗自抱怨左问的"沉默是金"。

俞又暖低下头，"以前的事情我都想不起来了。"说完之后，俞又暖就抬起了头，凝视着左问，"我们可不可以重新开始，做一对正常的夫妻？"

俞又暖说完最后一句话，就像等着判刑的囚徒一般期盼地看着左问这个大法官。

而此时左问的脑海里只重复着一句话。

"左问，你不过就是我招之即来、挥之即去的一条狗，给你一点儿甜头，你就以为我爱上你了？"

记忆中俞又暖的笑声尖酸而刻薄，表情刻薄而尖酸。给一颗甜枣，再残忍地举起大棒的游戏，曾经的俞又暖玩过很多次，而且乐此不疲，一直到她不再有兴趣玩这种游戏。

也许现在的俞又暖是真心的，但若是将来她恢复了记忆呢？或者她甚至不用恢复记忆。本性难移，即使是失忆，左问在俞又暖的身上也能看到昔日俞大小姐的影子。

"你要的，我给不了。我能做的，就是放手。"左问看着俞又暖道。

俞又暖脸上的血色消失殆尽。这一刻她突然意识到，她脑海里的画面一定是真实存在过的。

第二天，俞又暖刚运动完走进客厅，就听见了电话响，慧姐接起来，不知对方说了什么，她回答道："好的，先生。"

慧姐回过头就看见了俞又暖，"小姐，先生说他今天不回来了，这几天比较忙，所以住在公寓那边。"

俞又暖点了点头。

"又暖，我先走了。"收拾好东西的林天磊走到俞又暖面前跟她道别，他是俞又暖的复健师，没有他，俞又暖如今也不可能恢复成现在这样看不出曾经受过重伤的样子。

"Aaron."俞又暖对林天磊道，"喝杯茶再走吧。"

林天磊本来已经迈出的步子又收了回来，虽然他陪俞又暖复健了这么多次，但这还是她第一次邀请自己留下来。尽管这位富家小姐失忆了，但是名媛那种不易亲近的气场可是一点儿也没失去的。

林天磊在俞又暖的对面坐了下去。

"Aaron，你结婚了吗？"俞又暖为林天磊倒了一杯茶。

林天磊吃惊地看着俞又暖，他不得不承认这位俞大小姐生得十分漂亮，比平均水准至少高了一个数量级，当她专注地看着你的时候，你的心很难不跳得如擂鼓。但是他并没有想高攀的打算。

"结了婚了，女儿都七岁了。"林天磊道。

俞又暖偏了偏头，她的脖子非常漂亮，悠长得十分优雅，林天磊不自觉地撇开了眼。

"那如果，我只是假设哦。"俞又暖故作轻松地道，"如果你的妻子背叛了你，最后真心实意地回来求你原谅，你会原谅她吗？"

俞又暖实在找不到男性朋友可以问这种问题，她总不能去问家中的司机和园丁吧？

林天磊完全没料到俞又暖会这样从天外来上一笔，他愣了愣，还是回答了俞又暖的问题，"应该不会吧。"

不过当林天磊看见俞又暖在听到他的答案后明显失落的眼神，又忍不住宽慰道："其实也说不清楚，毕竟是没发生的事情。而且我和我妻子之间还有个女儿，所以如果她是真心悔改，说不定我也会原谅她的。"

"为了女儿吗？"俞又暖像是发问，又像是在问自己。

送走林天磊之后，俞又暖摸了摸自己的下巴，她和左问结婚已经十年了，她20岁大学还没毕业就嫁给了他，到现在居然还没有孩子，真是可惜。

俞又暖摸了摸自己的肚子，觉得如果能生出一个长得像左问那样严肃的宝宝，一定萌翻了。

"有孩子就可能被原谅？"俞又暖自言自语地偏着头用手撑着下巴，她在脑子里将计划想了一遍，然后拿出手机给家里的司机老王打了个电话，要到了左问公寓的地址。

Chapter 2

宾利驶到一个八九十年代建的小区门口时停下，俞又暖不得不再次跟老王确认，"左问住在这儿？"

老王道："就是这儿，小姐，我给先生送过材料，就在 34 栋 2 单元的 5 楼 A 座。"

俞又暖下了车。晚上起了凉风，俞又暖抱着手臂打量了一下这个老得可以被考古发掘的小区，刚才过来的时候路过一个小广场，里面的广场舞跳得热火朝天，基本可以肯定都是这片小区的老太太。

小区的楼简直没有外墙可言，还是水泥的本色，窗户也不是落地窗或者飘窗，是传统的镶着蓝色或者茶色玻璃的推拉窗。

这个小区甚至连门卫也几乎等于没有，守门的是一个老头子，一点儿也不在乎进进出出的人是不是小区的住户，他只管收进出车辆的停车费。

而小区门口是一排流动小摊贩，空气里不时飘来烤肉串儿的味道，还有在灯光下卖袜子的小摊，十块钱三双，以及旁边小台灯下正低着头给手机贴膜的小贩。

总之，是一个充满了浓浓生活气息的小区，俞又暖实在不明白左问怎么会选择住在这种脏、乱、差、吵的地方。

俞又暖向小区的阿姨打听了一下 34 栋在哪里，那阿姨看了她好多眼，给她指了路之后，阿姨旁边的高中生女儿就低声道："妈，她裙子好好看哦。"

"她个子高，穿这种长裙显气质，你就算了。"做妈妈的道。

"她那件衬衣也好看，今年就流行这种半透明的蕾丝衬衣，有复古风，我在微博上看过，应该不便宜。"高中女生继续点评。

"人家长得好看，穿什么都好看，你安心读你的书吧。"妈妈道。

"妈，我想箍牙。"

两母女的声音越来越远，俞又暖的嘴角却翘起了一丝笑意，觉得这里其实也不错，热闹也有热闹的快活。

俞又暖一口气爬到五楼，心跳加速地敲了敲左问的房门，故作矜持地只敲了三声，里面却没人回答，俞又暖不死心地又敲了敲门，并将耳朵贴在门上去听里面的动静。

没有任何响动。

俞又暖这才不得不接受左问还没回来的事实。

俞又暖走下楼，在小区里转了转，古老的小区，只在前面的中心花园里有几张石凳，不过坐在那儿就看不见左问何时回来了。

俞又暖又爬回五楼，从手提包里拿了两张纸巾垫在楼梯上，然后坐了下去，百无聊赖地拿出手机玩了一会儿游戏，再看看表，都十点了左问还没回来，她已经枯坐了将近三个小时了。

刚开始，有人上楼的时候，俞又暖还会不好意思地站起身，不过现在她又渴又累，也习惯了那些人异样的眼神。只可惜手机电池不管用，已经关机了，她只好将手肘撑在膝盖上捧着下巴发呆。

俞又暖有些渴，但是又不想错过左问回来时看见她那么可怜地坐在楼梯上的样子，所以抱了抱手臂，抻了抻腿，继续发呆。

"那个阿姨还在。"住在左问公寓对面的小孩子掀开了一点儿门缝，这话应该是对家中大人说的。

小女孩儿好奇地看了俞又暖一会儿，咚咚咚地跑了回去，过了一会儿抱着一个奶瓶轻轻走到俞又暖的身后，奶声奶气地叫了一声"阿姨"。

俞又暖回过头，就看见一个穿着粉红色小裙子、雪白袜子的西瓜头小姑娘。

"小朋友，你好。"俞又暖很高兴有人来和她说话，哪怕这只是一个两岁多的小妹妹。

"阿姨，给你喝。"小妹妹将自己的奶瓶双手递到俞又暖的跟前。

俞又暖舔了舔嘴唇，别说，她还真想接过来，"谢谢你，小朋友。"俞又暖接过小女孩手里的奶瓶，假装喝了一口，再递回给小女孩儿，"真好喝。"

小女孩立即咯咯地笑了出来。

"小橙，你该睡觉了。"小女孩的妈妈走出来将她抱了起来，对着俞又暖歉意地笑了笑，"这孩子……"

"你女儿非常可爱。"俞又暖笑道。

楼道里重新恢复了安静，时间已经走到了十一点，俞又暖实在有些撑不住了，也没有多余的精力去计较扶手栏杆上那薄薄的灰尘了，她将头靠了上去，抱着膝盖闭上了眼睛。

"又暖！"左问刚转过楼梯，就看见了正靠在栏杆上睡觉的俞又暖。

俞又暖睡得并不沉，她动了动睫毛，抬手揉了揉眼睛，"你回来啦？"

左问走过去，将手递到俞又暖的眼前将她拉了起来，"你找我有什么事，怎么不给我电话？"

俞又暖伸手理了理裙子的褶皱，弯下腰将地上的纸巾捡了起来，她不给左问打电话，当然是怕他被吓走了啊。

俞又暖不作声地跟着左问进了他的公寓。小区的外表虽然古老简陋，但是好在左问的公寓装修得比较现代，黑、白、灰三色，是严肃的单调，一看就是左问的公寓。

俞又暖好奇地每个房间都参观了一遍，两室一厅，连洗手间也没放过，而且还打开了洗手间的柜子，确定了牙刷没有第二把，也没有女性的洗面奶之类的东西。

左问换了衣服出来之后，看见俞又暖正在翻他的沙发，"你在做什么？"

俞又暖受惊地往后一跳，先发制人地道："你吓到我了。"其实真相是她正在翻沙发的缝隙里会不会有野女人留下的蕾丝内裤之类的，所以听见左问的声音就心虚了。

俞又暖最近被肥皂剧荼毒，据说越是沉默的男人越闷骚，而通常女朋友查寝的时候，单身男人的沙发缝隙里都有寻欢作乐的证据。

"我给老王打了电话，他已经开车过来接你了。"左问道。

"我口渴。"俞又暖坐到沙发上抬头望着左问。

左问打开冰箱，取了一瓶牛奶，用微波炉热了递给俞又暖。

俞又暖喝了一口牛奶，对着左问揉了揉肚子，"我好饿。"

"只有面条。"左问道。

对于即使失忆，也随时不忘保持体形的俞又暖来说，晚上吃面条简直是不可饶恕的罪过，不过她却听见自己的嘴巴抢答道："好。"

左问做的面条，当然另当别论了，即使长肥，也让人甘之如饴。

俞又暖倚在狭窄的厨房门口，看着左问在里面忙碌，脸上的笑意忍也忍不住，"我不吃葱姜，不要酱油，不要味精，不要鸡蛋。"

最后左问端给俞又暖的就是一碗只放了盐的白面。

俞又暖本来是抱着吃完这碗面讨得左问欢心的打算的，但是在吃了一口之后，她觉得还不如饿着呢，只能求饶地看着左问。

左问没说话，将俞又暖面前的面碗拿到了自己跟前，埋头吃了起来。

俞又暖都看傻了眼，她看着快要见底的面碗，开始怀疑左问嘴里的面和自己刚才吃的是一个味儿吗？俞又暖吞了吞口水，她的确是有点儿饿了。

左问吃完面，起身刷了碗，这才坐下看着俞又暖。

俞又暖饿着肚子，只觉得委屈都要沸腾了，却拿左问没奈何。

左问洗了碗，就想进书房，俞又暖赶紧一步跨到他的跟前，双手张开成一字挡住左问，"我们谈谈。"

"我的话已经说清楚了。"左问冷冷地道。

俞又暖噘噘嘴，"可是我还没说完。"俞又暖顿了顿，看着左问的眼睛，丝毫没有回避地道："我想挽回这段婚姻。"

在左问回答之前，他的手机突然响了。俞又暖心里又急又气，"不许接。"

左问扫了俞又暖一眼，就接起了电话。

这绝对是无视！

俞又暖忍着大小姐脾气，只能等左问讲电话。

"老王到小区外面了，我送你出去。"左问挂了电话，拿起外套。

俞又暖有心赖着不走，可又怕左问不顾情面地撵她，那可就太丢人了，再说了心急吃不了热豆腐，她今天也只是打算过来说说话的。

俞又暖点了点头，看着左问那明显松了一口气的样子，心里又开始发堵。

夜凉如水，俞又暖夸张地环抱住自己的手臂，可是等了半天，也没见左问手里闲置的外套盖在自己的肩膀上，她不得不转头看着左问，然后搓了搓自己的手臂，这暗示够明显了吧？

"走快些上车就不冷了。"左问道。

俞又暖停下脚步看着左问，她问自己，她真的喜欢上这段木头了？如果是这样，未来的日子岂不是太可怕了？

左问走到车边停下来，看着俞又暖眼里的迟疑，嘴角微乎其微地翘了翘，那不是笑容，而是讽刺的表情。

俞又暖看在眼里，心中一团火在汹涌，她早该料到左问是故意的，他如今能叱咤商场，怎么可能是如此不懂人心的人，他大概早就把自己看透了。

俞又暖重新直起背，挺起胸，走了过去，站在左问的跟前低声道："你不给我机会，我就自己争取。"

左问扬了扬眉，没说话，为俞又暖拉开了车门。

第二天晚上，俞又暖拖着行李箱在十一点的时候到左问的公寓敲门，这时候俞又暖觉得左问肯定在了。

可是俞又暖敲了很多声，也没人应答，她又确定左问没有出差，所以只好坐在行李箱上等左问回来。

左问公寓对面的那位年轻妻子，在猫眼里看到走廊上的俞又暖后，轻声对她老公道："昨天那个女的又来了，哎，老公，你说他们什么关系啊？"

"是不是那个男的始乱终弃，这女的缠着他不放啊？"年轻的妻子好奇得不得了。

年轻的老公放下玩游戏的手机，"不可能吧，那女的长得那么漂亮，一看就是白富美，哪个男的舍得始乱终弃啊？"

年轻的妻子捶了捶老公的肩膀，"你就是看人家漂亮，是不是动心了啊？你也说了是白富美，看见她包包没有，一个包包比咱们家的车还贵，你那点儿心思趁早歇了吧。"

"我能有什么心思？"年轻的老公搂住自己的妻子，"不过对面那男的的确艳福不浅。"

"那也得人家条件过硬啊，又高又帅，还有司机，能没有艳福吗？"年轻的妻子道。

"你怎么知道他有司机的，有司机的还住我们小区啊？"年轻的老公有些吃醋了，"你是不是嫌弃我赚不了钱啊？"

"没有啊。那男的虽然是高富帅，不过脸上总是冷冰冰的，嫁给他可未必好过，有钱人就是那样的，你一辈子得看他的脸色，还是老公你这样的最好。"年轻的妻子搂住老公的脖子。年幼的女儿已经睡着很久了，剩下的就是亲密的时间了。

对面公寓里的聊天内容俞又暖自然听不见，不过今晚她没等多久，左问就回来了，看见她坐在行李箱上面，就不耐地皱了皱眉头。

俞又暖站起身，"你都是这么晚才下班吗？"

左问开了门，有些烦躁地道："你成日无所事事，可以去公司上班，你迟早是要主持公司大局的。"

俞又暖假装没听见，"你喝酒了？身上还有香水味。"俞又暖对那支香水的味道颇为熟悉，用得起那支香水的，经济条件和品位都不会太差。

左问道："晚上有一个应酬。"

"不用带你的妻子出席吗？"俞又暖直言问道。

左问揉了揉眉头，"我叫老王来接你。"

"我不，我要求你履行夫妻义务，夫妻同房的义务。"俞又暖厚着脸皮道。

左问大概真的是被俞又暖给逼急了，"俞又暖，我真想把你从窗户上扔下去。"

俞大小姐是什么人，她个子高挑，又穿的平底鞋，轻轻松松就撑到了窗沿上坐下，"好了，你现在戳一戳手指，我就掉下去了。你扔吧。"

左问都快被俞又暖气笑了，干脆置之不理，转身回了卧室。

俞又暖跳下窗台，在沙发上坐下，揉了揉自己的胃，胃疼仿佛还带起了头疼，她去厨房倒了一杯水，取了药片。

左问换了衣服出来，见俞又暖在吃药，忍不住又皱了皱眉头，"你身体不舒服，还乱跑什么？"

俞又暖转过身看着左问，神情脆弱又无辜，"我只是不想失去你，山不来就我，就只好我来就山啊。"

"即使离婚，我也会为俞氏卖命的，你不必担心，俞先生当初对我有恩，我终生都不会忘记。"左问看着俞又暖道。

俞又暖低下头，不知在想什么，最后抬起头道："我饿了。"

左问叹息一声，谁摊上俞又暖都没有法子，"走吧。"

俞又暖的笑容重新回到脸上，快步走过来挽住左问的手臂。

左问越想抽出手臂，俞又暖就抱得越紧，两次三番之后，难免会摩擦到女性最柔软的地方，俞又暖的脸像烧着了一般，可她却不放手。

左问轻咳了两声，只好放弃抵抗。

俞又暖好奇地道："这么晚餐厅还开门吗？我可不要吃快餐。"

左问的手插在裤兜里，看都不想看俞又暖这个无赖一眼。

俞又暖却好奇地看着眼前的大排档，都凌晨了，居然还人声鼎沸，座无虚席，左问和俞又暖的位子是临时安置的，老板将从屋子里拿的折叠桌摊开，就放在街沿上。

左问点了一锅鱼片粥，一份炒芥蓝，还有一份拌青瓜。蔬菜很清香，鱼片粥也很鲜美，不过俞又暖的注意力却被隔壁那一桌的年轻情侣给吸引了过去。

那对情侣的桌子上有一份红艳艳的菜，俞又暖仔细分辨了一下，认出来应该是香辣虾，那女孩子吃一口就不停地扇舌头，男的就给她喂啤酒解辣。

俞又暖收回视线，转而对左问道："那道菜是什么？我看很多人点，我也想试试。"

"你不能吃辣的。"左问淡淡地道。

"可是，我突然想吃了。"俞又暖转头招呼老板，指着香辣虾道："来一份那个，唔，再来半打啤酒。"

"你不能喝酒。"左问道。

俞又暖道："但是你可以喝啊，那个看起来很辣的。"

香辣虾上来的时候，俞又暖戴上一次性塑料手套，一副准备大快朵颐的样子。不过她的确是不太能吃辣，下手时难免犹豫，抬头再看侧面那对小情侣，男的正贴心地给女孩儿把虾肉剥出来。

俞又暖收回视线，长长地吸了口气，她知道自己在左问这里是没有那种待遇的。俞大小姐的纤纤玉手，矜贵地剥着虾肉，不过第一只虾子的肉却被她放入了左问的碟子里。

若是换了别人，大概都得受宠若惊了，左问只是淡淡地扫了俞又暖一眼。

俞又暖讨好地笑了笑，"你尝尝啊。"

左问没有拒绝。

俞又暖心满意足地看着左问把香辣虾吃下去，然后将左问的酒杯斟满，"解解辣吧。"

一份香辣虾几乎都下了左问的肚子，但是他一只也没动手剥，而啤酒他足足喝了半打，依然面不改色，俞又暖没想到左问的酒量这样好。

俞又暖脱下手套，有些嫌恶地看着手上残留的油腻，一次性塑料手套并没能隔住所有的辣油。她用手帕使力地擦了擦手，然后放到鼻尖闻了闻，夸张地撇了撇嘴。

结账回到公寓时，俞又暖主动想扶左问回房间，却见左问轻轻地推开了她的手。

"俞又暖，这点儿啤酒对我来说不算什么，你的心思可以歇歇了。"左问的表情没有任何讽刺的迹象，但是这话却刺激得俞又暖几乎暴跳。

俞又暖恼羞成怒地吼道："我什么心思啊？"

左问没说话，可是他的眼神过于深邃，仿佛能读透俞又暖隐藏在心底的东西。

俞又暖嘴硬地道："即使我有心思，那也是因为你没有尽到做丈夫的责任。"

左问的唇角微微上翘，"如果你有需要，每个月我给你的家用，足以让你每个晚上都睡最顶尖的公关了。你若是怕被人知道，可以飞去国外。"

俞又暖气得浑身发抖，她说不出任何话来，抓了手提包就往门外冲去。滚烫的眼泪从她的眼睛里倾泻而出，左问能说出这样难听的话，可见她以前的确做了太多太多的错事，以至于俞又暖连反驳他的话都觉得底气不足。

左问叹息一声，打开门追下了楼，抓住了俞又暖的手肘。

俞又暖回过身，她还以为左问是来道歉的，毕竟任何绅士都说不出那样的话来。

"太晚了，我送你回去，除非你想上明天的社会版头条。"漂亮的单身女人，半夜三更流着泪走在治安算不上特别好的区域，的确可能遭遇不幸。

俞又暖眼泪模糊地看着左问，"左问，你就是个冷血动物。"

左问看着俞又暖，凉凉地开口，"没有人天生就是冷血动物。"

俞又暖坐在左问的车里，头向着窗外，车厢里静谧得只有彼此的呼吸声，车到了俞宅时，她什么话也没说就下了车。

当女人失恋的时候，如果她们不愿意哭泣，那多半会开始暴饮暴食，或者疯狂刷卡。

俞又暖自然是后者。

俞又暖坐在沙发上，手指轻点图片，在浏览这间工作室的设计师今年的新款，门铃响起的时候，她也没抬头，直到对方出声唤她。

"又暖，好巧啊。"向颖笑着向俞又暖摇了摇手，她身边手插在裤兜里站着的人是关兆辰。一旁的导购看见关兆辰眼睛就冒出了粉色的星星。

关兆辰今日穿得很休闲，白色的桃心领 T 恤，微微露出了一点儿锁骨，集冷峻和性感于一身，他是男模出身，身材自然是极好的。也难怪媒体称他为秒杀少女和少奶的大杀器。

可惜俞又暖却忍不住皱眉，她看见关兆辰就心烦，不由又想起了那不堪的一幕。

"向小姐，你的衣服改好了，你要不要试试？"导购微笑着对向颖道。

向颖对着俞又暖点了点头，"我进去换衣服，你和兆辰先聊聊。"

关兆辰看着向颖进了更衣间，才在俞又暖身边坐下，"又暖，你身体好些了吗？"

上一次见面还是疏远的"俞小姐"，私下却变成了"又暖"，俞又暖在心底又撇了撇嘴。听见关兆辰的话后，俞又暖点了点头，"挺好的，不过还是记不起以前的事情。"

关兆辰道："上次你可吓到我了。其实想不起以前的事情，也不是坏事。"

俞又暖转头打量关兆辰，觉得他话里有话。虽然俞又暖记不起前事，但是她有一颗善于创造的心，过去的故事她都猜得七七八八了。

无非就是她俞又暖，和左问结婚后，觉得左问木讷无趣，忍不住和关兆辰发展了婚外情，至于关兆辰如今和向颖交往的事情，她就不知道是在自己车祸之前还是之后了，她也没兴趣知道。

"的确并非坏事。"俞又暖淡淡地道。

"最近我有新戏上映，邀请你去看首映会好不好？"关兆辰道。

关兆辰的桃花眼不停放电，俞又暖却觉得有丝恶心，这个人和向颖交往，又想跟自己玩暧昧，真欺负她想不起以前的事情吗？

"不了。"俞又暖站起身，"替我跟向颖说声抱歉，我还有事先走了。"

俞又暖呼吸了一口外面的新鲜空气，关兆辰身上的古龙水让她觉得胸闷，幸好左问身上只有沐浴液和清冽的刮胡水的气味儿。

本来是出来散心的，俞又暖又忍不住想起了左问，转而对司机老王道："去绿园小区。"

绿园小区就是左问公寓所在的古董小区。

俞又暖没有下车，静静地从车窗往外看，一个又一个的老太太或者老爷爷手里拿着孙子的书包，拉着他们往家里走。

小孩子打打闹闹，欢快又活泼。

年轻的白领手里拎着顺路买回来的菜，也在往小区里走。

"王叔，你说左问怎么就喜欢住在这里呢？"俞又暖喃喃地道。

老王笑了笑，"大概是觉得这里有生活气息吧，俞宅就是太安静了。"

"生活气息？"俞又暖重复了一遍。

俞又暖这一次没去找左问，回了俞宅，就进了房间上网搜左问的信息。

近年来左问鲜少有上新闻的时候，可以理解为他更加低调了，当然也可以说是媒体更给他面子了。上次那个八卦杂志炒作小女星跟他的绯闻，第二天就石沉大海了。

俞又暖搜到的左问的访谈还是七年前的事情了，那时候的左问意气风发，刚开了自己的公司，第一个项目就获得了大大的成功，年底还从市长手里接过了本市十大杰出青年的奖状。

俞又暖将访谈来回地读了好几遍，左问的回答言简意赅，唯有最后一个问题，实在让人沉思。访问者问他今生最大的梦想是什么。

预期的答案估计是事业上再创高峰之类，而当时的左问才 28 岁，正该是豪情万丈、指点江山的时候，他的答案却是，梦想是有个女儿，回家的时候有热气腾腾的饭菜等着他。

左问的答案是如此的朴实，以至于大家都觉得他没说真话。

如果俞又暖还记得以前的事情的话，她就能想起当时她评价左问的话，"真是个乡巴佬，穿上龙袍也不像皇帝。"

而此时，俞又暖的手指轻轻点着桌面，想起左问住的绿园小区，再看到这篇访谈，她忽然觉得有一点儿了解左问的内心了。虽然他一直积极进取，可是也从没为他出身平凡而觉得羞耻，他内心依然眷恋着那种……

那种充满了生活气息的生活。没有无穷无尽的应酬，没有需要穿正装的晚宴，没有冷冰冰的别墅，也没有背叛的妻子……

俞又暖从书房出去后，就坐在二楼的起居室发呆，直到慧姐上来关灯。

"小姐，你怎么不回房间啊？"慧姐问道。

俞又暖道："慧姐，你见过左问的父母吗？"

慧姐被俞又暖的问题给问得一愣，然后摇了摇头。

"他父母没来过吗？我和他结婚的时候，他父母也没来过吗？"俞又暖追问道。

慧姐迟疑了片刻，然后又摇了摇头。

俞又暖从慧姐的神色里读出了一点儿不同，"慧姐，你别骗我，是不是当时闹得不太愉快？"

慧姐有些为难地道："小姐，都十年前的事情了，我的确不太记得了。而且当时小姐还太年轻了。"

俞又暖都快对自己绝望了，她以前都干的什么事儿啊？

"那你记得左问的父母住在哪里吗？"俞又暖又问。

"不知道。"慧姐道。

真是一问三不知，俞又暖只好让慧姐离开，不过要查这点儿小事还难不倒俞大小姐，花了500美金就查到了左问父母的住址和资料。

左问的父母依旧住在他出生的南方的小镇上，俞又暖下飞机之后，先乘车到小镇所在的地级市，然后再转车到县城，最后才到了小镇上。

小镇水道纵横，绿树成荫，非常安静。绿地广场上，很多大妈和大爷都在跳《最炫民族风》。

对广场舞，俞又暖如今已有了一些了解，绿园小区的广场舞节奏比较慢，而这里的老人则精力仿佛太过旺盛，舞蹈的节奏比年轻人跳的都快。

俞又暖拉着行李，站在广场边上看了好一会儿。她看了看时间，这个点儿，左问的父母应该正在这个广场上锻炼身体。

晚上八点半的时候，广场上跳舞的人才开始慢慢散开。

一个50来岁、烫着小鬈发、穿着广场舞集体套装、手里拿桃红色舞蹈扇的老太太在路过俞又暖的时候，回头看了她好几眼，才有些不确定地唤道："又暖？"

俞又暖借着广场上的灯光仔细看了她一眼，发现她和照片上的她的婆婆很有几分相似，她也带着几分不确定地道："妈？"

白宣愣了愣，没想到时隔多年以后，她会在这里看到她那高傲的儿媳妇，而且还能听见她喊一声妈。

"白老师，怎么还不走？"一个拿着太极剑的相貌清癯的老人走了过来，等他看清楚俞又暖的长相时，也愣了愣，"又暖？"

"爸。"俞又暖这会儿彻底确定这就是她公婆了。

左睿收起诧异的表情道："嗯，先回家吧。"

俞又暖拉着行李箱跟在她公公婆婆的身后，往他们家在的小区走，那也是一个砖混结构的小区，星光点点，橘黄的灯光从窗户透出来，让俞又暖觉得又看见了绿园小区。

其实这个小区是当年分给她婆婆的教师福利房，左问从小就是在这里长大的。

"白老师，这小姑娘是谁啊，你家亲戚吗？长得好漂亮啊。"一个大妈笑着跟白宣打了招呼，眼睛却一直盯着俞又暖。小区里难得来几张新鲜面孔，而且还是长得这样水灵的小姑娘。

白宣含糊地"唔"了一声。

俞又暖礼貌地对那位有两个自己胖的大妈笑了笑。

"这么漂亮的姑娘，是不是你们家左问的老婆啊？"胖大妈看出了白宣的尴尬，一定要打破砂锅问到底。

左问从小就是小区里的神童，更是小镇上第一个考入全国 Top 1 的大学并留学美国常春藤名校的人，想当然耳，也是小镇上所有大妈心里的最佳女婿。

这么多年来，她们最大的遗憾就是没见过左问的老婆，大家都想看看是什么样的女孩儿能配得上左问。

白宣没说话，但脸色显然已经不算好，当年她这位"好媳妇"可是当着所有人的面拒绝喊她一声妈的。她当初就不同意左问娶俞又暖，俞家除了钱还能有什么？尤其是俞又暖，除了脸蛋之外，简直一无是处。

胖大妈显然也意识到了白宣的不快，不再多问，打了个哈哈，借口买酱油就走了。

左问家在五楼，楼道的灯不太亮，楼梯又窄，很不方便老年人生活，俞又暖不知道为何左睿和白宣不搬家，又不差钱。

俞又暖进门后，飞速地打量了一下左家，一套二的房子，大约五十来平方米，客厅非常小，而且还兼具饭厅的功能。除了电视机看起来比较新以外，其余的家电看起来都有些年头了，走进这里，俞又暖有一种穿越时空，回到八九十年代电视连续剧《渴望》里的感觉。

"请坐吧。"白宣给俞又暖倒了一杯水，像对待不太熟悉的客人一般对待俞又暖。

"谢谢。"俞又暖接过大排档里喝啤酒那种玻璃水杯，没有放到嘴边的意思。

屋子里的三个人同时都陷入了尴尬的沉默，白宣开口道："老左，你去隔壁找老金下几盘象棋吧。"

左问的父亲公务员退休后，最喜欢的就是下象棋。

左睿开门出去后，白宣看着俞又暖冷冷地道："说吧，你这次来找我们有什么事？"

俞又暖双手握着水杯，面对白宣有些紧张，大概是最近跟着慧姐，都市婆媳剧看多了，没来由就紧张。"妈，我就是想来看看左问小时候长大的地方。"

白宣显然不太相信俞又暖的说法，"怎么想起一出是一出的，来之前也不给我们打个电话？"

俞又暖被白宣说得有一丝脸红，"我……"

白宣摆了摆手，"你们的事情我不管，我也管不了，左问当年要跟你结婚，我管不了，今天他如果要跟你离婚，我也管不了。"

俞又暖觉得白宣实在太敏锐了，不过也不难想象，如果不是出现变故，俞又暖怎么会找到这儿来？

俞又暖虽然羞愧得想将头埋到水杯里，但是现在不是退后的时候，直言不讳道："妈妈，我想重新挽回左问。"大小姐想要什么都习惯直接开口，没有转弯抹角暗示的。

果然是出事儿了，现在知道来求助，早干吗去了？白宣看见俞又暖就心烦，每年过年左问独自一个人回家的时候，别人看他们家的异样眼神，白宣可是受够了。城里的媳妇又怎么了，有钱人家的小姐又怎么了？一点儿中华民族妇女的传统美德都没有。

这么多年来，俞又暖给他们老两口打过一个电话吗？这些都算了。每次左问回家，她问到俞又暖的时候，左问眼底那股藏也藏不住的落寞，看得白宣每次都跟犯心绞痛一样。

左问能瞒住所有人，却瞒不过从小把他养大的母亲。

"何必挽回？我只希望你能放过我们家左问。你家虽然有钱，但是我依然不认为你配得起我的儿子。"白宣这辈子最值得自豪的就是她儿子左问了。

俞又暖有些讪讪，不过她也没指望白宣能给她好脸色。她沉默了一会儿，才开口道："妈，我能不能看看左问的房间？"

听不懂拒绝的话吗？白宣觉得俞又暖脸皮有够厚的。"左问的房间，如今他表妹住着，小萌不喜欢别人碰她的东西。"白宣道。左问的表妹在镇上读书，就住在左家。

"我就看看，不会碰任何东西的。"俞又暖的姿态放得十分低。

白宣这才不情不愿地点了点头。

俞又暖推开左问的房门，白宣并没有说谎，里面的小床铺着碎花床单，显然不是左问的偏好。书架上是小女孩养的小仙人球，还有包着花里胡哨的包书纸的书，品位很小镇就是了。

房间里已经看不到左问当年的影子，俞又暖无比失望地倚在门上。

而隔壁房间里白宣正在给左问打电话。

"你和俞又暖怎么了？"白宣不客气地问左问。

黑暗里，左问指间闪着一点红光，他抬手揉了揉眉心，吸了一口烟，"挺好的。"

"挺好的她能跑到家里来？！"白宣拔高了嗓音。

左问一时没反应过来，片刻后才意识到白宣所谓的家里是他的老家，左问一下就坐直了身子，将烟在水杯里按熄，有些不敢相信地问："她去了老家？"

"是，你们是不是在闹离婚？"白宣问，"这婚早就该离了，你都多大的人了，现在都还没个孩子。这次你可不许再心软，你要是心软，我都瞧不起你。"

"妈。"左问打断白宣的话，"她跟你说了什么？"

"她能说什么，求人的架子还摆那么高，真是大小姐。"白宣从鼻子里喷气儿道，"赶紧把她弄走，我们这里庙小，容不下她这尊大佛。"

"我会给她打电话。"左问道。这个礼拜俞又暖从绿园小区消失得无影无踪，左问没有放在心上，俞大小姐从来就只拥有三分钟的热情，不过他的确没料到俞又暖会跑到他老家去。

"晚上我让她去住旅馆，不想看到她，你说她怎么还有脸来找我们啊？"白宣气愤地道。

小镇上没有宾馆，旅馆一般都是家庭经营，住客良莠不齐，白宣也就是说说气话。

"妈。"左问有些心急地喊了出来。

"挂了。"白宣掐断电话，然后对着电话低骂道："就知道是个没出息的。"

白宣从房间里出来，就见俞又暖正拘谨地坐在沙发上，"你今晚睡哪里？旅馆订了吗？"

俞又暖摇了摇头。各大订房网站上都没有小镇旅店的信息，怎么订？

"家里没地儿给你住，你要是愿意就睡沙发吧。"白宣也不赶俞又暖，可是稍微有点儿脸皮的，肯定就也待不下去。

文化人的冷暴力的确暴力。

俞又暖点了点头。

白宣手里的电话又响了，她转身回屋接电话。

"妈，我明天的飞机回来。"左问道。

白宣有些不敢置信地看着自己的手机，差点儿没砸在地上。左睿回来的时候，看着在床头生闷气的白宣道："你怎么让又暖睡沙发啊，小萌不是回她自己家了吗？"小萌就是左问的那位表妹。

"我没撵她出去就不错了。"白宣抄着双手，一副谁也不许靠近的意思。

左睿揽住白宣的肩膀道："白老师，这可不像你啊，就算是个陌生人，你也不会这样狠心啊。"

白宣推开左睿的手，"你儿子明天要回来。"

左睿吃了一惊，"左问说的？"

"不是他还有谁？一年就回来一次的人，这倒好，他老婆跑过来，第二天就追过来了，你说养儿子有意思吗？"白宣气得心绞痛，又追问了一句，"有意思吗？"

左睿笑道："我说咱们白老师今天干吗发这么大火啊，原来是在跟又暖吃醋？"

白宣被左睿这样一说，刚想反驳，可回过头一想，也觉得有点儿好笑，"怎么了，不行啊？我辛辛苦苦把他拉扯大，就是让他这样追着别人的闺女跑的啊？"

左睿替白宣揉了揉肩膀，"小辈的事情咱们别插手了，有时候反而会起反作用。"

白宣也不是不讲理的人，就是太生俞又暖的气了，可当妈的心疼自家儿子，叹息道："我去看看她，别这头受了委屈，以后回去又折腾我们家左问。"

左睿点了点头，"这就对了。"

白宣微微打开一丝卧室的门缝，却见俞又暖正在通电话。

"俞又暖，别招惹我父母，否则别怪我对你不留情面。"左问的声音在电话里又冰又凉，好像将她当成了敌人一般。俞又暖觉得自己的心又酸又胀，想掉眼泪。漆黑的夜里，她一个人睡在沙发上，她这辈子也就在左家睡过沙发。而且老式沙发又短又窄，睡在上面实在是难受。

俞又暖用指尖抹了抹脸上的眼泪，心里想着，明天一早她就离开，干吗留在这里受左家母子的气啊，她又不是离了左问就不能活了。

以俞大小姐的资产，夜夜换新郎也不是难事。

"俞又暖。"左问没听见俞又暖的声音，又唤了一句。

俞又暖又累又饿又脏，委屈累积到了极点，干脆掐断了通话，缩起腿将头埋在膝盖上。

白宣站在门后，能看到俞又暖因为哭泣而抽动的肩膀，隐隐也能听见她极力压抑的哭声。

白宣撇撇嘴，觉得这都是俞又暖自找的，可是她看见俞又暖哭得那么伤心，又难免开始反思，难道她真的做得太过分了？娇生惯养的大小姐，如今睡在狭窄的沙发上，的确有些可怜。

不过白宣知道，俞又暖这个时候肯定不愿意有人去打扰她，只能重新关起门，对左睿比了一个嘘声的动作。

左睿低声道："怎么了？"

"在客厅里哭呢。"白宣道。

"你看，把人小姑娘弄哭了吧。"左睿道。

"什么小姑娘啊？今年也该 30 了吧。"白宣道。

"看起来也就 20 出头啊。"左睿感叹道，"赶明儿让她教教你保养的法子。"

白宣道："稀罕。你都是个老头子了，我保养给谁看啊？"

左睿道："这不是给谁看的问题，你们女人，自己觉得自己漂亮了，精神气才好，我是希望白老师你长命百岁呢。"

白宣不知道回答了什么，他们两个人的声音越来越低。

黑夜渐渐恢复了无声。

俞又暖醒过来的时候，天已经大亮，但是屋子里因为拉着窗帘，所以光线并没有唤醒俞又暖。

厨房里有些小动静，那是白宣晨练回来，正在弄早饭。

俞又暖赶紧从沙发上爬了起来，将身上的毯子叠好，就站着不知道该怎么办了。

白宣听见动静，从厨房走出来，把窗帘拉开，灿烂的阳光从窗户外射进来，让人觉得又是新的一天开始了，昨日的烦恼就丢在了脑后。

"别愣着啊，赶紧洗漱。"白宣转身进了房间，将浴巾连带浴巾里包着的东西一起递给俞又暖，"去洗个澡吧，你们城里人就爱早晨洗澡。"

俞又暖咬了咬嘴唇，看着干净的浴巾和浴巾里的新香皂，还有新杯子和牙刷，她抬头看了看白宣。

"浴巾是左问过年回家用过的，我洗过了。"白宣知道俞又暖这种城里的大小姐的臭毛病，自以为比别人都高级，坚决不肯用别人用过的东西，好像别人都是带菌体，就她一个人干净得都不需要肠道细菌帮助消化一样。有本事别吃喝拉撒啊，那才是真仙。

"谢谢妈。"俞又暖冲白宣灿烂一笑，就进了卫生间，昨天晚上她下定的决心，被阳光一照就全都烟消云散了。小镇也挺好的，至少空气清新，待几天也是很不错的选择。

左家的卫生间又小又窄，整套房子都还没有俞又暖的卫生间大，而且这卫生间淋浴和厕所蹲坑不分家，俞又暖极端不适应，但在沙发上窝了一个晚上之后，俞大小姐的适应能力奇异地就增加了，没有甩头就走，乖乖地别扭地眼睛不敢看地上单脚独立地洗了澡。

等俞又暖洗完澡换了衣服，左睿也拎着豆浆、油条、馒头、新鲜牛奶，还有一袋吐司回来了。

豆浆俞又暖喝过，但是油条她还真没吃过，对于油炸食品，俞大小姐都不怎么碰。

"你吃哪样儿？"白宣摆了碗筷，给左睿盛了一碗粥，桌子上还有几碟小菜，有刚炒好的油麦菜，也有腌黄瓜和泡萝卜。

白宣自己是倒了一碗豆浆，将油条撕碎了放到豆浆里。她嘴里虽然在问俞又暖，但显然那瓶新鲜牛奶和吐司却是给俞大小姐这个城里人专门准备的。

"我吃豆浆和这个。"俞又暖指了指油条。

白宣没好气地"呵"了一声，城里的大小姐连油条都不认识，"这是油条。"

俞又暖赶紧点头，她记不起以前的事情，这两年没见过没听过油条这种东西，也实在不能怪她。

俞又暖咬着油条，绵软有劲道，外表又有一点儿酥，吃起来口感很不错，不过吃一条就是她对自己最大的容忍了。

白宣看着俞又暖那点儿小胃口就烦，城里大小姐为了保持苗条连身体健康都不顾了，本末倒置。

吃过早饭，俞又暖站起身主动帮白宣收拾碗筷，"妈，我来洗吧。"

白宣斜睨了俞又暖一眼，"来者是客，你坐着吧，厨房小，你在这儿反而碍事。"

俞又暖只好听话地退了出去，白宣成功地让她感觉自己像个废物。至于左睿，大概是觉得家里多了个这么漂亮的儿媳妇实在有些不方便，早早就拿了钓具去河边钓鱼去了。

白宣洗了碗出来，拿了零钱包对俞又暖道："我去买菜。"

俞又暖赶紧站起来，"我陪您去吧。"

白宣道："不用，免得别人看见你，以后要是换了人又要多问。"白宣这话说得可是够不客气的。

俞又暖尴尬地笑了笑，没再说话。白宣离开后，她就打电话订了明日的机票，左问的母亲和左问一样难处，她总算知道左问的臭脾气是从哪儿来的了。

订好明天的票之后，俞又暖的打算是，看看今天有没有可能稍微挽回一点儿在左问父母心里的形象，或者多了解了解左问的成长经历，总不能白来一趟。光是昨天大巴车里的那股味儿，就让俞大小姐觉得她付出的代价太大了，不能就这么灰溜溜地走了。

敲门声响起的时候，俞又暖正闲得无聊地翻电视频道，她起身打开门，见外面是个十七八岁的高中小女孩。圆脸小姑娘好奇地打量着俞又暖，又不好意思一直盯着她看，"白老师不在吗？"

"她去买菜了。"俞又暖道。

"哦，我们家就住在对面，我叫郭晓玲，家里酱油用完了，我妈让我来借一点。"郭晓玲道。

"哦，我去帮你拿。"俞又暖走进厨房，拿了一瓶写着酱油的褐色瓶子给高中女生。

"我妈说要老抽。"郭晓玲没接过瓶子。

俞又暖不太懂，"老抽？"

"对啊，老抽。"郭晓玲重复道。

俞又暖再次仔细看酱油瓶，才发现上面写着"生抽"两个字，她转身去放酱油瓶的地方，果然又找到一瓶"老抽"，笑着递给了郭晓玲。

郭晓玲转身谢过，就跑回了对面她的家里。一进门她就给她在市里上班的姐姐郭晓珍打电话道："姐，你猜我见到谁了？"

郭晓珍还在睡懒觉，被郭晓玲的电话铃声吵醒，一脸不耐地道："郭晓玲，我一周就只有两天能睡到自然醒，你还不放过我？"

郭晓玲兴奋地道："姐，我看到左问的老婆了。"

郭晓珍一下就从床上坐了起来，"什么？"

"我见到左问的老婆了。"在郭晓玲的嘴里，仿佛左问的老婆就跟大明星一般，见着了很了不起一样。

34岁还单身着的曾经镇上一中的美女校花郭晓珍有些茫然地不知该说什么，"她……"

郭晓玲道："漂亮，太漂亮了。又高又有气质，比那谁都漂亮。"郭晓玲说了一个著名的美女女星的名字。

"声音好甜哦，而且还带着天生嗲，怪不得左问会跟她结婚。"郭晓玲这个插刀教，简直把她姐的心捅得七零八碎的了。

"我去白老师家借酱油，她连酱油分生抽老抽都不知道，平日在家肯定不做饭。哎，没想到左问那么疼老婆啊，连厨房都不让她进。"郭晓玲继续往郭晓珍胸口插刀。

郭晓珍抽死郭晓玲的心都有了。

"姐，你就死了心吧，我觉得李大哥人真的不错。"郭晓玲拿了一个苹果啃，"咔嚓"一声唤醒了回忆中的郭晓珍。

"左问也回来了吗？"郭晓珍问。

"没有，就她一个人来的，我听一栋王大妈说的，昨天很晚才到的。"郭晓玲道。

郭晓珍毕竟是30多岁的女人了，看问题比郭晓玲这个高中生可要深远一些，"她怎么这时候一个人回来啊？"

"我怎么知道啊。"郭晓玲又啃了一口苹果。

"跟妈说，我中午回家吃饭。"郭晓珍说完，立即爬起了床，匆匆洗了个头，拿卷发棒自己卷了卷刘海，换了一身新买的花掉她一个月工资的衣服，开着她的小车回了镇上。

而这个早晨，在白老师出门买菜后，俞又暖已经借出了一瓶老抽，一瓶醋，一包盐，一把面。她这才知道小镇上的娱乐活动不多，唯一的电影院在十年前就破产了，在不跳广场舞的时候，她就充当了一把小镇上的"明星"，当然不是因为她那张脸，而是因为她顶着左问老婆的头衔。

Chapter 3

　　当白宣买了菜往回走的时候，很多熟人都主动给她打电话，"白老师，你媳妇难得来一趟，买好吃的了吧？"

　　白宣微微一愣，不过想起王大妈那个大嘴巴，也就释然了，微笑着点了点头。

　　"一早就看到你们家老左出门钓鱼去了，你儿媳妇是城里人，可能都没吃过真正的河鱼吧？"如今生态环境被破坏后，小镇的大妈对城里人有一种自然而然的优越感。

　　不过转过身，何大妈就开始和郭大妈、黄大姐等邻居碎嘴了，"她儿媳妇真是漂亮，这么多年都没来过，怕是瞧不上老左家吧？"

　　"听说左问在城里开公司，十年前就结婚了，他老婆今年怎么也该30了吧？"

　　何大妈拍腿道："不是吧，我看白老师头点得有些勉强，我刚才借面的时候，看那女的最多就二十三四的样子，该不会是小三儿找到家里来了吧？"

　　"这也太大胆了吧，现在的年轻人啊。"黄大姐唏嘘。

　　转眼俞又暖就从漂亮的儿媳妇沦落成了漂亮而道德败坏的小三儿了。

　　"唉，这年头男人有钱就变坏。"李大姐感叹，她想起自己的女儿郭晓珍这个大龄女青年就头痛。左问都开始变坏了，结果郭晓珍还没谈恋爱。

　　郭大妈点了点头，一脸神秘地道："肯定是上门逼宫来了。"

　　俞又暖从阳台上看见白宣提着菜篮子快到楼下了，赶紧打开门跑下楼，"妈，我帮你拎吧。"说着俞又暖就去接白宣手里的菜篮子。

　　"不用不用。"白宣挥挥手。

俞又暖自然要献殷勤，抢着要接过来，这样两个人你推我让的，白宣最后懒得跟俞又暖在楼下丢人现眼，索性将菜篮子交给了俞又暖。

结果，俞又暖没有估算到这篮菜的重量，篮子一上手，她就知道糟了，手一软，菜篮子就掉在了地上。

"我的蛋！"白宣失去风度地喊道。

俞又暖被吓得缩起肩膀，以手捂着嘴，一动也不敢动，只能低声道歉，"对不起。"

"你只会越帮越忙，你在 H 市待得好好的，干吗要跑到这里来？"白宣一肚子的火无处发泄。

"我明天就走。"俞又暖赶紧道。

白宣听了更来气，左问今天下午到，俞又暖一走，左问肯定也要走，他好不容易回来一趟，俞又暖就不能放过她儿子吗？

俞又暖还不知道左问要回来的事儿，她看着白宣越来越难看的脸，只能低声道："那我今天下午走？"

"腿长在你身上，你要走谁还能拦着你啊？"白宣没好气地道。

俞又暖没说话，蹲下身开始捡地上的菜，看着流了一地蛋黄恶心巴拉的鸡蛋，俞又暖强压住反胃的冲动道："妈，我去重新买鸡蛋吧？"

"你认识鸡蛋长什么样吗？"白宣讽刺俞又暖道。

俞又暖哪敢回嘴啊，只能假装没听懂白宣的讽刺，"认识，认识的。"

俞又暖艰难地歪着身子，提着死沉的菜篮子上了五楼，再拿了钱包下楼，等走到小区门口的时候才想起来，她还没问白宣鸡蛋在哪儿卖呢。俞又暖耸耸肩膀，她这都是被白宣吓的。

"大爷，请问鸡蛋在哪里买啊？"俞又暖问守门的大爷道，本地没有大型超市，对于俞大小姐来说，她想当然地觉得鸡蛋肯定不在菜市场卖。

"你就是左问那个相好的吧？"大爷一脸不赞同地看着俞又暖。

相好的？他们小镇上习惯用"相好的"称呼人的老婆吗？俞又暖觉得有些奇怪，但还是点了点头。

何大妈跟黄大姐在旁边听了就互相挤眉弄眼，"我就说肯定是小三儿吧。"

黄大姐上前一步，走到俞又暖身边，"你买鸡蛋吗？菜市场就有，我正好也要去买菜，顺路带你过去吧。"

俞又暖见黄大姐长得圆圆团团，一脸慈祥的笑容，对她也就没有什么戒心。在俞又暖的心里，已经不自觉地认为，这小区简直是一大家子，互相都认识。

"谢谢你，大姐，请问怎么称呼啊？"俞又暖礼貌地道。

"我姓黄，大家都喊我黄大姐。"黄大姐和俞又暖并肩走出小区，只不过她的眼睛一直往俞又暖的肚子瞥，在她看来，小三儿敢上门逼宫，肯定是怀上了，才有这胆量。左问都30好几的人了，一直没孩子，所以眼前这位很可能母凭子贵。

当然黄大姐也没好意思直接点破俞又暖是个小三儿，毕竟人都是要面子的。而且黄大姐在居委会工作，这种思想工作做得多了，知道委婉才是王道。

"小俞啊，你今年有24吗？"黄大姐的话显然恭维到俞又暖了，俞又暖微笑着点了点头。

"你们大城市的姑娘就是漂亮，又有气质。"黄大姐继续道。

俞又暖此时感叹这小镇民风淳厚，街坊邻居都很不错。

"像你这样的姑娘，一定很多人追求吧？"黄大姐又接着问道。

这个俞又暖可真记不起来了，不过目前看来是没有人追求她的，何况她还是已婚身份，"没有啦。"

"谦虚了吧。要是没人追求你，大姐我的头砍下来给你当球踢。"黄大姐斩钉截铁地道。

俞又暖只好不说话。

"小俞啊，虽然咱们现在这社会笑贫不笑娼，可是这人啊谁不想堂堂正正地挺起胸膛呢，你说是吧？"黄大姐道。

俞又暖不明白怎么话题突然就转到这里了，只能微笑着点头。

"有些人现在有钱，不代表将来就有钱，可有些人一时没有钱，却很有潜力。只要眼睛擦亮堂了，准能挑出好的，一起努力创业，和和美美的一辈子多好啊，何况你还这么漂亮。"黄大姐道。

俞又暖诧异地看着黄大姐，还是没搞懂这当地人的逻辑，因为俞又暖压根儿就没意识到别人可能会将她当成小三儿。

黄大姐拍了拍俞又暖的肩膀，语重心长地道："我看你也不是个心眼坏的姑娘，只是一时走上了岔路，但这可是一辈子的污点，会被人指指点点一辈子的，你可要想清楚啊。今天他能为了你抛弃发妻，明天就可能为了别人抛弃你，你说是吧？"

俞又暖惊讶地张开了嘴，她大概了解黄大姐的意思了，心想这些人脑洞可真够大的，八点档家庭伦理剧看多了吧？俞又暖刚想解释，迎面就有人叫住了黄大姐。

黄大姐觉得聪明人不用把话说太多，点到即止才是高手风范，"哎，小俞啊，你过了马路左转，菜市场就到了。我那边还有事儿，先走了哈。"

俞又暖看着风风火火地跟别人并肩走了的黄大姐，一肚子解释的话又只好咽回了肚子里。

菜市场里那家卖鸡蛋的小店，蛋的种类可谓琳琅满目，俞又暖有无从下手之感。

"买鸡蛋啊？"卖蛋的大叔热情地问俞又暖。

俞又暖点了点头。

"买什么价格的？"蛋叔问。

"有什么价格的？"俞又暖问，在她看来这些鸡蛋都长一个样子，根本不用分这么多筐。

"有二十的土鸡蛋，也有五块六一斤的洋鸡蛋。"蛋叔卖了一辈子蛋了，一看俞又暖就知道这位是十指不沾阳春水的小姑娘，现在的人流行富养女儿，不懂买蛋的姑娘多了去了，蛋叔一点儿也不觉得稀奇，"今天刚到了一批山地暴走鸡的鸡蛋，绿色，有机。"蛋叔说着一点儿也不新鲜的高级词汇。

"好，来10个，哦，不，20个。"俞又暖道，人不识货钱识货，俞小姐不辨鸡蛋优劣没关系，反正按着贵的买准没错。

"好嘞。"蛋叔麻利地装好鸡蛋，用了两个袋子重叠装，免得袋子破了打碎鸡蛋，"80块。"

俞又暖提着鸡蛋往回走，一路都侧头盯着街边铺子里玻璃窗内她的影子，一如既往的端庄、大方、优雅，这些人到底是怎么从她身上看出小三儿味儿的啊？俞又暖实在不解。

俞又暖慢吞吞地爬上五楼，白宣从她手里接过塑料袋，随口问了句："多少钱啊？"

"80。"80元人民币对俞大小姐来说，简直都不值得她弯腰捡起来，所以她也丝毫没有需要隐瞒这袋昂贵的暴走鸡鸡蛋价格的认知。

"80？！"白宣瞪圆了眼睛看着俞又暖，然后冷笑一声，"呵，真不愧是大小姐，人傻钱多，人家五块钱的鸡蛋被你买成了80块。"

俞又暖这才知道，原来"民风淳朴"这个词语，如今只有在辞典里才找得到了。不过俞又暖实在委屈，她买贵的鸡蛋，还不是为了两个老人吃得好一点儿吗？

"有钱也不是这样糟践的。你爸爸赚钱不容易，左问赚钱也不容易。"白宣逮着俞又暖的错就忍不住说教。她每次给左问打电话，他都在工作，钱的确赚得不少，可那都是高强度工作得来的，白宣心疼得不得了。她自己都舍不得花儿子的血汗钱呢。

俞又暖赶紧点头。她现在被白宣训斥得见到她都有点儿想躲。

午饭的时候，在白宣凌厉的眼神下，俞又暖几乎嚼都没嚼饭菜，就直接吞了下去。

"吃饱了？"白宣站起来收碗筷。

俞又暖赶紧放下筷子。

左睿道："又急着占位置啊？你去吧，我来洗碗。"

白宣二话没说地解了围裙，拿了小包就出门了。

"爸，妈占什么位置啊？"俞又暖不解。

左睿做了个搓麻将的动作，"去晚了，小区里就没位置了。"

"我来洗碗吧，爸。"俞又暖道。

"不用，不用。你去小萌床上躺一会儿吧。"左睿已经麻利地围好了围裙。

俞又暖的确是有些困，昨晚很久都没睡着，沙发又让人难受，她在白小萌的床上歪了一会儿，还是睡不着，再次起身的时候，屋子里已经没有人了。

俞又暖是在小区西南角的小花园里找到白宣的，小花园里摆了好几张麻将桌，正搓得热火朝天。

俞又暖走过去的时候，几乎所有人都侧头看了看她，以及她的肚子。俞又暖倒是想大喊一句自己没怀孕，也不是小三儿，可惜没人开口问她，她也就不好解释。

俞又暖站刚走到白宣身边，就听白宣道："去给我倒杯水来。"

"哦。"俞又暖又转身回去爬了五楼给白宣倒了一杯水端过来，她把水杯递给白宣的时候，听见一旁有人高呼道："李大姐，你们家晓珍回来了。"

白宣对面坐着的李大妈回头一看，可不就是她那在市里工作的大女儿吗，一身干练的黑色小西服，脚上十厘米高的黑色鱼嘴高跟鞋，显得又高又瘦，脸上架着一副墨镜，十足的都市丽人。

"妈。"郭晓珍走了过来，将脸上的墨镜往上一推架在了头顶上，很有点儿美女范儿，她对着白宣笑了笑，"白阿姨。"然后眼光状似不经意地扫过俞又暖，仿佛蜻蜓点水一般就挪开了。

"白阿姨，你上次不是说左叔叔肝不好吗？我朋友送了我几斤古蔺赶黄草，泡水喝养肝护肝，效果很好的。"郭晓珍道，"等晚上我给你们送过去啊。"

"多谢，多谢。"白宣对待郭晓珍，笑得就像春风一般亲切。

俞又暖在白宣身边，乖乖地充当倒水小妹，郭晓珍在给一圈的大妈大姐打过招呼以后，就被她妹妹郭晓玲给拉走了。

"你拉我干什么？"郭晓珍没好气地拍开郭晓玲的手，没见到俞又暖之前，她还以为郭晓玲多少有些夸大其词，那是为了让她能对左问死心。但刚才看到俞又暖之后她才发现，郭晓玲形容得都算保守的了。人家那么年轻那么漂亮，她在左问那儿的确是一点儿机会都没有的。

"姐，是我弄错了，她根本不是左问的老婆。"郭晓玲跟郭晓珍说着悄悄话。

"不是？"郭晓珍惊讶地道。

"不是，听说是左问外面的女人。怀孕了，现在找到白阿姨这里了，肯定是左问不肯跟他家里那位离婚。"郭晓玲八卦道。

"胡说，左问不是那样的人。"郭晓珍绝不愿意相信她心中的白马王子会是道德沦丧的人。

"姐，这都什么年代了，现在但凡有点儿钱的男人，谁外头没个小三、小四的啊？"郭晓玲不以为然地道，说起来郭晓玲都有两三年没见过左问了，自从俞又暖车祸出事之后，左问还没回来过。于郭晓玲来说，左问就是个陌生得不能再陌生的邻居。

郭晓珍不愿意相信，"我不信。说不定就是左问瞧不上那女的，她才不要脸地跑到这里来的。"

正在两姐妹谁也说服不了谁的时候，一辆路虎开进了小区，郭晓玲指着那车道："姐，那是不是左问的车？"这个小区可没人开这种百万级的路虎。

郭晓珍顺着郭晓玲的手看去，就看见路虎在楼下停了下来，左问打开车门走了出来。

两姐妹同时噤了声，站在阳台上目不转睛地看着左问。

清隽混合着冷峻的脸，挺拔的身姿，不考虑金钱给他铸造的耀眼光环，光左问自身的魅力就足以倾倒从18岁到88岁的女人了。当年小镇上但凡情窦初开的小姑娘，就没有一个对他免疫的。

过去十四五岁的郭晓玲不懂欣赏左问这种考究衣着衬托下的成功男人的魅力，所以不能理解她姐姐的痴恋，好歹郭晓珍也是校花级的美女，但现在的郭晓玲再看左问的时候，就明白郭晓珍的不愿意将就了。

"真是除却巫山不是云啊。"郭晓玲文绉绉地拽了一句诗。

郭晓珍沉默不语。

"姐，你当初为什么不跟他表白啊？你要是表白了，说不定你们早就是一对了，青梅竹马啊。"郭晓玲道。

郭晓珍不语。

"这车挺贵的吧？他要是我姐夫就好了。"郭晓玲感叹道。

郭晓珍转过身回了房在床上躺下，有些闷闷不乐，只觉得自己和左问的差距越来越大了。男人如醇酒，女人却如鲜花，随着年纪的增长，效果是完全不同的。

因为左问的到来，白宣那一桌的牌局比以往早了半个小时结束。俞又暖没想到左问居然回来了，心想这人难道还怕她把他父母给吃了吗？他也不想想他妈的战斗力有多强。

左问冷着一张脸，除了给白宣和左睿打了招呼之外，对俞又暖简直是不理不睬。

白宣拉着左问问长问短，左睿在一旁含笑听着，短小的沙发上坐不下三个人，俞又暖只好孤零零地坐在一旁餐桌边的凳子上，看着这一家子叙天伦之乐。

敲门声响起，是郭晓珍提了古蔺赶黄草过来，"左叔叔，白阿姨。左问也回来啦？"郭晓珍眼波流转，仿佛不知道左问回来一般。

"快进来坐，晓珍。"白宣热情地迎了郭晓珍进来，"你太客气了，我上次就那么一说，也亏你放在心上了。"

郭晓珍不好意思地笑了笑，眼光不由自主就往左问的方向瞥去。

"晓珍，就在这儿吃饭吧，难得左问回来，你左叔叔今天亲自下厨，整了一大桌好吃的。"白宣道。

"哦，不了，白阿姨，我妈已经做好饭了，我先走了啊。左叔叔，这赶黄草吃完了如果觉得效果好，你跟我说，我再让我朋友帮我带。"郭晓珍站起身，眼神却一直在左问和俞又暖之间徘徊。

俞又暖算是看出来了，这个郭晓珍肯定喜欢左问，而且还是住对门儿的青梅竹马。俞又暖也好奇地看着左问和郭晓珍，心想该不会是因为自己，这一对儿才没成的吧？

不过左问在看到郭晓珍的时候没有任何特别的表情，俞又暖多少松了口气。虽然郭晓珍瞧着不怎么样，但是毕竟青梅竹马又有"共同的回忆"这种王牌，对付起来多少会比较棘手。

郭晓珍离开后，左睿就张罗着吃饭，"今天高兴，一家子聚齐了，都喝一杯吧？"

左问和白宣都点了点头，俞又暖也想点头，就听见坐在她对面的左问道："又暖不能喝酒。"

"那就喝饮料。"左睿下午的时候还特地买了一瓶 C 橙多。

俞又暖有些为难地看着这种色素勾兑出来的饮料，这和俞大小姐的养身法则可不符，不过她还是毅然决然地拿起了杯子。

左问微微诧异地看了一眼俞又暖。

晚饭在十分诡异的气氛中并未持续太长时间。俞又暖还以为左问只是对自己酷，结果现在发现，他对着谁话都少。而俞又暖呢，则是轻易不敢开口，在座的三个人都是自己现阶段惹不起的。

白宣和左睿早已习惯了这样的左问，丝毫不以为意，用过晚饭两个老人雷打不动地准备出去锻炼。

俞又暖站起身，主动道："我来洗碗吧。"

白宣看了俞又暖一眼，将手里正在收拾的碗筷一丢，"你洗吧，洗得干净吗？"

"保证干干净净的。"俞又暖赶紧道，麻利地收拾了桌上的碗和盘子到厨房。

白宣换了衣服出来，还是有些不放心，又去厨房看了看俞又暖，只见她正弯着腰到处找东西，"找什么？"

俞又暖为难地看着白宣，小声道："我找洗碗的手套。"

白宣拔高了一度声音道："戴着手套怎么洗得干净啊？嫌伤手就别洗啊，走开，我来洗。"白宣说着就要上前。

俞又暖跟小媳妇似的赶紧道："不不不，我洗就好，我不嫌伤手。"

白宣这才甩了俞又暖一个冷眼，跟着左睿出了门。左问打完电话从阳台走进来之后，家里已经恢复了安静。

工作的电话没完没了，左问本就是挤出时间回的小镇，这会儿正打电话交代明天的事情。

一个半小时后，白宣和左睿开门进来，见左问正独自坐在沙发上看新闻，就问：

"大小姐呢？"

左问看向白宣和左睿的身后，"她没跟你们一起？"

白宣摇了摇头，把两个房间都打开看了看，没看见俞又暖，又去厨房看了看，才发现俞又暖正辛勤地在用毛巾擦着盘子，听见动静的时候，回头冲白宣笑了笑，"妈，你们回来啦？"

"这几个碗，你就洗了一个半小时？！"白宣再次为俞又暖瞪圆了双眼，她实在是佩服这位大小姐了。

白宣走过去拎了拎水池边的红玫瑰洗洁精，"你把这瓶洗洁精都用完啦？我昨天才买的。"

俞又暖颇为无辜地将手里的盘子摊在白宣的面前，光洁亮丽的镜面，几乎可以照出人影来。

白宣简直都要被俞又暖给气笑了，她往另一个还没擦干水的盘子看去，俞又暖赶紧道："那个盘子我洗了好久，至少洗了30遍，可是上面的那些痕迹，真的洗不干净。"

那劣质盘子用久了之后留下的褐色划痕，的确是怎么洗也洗不干净的，但是俞大小姐显然不懂，她还以为是菜渍浸入了盘子里，一心想将盘子尽量洗干净。为了怕白宣说她浪费水，她还特地小心地每次都将水龙头开得极小，慢慢地冲洗。

"洗30遍？！"白宣忍不住吼了起来，"你知不知道淡水资源的宝贵，你怎么不投胎到中东去看看？"

俞又暖低头默不作声地用手撇了撇刘海。

白老师的环保意识一向不差，但是见俞又暖这样，她也不好再多说，余光扫到俞又暖手里拿着的擦盘子的毛巾时，眼角不受控制地又是一抽，"你用什么毛巾在擦水啊？"

"我在抽屉里找到的新毛巾。"俞又暖道。

"那都是洗脸毛巾！"白宣的声音又忍不住提高了一度。

俞又暖像犯了错误的孩子似的，低下头攥着手里的毛巾，无意识地擦着盘子。

房子本来就不大，白宣的声音又洪亮，当老师的嗓子，早就练出来了，客厅里的两父子自然都听见了白宣的话。

"好了好了，用洗脸毛巾擦碗也没什么。"左睿赶紧走过去打圆场，"白老师，不是说要给左问铺床吗，走吧，走吧，时间也不早了。"

白宣被左睿半推半抱地搂着肩膀去了左问以前的房间。

俞又暖微低头从厨房里走出来，心情低沉到了极点，本来是来寻求后援的，结果反而坏事。婆媳关系自古就是极难相处的，白老师身上一点儿老师的慈蔼都让人体会不到。

左问看着俞又暖，"跟我来。"说罢就转身打开门下了楼。

俞又暖从化妆箱里取了手霜，厚厚地抹了一层，再戴上棉质手套护手，这才慢悠悠地走下楼。

四月的晚风已经带上了一丝潮热，俞又暖的发丝在风中被吹得有些凌乱，没经过专业发型师吹的短发，显出了一丝狼狈感。

不过白色透明暗花的中袖衬衣，配着墨绿色长裙，对比浓烈的颜色，在她身上格外的合宜，俞大小姐即使再狼狈，看起来也足够贵重。

"回程的机票订了吗？"左问道。

"明天中午的飞机。"俞又暖回答，心里多少有点儿赌气的成分，她难道是魔鬼吗，左问紧巴巴地赶来怕她吃了他父母不成？

左问看着俞又暖，大小姐的热情从来就没有超过三天的，想必如果不是听见自己要来，今天就已经打道回府了。

"俞又暖，你今年多大年纪了？"左问看着俞又暖的头顶。

俞又暖最不愿意提及的就是自己的年纪，她不言不语地看着左问，听他微带讽刺地道："你以为自己还是十岁的孩子吗，解决不了的事情就要告家长？"

俞又暖真是受够了左家母子的奚落，她的指尖现在还因为脱水而起着皱纹，摸起来木木的，俞又暖大步走到三米开外的左问跟前。

这气势简直可以排山倒海了，左问看着她，等着俞大小姐发飙。结果俞又暖居然一把抱住他的腰，将头埋在他的胸口，片刻后左问就感觉到胸前被她的眼泪打湿了一团。

俞又暖无声地哭着，她实在是受够了，觉得自己的心像浸在菠菜汁里一般，惨绿一片还滴着水。她彷徨、无助，为什么左问连一点儿同情都不愿意施舍给她？

俞又暖的手越抱越紧，就像快要溺毙的人强烈地想抓住救生板一般地抓着左问。

左问看着俞又暖头顶那被发丝遮住的不仔细看就容易忽略的疤痕，心软了一角，手轻轻抬起来，想抚摸俞又暖的脊背。

"左问，她真的是你外面的女人吗？"楼道被顶灯照不到的阴影里缓缓走出一个女人，站在灯光下，一脸受伤不轻地看着眼前相拥的两个人，若是不了解内情的，很可能误会左问是被正妻捉奸。

左问和俞又暖同时侧头看向灯光下的郭晓珍，俞又暖脸上还带着泪滴，她用手背擦了擦眼泪，诧异地看着这个不速之客。

郭晓珍当然也知道自己的话有些突兀，只是她暗恋了左问十几年，这件事情她自然想弄个清楚明白，才能彻底终结自己可笑的痴恋。

左问低头看了俞又暖一眼，手已经放在了她的腰上，夫妻两人一起面对郭晓珍站着，"晓珍，这是我妻子，俞又暖。"

"又暖，这是对门李阿姨的大女儿，郭晓珍。"左问这个后来者，反而充当了俞又暖和郭晓珍之间的介绍人。

"你好。"俞又暖朝郭晓珍点头示意，她在左问面前不管多狼狈失意，但是面对外人的时候，总是要端着大小姐的风度的。

郭晓珍这才知道自己闹了个大乌龙，什么都没说，转身就跑回了家。她一跑进家门就捂着脸把自己扔到了床上，冲郭晓玲吼道："郭晓玲，我这次真是被你害死了。"郭晓珍觉得，就是当年自己表白被左问拒绝，都没今天那么难堪。

留在原地的俞又暖对左问摊了摊手，"我不知道她为什么会有这种误会。"

"如果你曾经来过这里，她们今天就不会误会你。"左问冷冷地道。不过被郭晓珍这样一打岔，刚才两个人之间那奇异的暧昧气氛已经彻底消失了。

左问转身上了楼，俞又暖只好跟着进了门。白宣和左睿动作奇快，已经把白小萌的碎花床单换成了左问习惯的深蓝素色床单，一米二的小床上摆着两个枕头，晚上的安排就不言而喻了。

"又暖，你先去洗漱吧，你速度慢。"白宣道，早晨俞又暖洗头洗澡就花去了一个多小时的时间，也不知道节约水资源。

俞又暖知道白宣肯定有话要和左问说，所以乖乖地点了点头。

白宣见俞又暖进了卫生间，就看着左问，用下巴指了指她房间的门，三个人一起进了卧室。

"你和又暖是不是出了什么问题？"白宣坐在床畔问道。

"没什么大问题。"左问道。

"没什么大问题，俞又暖能跑到家里来？你和她是不是准备离婚？"白宣也懒得跟左问绕圈子了，直指重点。

左问迟疑了片刻，"没有。"

"没有？你是想等真离了再告诉我们是不是？"白宣生气于左问的隐瞒。

左睿也看出了左问的迟疑，问道："婚姻大事不能儿戏，你真的考虑清楚了？"

左问揉了揉眉头，即使是父母，他也不习惯和他们讨论自己的私事，"我有点儿累了，明天就要回城。"。

"明天就走？"其实白宣远没有她语气所表现出来的那么吃惊，她这个儿子简直是个工作狂，对此她早有预料。她有时候既为有这样的儿子自豪，可有时候又觉得心里有点儿空落落的，前些年春节晚会流行起来的《常回家看看》那首歌，她每次听都觉得心酸。

左问点了点头，"嗯。"

白宣叹息一声，"不管你和俞又暖之间如何，我先表个态吧，都说劝和不劝离，但是我并不看好你们两个，离了大家都好。"白宣总结陈词道，"晓珍等了你这么多年，如今这个年代，哪里去找这样长情的女孩子啊？人长得漂亮，又孝顺。我和你李阿姨是同事，又住对门，每次看见她我都不好意思。"

左问不耐烦听这些，他早就直接拒绝了郭晓珍，如今更没有为她的感情埋单的义务，他自己的感情不也没人埋单吗？成年人只能自己为自己的选择和行为负责。左问站起身，"我睡了。"说完就打开了门走出去。

"哎，我话还没说完呢。"白宣跟着站了起来。

左睿拉了拉白宣，"少说两句吧，他最烦的就是你说这个。感情的事情哪里能勉强啊。"

白宣甩开左睿的手，"你说当初他是看上俞又暖哪一点儿啊，除了那张脸，还有什么地方值得看啊？你说晓珍多好的女孩子……"白老师虽然已经退休，但是爱说教和爱唠叨的习惯一直延续了下来。

左问走到门边时刚好听到白宣这句话，其实这句话不止白宣一个人问过他，甚至连俞又暖的父亲都问过他。

左问走到阳台上点了一支烟，白色的烟圈在他眼前旋转，让他觉得自己腹部那道疤痕又在隐隐作痒。

不过是小手术——阑尾炎，但是却发生在左问最脆弱的时候。那时候他刚回国创业，一边在俞氏上班累积创业资金，一边在到处找风投，天之骄子又如何，在势利的市场面前一样要低头。

没有成功之前，哪个创业者没经过不要命地喝酒、装孙子的阶段，那时候心里憋着一口气，左问甚至都没怎么跟父母联系，一个人在外面打拼，总觉得不混出个人样儿来就没脸见父母。

黎明前的黑暗最浓烈，寂寞也格外深刻。

初时小腹痛的时候，左问并不以为意，皱一皱眉头就想挺过去，可在他加班之后走到停车场时，剧痛却让他再无力支撑。

左问这时候都还清楚地记得那时俞又暖高跟鞋敲击地面发出的清脆声，悦耳得仿佛天籁。

"先生，你还好吗？"

左问皱着眉头睁开眼睛，看到的就是俞又暖那张漂亮得惊人的脸，以至于左问在剧痛期间甚至以为自己发生了幻视，他倒下去的那瞬间，脑子里唯一记得的就是俞又暖那身仙气十足的白裙子。

左问做了手术从昏迷中醒过来的时候，第一眼看到的就是俞又暖，她在他身边守了一夜，也是她用棉签不停地蘸水给他湿润干得蜕皮的嘴唇。

只不过那时候温柔善良得仿佛白衣天使的俞大小姐不过只是短暂的幻象，后来左问才知道喜欢穿白裙子的女人，心可未必像白纸那么纯善。

俞又暖在陌生男人面前形象素来保持得极好，她喜欢征服各种各样的男人的目光，喜欢他们都围着她转。

只是可惜，当左问读懂俞又暖伪装的时候，他们已经结婚了。

也许是因为俞又暖给他的第一印象太好，也许是因为最终看中他的项目欣赏他的才华，并给了他一大笔风投资金的人是当时还没有成为他岳父的俞先生，也或许只是因为人的惰性，懒得再折腾，换一个女人也未必会更好，反正他们多年的婚姻就这样跌跌撞撞地维持了下来，直到两年前俞又暖出车祸之前。

烟头已经燃到了尾端，左问收拾了自己的回忆，熄灭了烟头，又在阳台上站了一会儿让身上的烟味儿散去，这才回了房间。

俞又暖洗完澡之后，趿拉着自己粉嘟嘟的软毛小兔拖鞋走回房间的时候，扫向左问时发现他竟然在玩手机游戏，俞又暖好奇地低头从左问的肩膀上看过去，看到了一堆数字，就没了兴趣。连玩手机游戏都要玩这种益智游戏，俞又暖觉得左问的生活还真是乏善可陈。

"我洗好了。"俞又暖出声提醒沉迷于游戏没有发觉她进门的左问。

左问放下手机，拿了睡衣直接去了卫生间。俞又暖则看着小床发呆，不知道是选择里面还是外面睡觉，这可是个难题。在俞宅的时候大床只分左右，不分内外，所以没什么太大的选择难度。

俞又暖偏头咬了咬指甲，为了防止左问半夜爬起来睡沙发，她明智地决定自己睡外面好了，鉴于左问还在洗澡，所以俞又暖只能窝在书桌前无聊地摆弄手机。她试着上网搜索了一下左问玩的那款小游戏，没想到还真被她用模糊描述的方法搜索出来了，游戏叫 2048。

俞又暖玩了八次，每次在 512 的时候就败下阵来，她咬牙切齿地想不知道左问是怎么玩到 131072 的，而且当时他的游戏显然还没有结束，这得多逆天啊？

左问走进来时，俞又暖正在跟 512 奋战，只用余光扫了左问一眼，见他的头发湿润，还有水光，站起来拿了自己的浴巾主动道："我替你擦擦吧。"俞又暖也不等左问的反应，就卖力地替他揉起头发来。

"我自己来。"左问从俞又暖手里拿走浴巾，站起身走到客厅擦头发。

俞又暖在房间里等了许久，也不见左问进来，打开门走到客厅才发现左问在看新闻，声音小得几乎没有，显然是有意在回避自己。

"你不睡吗？"俞又暖问。

左问抬眼望去，俞又暖站在门边，长 T 恤睡衣，领口拉得大大的，斜着露出了大半个香肩。T 台上的设计师喜欢设计斜肩礼服的根本原因就在于，香肩半露的神秘和性感让女性至少增加了三成的魅力，此 T 恤也有异曲同工之妙。

何况俞又暖演技一向了得，明明是久经男欢女爱的人，但是只要她愿意，就能演得像一个刚出社会的纯情大学生一样，眼里满是天真的无辜。

此时无辜而楚楚的表情就在俞又暖的脸上，像极了一个未经人事的小姑娘。左问心想，如果做一个问卷调查，估计十个人里有十个都要投她是处女的票。

左问重新低下头喝了一口啤酒，"我睡沙发。"

俞又暖走到左问跟前，居高临下地道："你是想让爸妈都知道我们之间有问题？"

这话多少有点儿还击左问的意思。不过俞又暖说这话可有点儿心虚，她都跑到这儿来了，要说她和左问没问题，傻子也不信啊。

左问看了俞又暖一眼，想起先前他爸妈逼问他和俞又暖离婚的事情，左问觉得多一事不如少一事，关了电视站起身进了卧室。

俞又暖跟在他身后，唇角忍不住翘了翘，"我要睡外面。"

左问掀开被子平躺到床内侧，俞又暖关了灯在黑暗里灿烂一笑，掀开被子也躺了进去，虽说睡惯了大床，可是小床格外温暖，深得她的欢心。

俞又暖向着左问侧过身，抱住他的手臂，柔软的胸口就那样轻轻贴在左问的手臂外侧，她将头埋在左问的肩上，打了个哈欠，调整好最舒服的睡姿等待入眠。

结果左问无情地翻身朝内，俞又暖只能整个胸都贴在左问的背上，将手搭在他的腰上继续养瞌睡虫。

"别挨着我，热。"左问冰凉的声音沁入了俞又暖的耳朵里。

俞又暖抬腿将被子用力一踢，这样总不热了吧？她照样八爪鱼一样地攀着左问。

左问往里让了让。

俞又暖噘嘴道："还没到夏天呢，昼夜温差大。"

左问不再说话，一动不动地面壁而卧。俞又暖则是因为昨夜没睡好，午睡质量不高，如今又有左问在身边，闻着他身上特有的气息，她刚合上眼就秒睡了过去。

凌晨两点，左问听见身后的人那均匀而轻缓的呼吸就觉得烦躁，失眠的人总是格外的暴躁，他转过身将俞又暖往外推了推，俞又暖顺从地翻了一个身，结果一不小心就连人带被子滚到了床下面。

老式床比较高，俞又暖"咚"的一声摔在地上，睡眼朦胧地揉了揉眼睛，没有反应过来是怎么一回事。

隔壁的白宣被惊醒了，老人的睡眠浅，她赶紧推了推左睿，"怎么回事？不会是在打架吧？"

左睿揉了揉眼睛，"左问不会的。"

"我没说左问啊，现在女人打男人的大有人在。"白宣道。

左睿正是犯困的时候，搂了搂白宣道："睡吧，孩子们的事情让他们自己解决。"

片刻后俞又暖才大概意识到自己是摔到床下了，这床太小，她睡觉又不规矩，摔下来也不算奇怪，所以她舍不得睁开眼睛地瞎摸着重新爬上床，不过片刻工夫，就又睡得黑甜了。

左问冷眼看着俞又暖又像八爪鱼一般缠过来，甜蜜的香气再度笼罩在左问的周围。俞又暖收藏过很多古董香水，但不管用什么香水，她身上的香气都没变过，一如十年前，清清甜甜。

这香气在初夏的被子里被蒸得仿佛发酵的面包，对饥饿的人简直就是地狱般的折磨，左问很想将俞又暖再一脚踢下去，而他也确实准备这么做。但俞又暖在睡梦里仿佛梦到了这一幕，她的手轻轻下滑，在左问的腿上安抚地拍了拍，意思是：别闹。

可是俞又暖手的长度刚好只能够到左问的大腿根部，这真是越安抚越躁动，左问索性将被子全部裹到了俞又暖的身上，抬腿轻轻推了推她，俞又暖就圆润地又滚下了床。

这次不知道是力道适中，还是她摔的姿势太过美好，竟然也没有醒，就那样在地板上继续香甜地睡着。

左问坐起身看向床下的俞又暖，心里咒骂了一句"操蛋"，自己面向墙在夜里的凉风里探寻"心静自然凉"的境界，过了会儿又烦躁地起身，将俞又暖打横连着被子一起抱上床。

清晨明媚的阳光洒到俞又暖的脸上时，她幸福地踢开被子，伸了伸懒腰，身边的人不出意料地已经起床，她一个鲤鱼打挺地跳了起来，推开纱窗在阳光里洗了洗脸，手指在脸颊上弹了弹，光滑而富有弹性，睡眠果然是美颜不可或缺的东西，就是床太硬，腰和背好像有些酸疼。

此刻正在外面的餐桌上用早饭的左问，气色一如既往，冷峻的脸上连黑眼圈都被那阴沉的脸色给淡化了。

"爸妈，早。"俞又暖欢快地打了招呼，对于没心没肺的大小姐来说，每一天都是一个新的开始。

"老公，早。"俞又暖在餐桌边坐下，端起左问面前的豆浆喝了一口，随意地伸手拿了根油条咬了一口。

白宣彻底败给了俞又暖的厚脸皮，起身给她倒了一杯豆浆，又将一只水煮蛋递到俞又暖的跟前，"吃吧，你买的蛋。"

天知道俞大小姐有多少年没吃过鸡蛋了，尤其是水煮蛋，时间大概得追溯到她几个月大吃辅食的时候，那时候她还不懂说不，所以只能忍受干腻腻的蛋黄。

俞又暖在白宣的眼皮子下，连说"不"的勇气都没有，只能以蜗牛爬行的速度剥着蛋壳。

白宣实在看不过眼了，一把从俞又暖的手里抢过鸡蛋，三下五除二地就将雪白的鸡蛋剥了出来，"拿去吧，连个鸡蛋也不会剥，你怎么长大的？"

俞又暖低头接过鸡蛋，转头看向左问，然后道："妈，左问没有鸡蛋吗？"

"他刚吃了两只。"白宣道。

俞又暖只觉得大势已去，只好忍着皱眉和恶心，将鸡蛋放入了嘴里，小口小口地嚼着。直到早饭吃完，俞又暖手里的鸡蛋都还剩了大半个。

白宣看着俞又暖，"又暖，你不想吃蛋，刚吃为什么不说？你这样浪费想过非洲还有多少食不果腹的儿童吗？每年地球上还有多少人饿死吗？我和你爸小时候，没有吃的，只能用凉水冲着米糠吃……"

俞又暖迅速地将剩余的鸡蛋扔到嘴里，站起身指着行李箱，因为嘴巴包着东西所以没法说话，但是她的意思表达得很清楚了，她还急着赶飞机。

几个小时后俞又暖坐在左问车里副驾驶位子，喝了两杯水都还没冲淡嘴里的鸡蛋味儿，她觉得自己已经到了想都想不得鸡蛋的地步了。

俞又暖侧头看向左问，作为夫妻，在三四个小时的车程里一句话都不说，似乎实在说不过去，"你昨天根本不必赶回来的，你也看到了，你妈不欺负我都算不错的了。"

"她不是欺负你，只是不喜欢你。"左问淡淡地道。

俞又暖真是恨不得扳过方向盘，跟左问同归于尽，有他这样补刀的吗？俞又暖瞪着左问看了好半晌，对方视若无睹，她只能败下阵来，掉头看向窗外。

四月的山色，青翠欲滴，这一日又是风和日丽，大有江山如此多娇，我却为失恋折腰的讽刺感。俞又暖忍不住硬气地道："回去后，你让助理将离婚协议送到俞宅。"

"如你所愿。"左问的声音依旧平静。

俞又暖火大地转过头，"什么叫如我所愿，是如你所愿才是。想必过不了两日，左先生就该广发喜帖了，真是可喜可贺。"

"借你吉言。"左问平视前方，他的视线吝啬得一分都不肯给俞又暖。

俞又暖气得一脚踢向座椅前方的挡板，胃开始发疼发胀，脸色越来越白，到最后实在忍不住了，拼命地敲打车窗。

左问转过头，斥责的话还没说出口，就看见了俞又暖那见鬼似的苍白，他将车停稳在应急车道，俞又暖飞快地打开门跳了下去。

晕车呕吐的感觉实在太难受，俞又暖一手扶着护栏，一手拉着头发，眼泪止也止不住，恨不能将心肝脾肺肾都吐出来才算干净。

左问轻轻拍着俞又暖的背，拿了矿泉水递给她漱口。俞又暖算是被白宣的水煮蛋给害惨了，这还是她有生以来第一次晕车。

"去后面躺一会儿吧。"左问打开后座的门，扶了俞又暖上车。俞又暖甩开左问的手，却也没有精神跟他赌气。

左问看着俞又暖躺下，将自己的外套搭在她身上，这才回了驾驶座。

俞又暖醒过来的时候，四周漆黑一片，门外隐约有人声，她从床上爬起来打开门，光线刺眼而入，她不适地揉了揉眼睛。

套房外的客厅里，左问的助理正在向他汇报工作，他的方向正好面对卧房的门，虽然中间有不少遮挡物，但是在俞又暖打开卧房门的时候，男人的视线还是可以准确地穿过障碍物，看到那双白生生的大长腿。

视觉的冲击，让 Andy 的汇报突然中断。

这还是 Andy 第一次见到传说中的老板娘——俞大小姐，尽管关于这位大小姐的事情他已经听了满满一耳朵，可都没有见到她本人来得震撼，的确是漂亮得闪瞎人的眼睛，也难怪他家老板这么多年都守身如玉，从没有在外面胡来过。

关于老板有没有胡来过这种事情，助理可能比老板娘们都更有发言权。

Andy 是左问自己公司——四维的助理，他说左问没有在外面胡来过，那还真就没有胡来过。

好几次在俱乐部那种地方应酬的时候，Andy 都佩服自己老板，面对质量超赞而且玩了也没有后顾之忧的陪酒公主居然都可以坐怀不乱，甚至还面不改色。管得住自己下半身的男人的确让人可敬可佩，Andy 觉得自己是助理，而左问是老板的确是有道理的。

那时候 Andy 以为自己老板是不好色，今天才知道老板这是胃口被养刁了。

Andy 的停顿让左问转过了头去，一眼就看见了正在揉眼睛的俞又暖，这个动作让她身上不算太长的 T 恤一下就提到了大腿上，险些走光。

俞又暖也傻了，赶紧放下手，她没想到会有别的男人在，耸着肩膀一个转身就退回了房间。

左问站起身跟着俞又暖进了房间，"醒了？"左问打开灯。

俞又暖这才看清楚自己所在的地方并不是俞宅，而是酒店套房。

"他是谁啊？"俞又暖指了指门口。

"我的助理，Andy。"左问道。

俞又暖心想左问可真够忙的，回趟老家他助理都赶过来找他签字汇报工作。俞又暖对左问的工作没什么兴趣，转而道："这是在哪里？"

"宾市。"

俞又暖沉默了片刻，显然是因为她身体不适，所以左问并没有带她登飞机，"飞机改签到什么时候了？"

"明天早晨。"左问道。

俞又暖低头看了看自己身上的长 T 恤，再看向左问时，脸上就添了一丝笑意，"你给我换的衣服吗？"

"我让酒店厨房给你熬了白粥，要喝吗？"左问没有回答俞又暖的问题，似乎这事压根儿就不值一提。

真是块木头，俞又暖躺回床上赌气道："不喝。"

"那你再休息一会儿。"左问转身就走了出去，并替俞又暖带上了门。

俞又暖目瞪口呆地望着空荡荡的房间，她好歹也是病人吧？左问就这样对待她？

俞又暖仰躺在床上，拉过被子盖住自己的头，胃又开始隐隐作痛，现在已经下午五点了，早餐已经被她吐光了，午餐是压根儿没用，现在正是饿得前胸贴后背的时候。

俞又暖忍着胃痛，就是不吱声，恨不能把自己作死了，倒要看看左问会不会为她掉两滴泪。

也不知道过了多久，俞又暖正在半梦半醒之间，听见门打开的声音。俞又暖半眯着眼睛看过去，左问正站在门口，影子长长地投影在他的身后，表情看不真切。

"起来吃饭。"左问的声音没什么温度。

捧着胃的俞又暖觉得自己快死了，左问却依然那么冰冷，她蹭着枕头奄奄一息地道："不想吃。"

"那你再睡会儿。"左问说完就重新合上了门。

俞又暖爬起身再次不敢置信地盯着那扇门，恨不能瞪出个窟窿来，良久后她确认左问已经出门了之后，将自己大力地摔在床垫上，心想干脆饿死得了，她死后，左问铁定被列为第一嫌疑人。

可是饥饿的感觉非常难受，俞又暖挣扎良久，既然死不了就不得不爬起来穿上衣服走出门。

门外左问正坐在沙发上，见她出来才站起身，淡淡地道："饿了？"

俞又暖觉得脸上一阵发烧，低头"嗯"了一声。在左问面前，她向来是赢不了的，因为他根本就不在乎她。

"先喝一碗白粥暖暖胃，你现在不宜大鱼大肉。"左问道。

俞大小姐白了左问一眼，她的养身之道里可没有大鱼大肉这一说法。白粥无味，但的确聊以祭祭五脏庙。

俞又暖喝完温热的白粥之后，擦了擦嘴，跟着左问走出门，看见他拿出手机讲电话。

俞又暖偷听了左问讲电话，才知道他是想顺便去拜访他的高中数学老师，也是他的班主任。

"是不是要买点儿东西带过去呢？"俞又暖吃了白粥精神好了很多，饱暖思淫欲，她不是那样容易放弃的人，凡事总要再争取一下。

左问正要给 Andy 打电话，俞又暖就帮他掐断了电话，"交给我好了，包君满意。"俞又暖信心满满。

"贾老师的妻子还在吗？"俞又暖将手提包挽在手上，两手紧紧地抱住左问的手臂，一边走一边问。难得左问这次没有把手抽出去。

"在。"左问简短地回答。

电梯到了一楼，俞又暖对左问道："等等我，很快回来。"酒店里有奢侈品牌店，她选了一个国人不太熟知的品牌，买了一个黑色的经典款手提包，低调的奢华。

左问看着俞又暖手里提着的袋子，不太赞同地皱了皱眉头。

"女人无论多大年纪，对包包都没有抵抗力的。"俞又暖重新挽上左问的手臂，一副"信我得永生"的模样。

路过知名连锁百年药店时，俞又暖又买了一盒玛咖，这样老师师母的礼物就都齐活儿了。

酒店的车将二人送到贾老师住的小区门口时，老两口已经在小区门外等着了，可以想见左问一定是贾老师的得意门生，才能有这个待遇。

俞又暖跟着左问一起向两个老人问了好。

"这是你爱人吧？"贾师母看向俞又暖，又看了看左问，"真般配啊。"

贾德勋道："走吧，屋里坐，你师母听说你要来，亲自下厨加了几道菜。"

"我现在都还记得师母做的糖醋排骨的味儿。"左问笑道，其亲和多话的程度，简直不像是俞又暖认识的那个左问了。

进了门，贾德勋的独生女贾思淼也刚好在家，见左问进门，就笑着迎了上来，"这么多年不见，左大校草依然颜值爆表啊。"

贾思淼在看到俞又暖后，睁大了眼睛道："你们这一家子，基因也太好了吧？小朋友带来了吗？多大了？男孩儿女孩儿？是女孩儿咱们打个亲家行吗？"

贾思淼那自来熟的热情，让俞又暖险些招架不住。

好在贾师母岔开了话题，"瞎说什么呢。"

俞又暖笑着将买的礼物递给贾师母，贾师母拆开一看，笑道："正好，这包大小刚合适，我买菜的时候正缺一个装零钱的。"贾师母教养十分好，但凡收了东西，总要做到让对方觉得这礼物送得极合适。

贾思淼在一旁捂嘴狂笑，"妈，这几万块的包你就拿去买菜啊？"

贾师母的脸色一下就变了，将包推了回去，"这么贵？我不能收。"

俞又暖求助地看着左问，没想到还会遇到这种情况。

"师母，这是又暖和我的一点儿心意，你就收下吧。"左问道。

贾师母说什么也不肯收，最后还是以俞又暖收回礼物告终，但气氛多少就有些尴尬了。

借着开饭，总算是给了俞又暖下台阶的机会。饭桌上，贾思淼笑着对俞又暖道："这些年，你没少替左问挡桃花吧？"

俞又暖不明所以。

"当年我爸为了怕早恋影响左问高考，就让我替他挡桃花，我不知道帮他撕了多少封情书，吃了多少盒巧克力，你看我现在的体形，就是当时他作的孽。"贾思淼心宽体胖，这话逗得俞又暖重新笑了出来，眼睛弯成了新月形。看得贾思淼直怨天，你说大家都是女人，怎么长相的差别就这么大呢。

在贾思淼看来俞又暖是绝对的人生赢家，自己是白富美就罢了，还嫁给了高富帅，而且左问是靠自己的能力走到今天的，这样的男人比什么富二代、拆二代可靠谱多了。

"他没跟我说过高中的事情。"俞又暖笑道。

"哎，那时候他可风光了，情窦初开的小姑娘，谁不知道一中有一个左问啊？我们市每一所高中女生的情书他都收过。他不仅是体育健将，还是我们那一届的全省理科状元。上帝简直偏心得没有天理了，对吧？"贾思淼拉着俞又暖的手道："如今还娶了你这么漂亮的老婆，要是我们开同学会，左问肯定要被嫉妒死。"

夫妻俩都是人生赢家啊，贾思淼不由唏嘘。

饭后，贾思淼拉着俞又暖看她们高中班的照片，左问虽然不喜欢照相，但是在贾思淼的影集里却也有几张。那时候的他高高瘦瘦的，手插在裤兜里脸色有些不耐，小小年纪居然就知道要酷吸引女人的目光了，不得了啊。

俞又暖的指尖在左问"青春洋溢"的脸上轻轻划着，"这些照片还有底片吗？"

"有啊，我妈都收着呢。"贾思淼道，"你把地址给我，洗出来我给你快递过去。"

"嗯。"俞又暖道，"多谢你。"

贾思淼冲俞又暖眨了眨眼睛，指着班级毕业合影里站在左问正前方的长发女孩儿道："这是我们班学习委员，那时候我爸生怕她和左问成了一对儿，就让我在里面搅和，害我上大学之后都一直被误会，连男朋友都没交到。"

俞又暖小声地对着贾思淼道："你当时不喜欢他吗？"他自然指的是校草左问。

贾思淼撇撇嘴，"我看得可清楚了，左问眼高于顶，谁也看不上，你看他现在这个样子，那都还算好的，当年他那叫一个酷啊，看人都是这样儿的。"贾思淼夸张地学了一个左问的眼神，仿佛有凉风在眼睛里飕飕地刮似的。"那时候左大帅哥可是十足的学神范儿。我可受不了他那种，对了，你们两个是你追他，还是他追你啊？"

这可难倒了俞又暖，过去的事情她毫无记忆，但是可以推论出，绝无左问追她的可能，很可能就如他所说的，是她爸爸逼着她嫁给左问的。至于左问当初为何同意，俞又暖不知，但她也无法将左问和那种"娶老婆只为少奋斗20年"的人联系在一起。

贾思淼叹息地拍了拍俞又暖的肩膀，"哎，你这样的大美女都是倒追他的啊？"

贾思淼别提多失望了，"看来有生之年，我是看不到左学神追女人的盛况了。你知道吗，当时左问那臭屁样，简直恨得我咬牙，人家女孩子在他面前哭得稀里哗啦，他连扫都不扫一眼。我就想，今后他一定会遭报应的。"

俞又暖一边听一边点头，大有同感，其实如果她是个旁观者，大概也会像贾思淼一样，希望能看到左问在别的女人面前吃瘪的样子的。

"你点什么头啊？你难道还想看见你老公去追别的女人啊？"贾思淼笑道。

俞又暖赶紧摇了摇头。

贾思淼又拍了拍俞又暖的肩膀，"你要争点儿气啊，在家里别太让着左问了，他已经被女孩儿都惯得没有人味儿了。"贾思淼对俞又暖做了个加油的动作。

显然贾思淼已经看出，俞又暖在左问面前地位十分低下了。

从贾老师家里出来，俞又暖落后左问一步，看着这个男人修长的背影，想着贾思淼说的，左问被女孩儿惯坏了的话。

俞大小姐刚才自尊心受损，竟然连一个第一次见面的外人都看出在左问面前她的地位低下了。

左问没有听到后面高跟鞋敲打地面的清脆响声，回过头看着待在原地不肯挪步的俞又暖，视线难免就飘到了她手里拎着的礼品袋上。

俞又暖往左走了几步，优雅地抬起手，微仰下巴地看着左问，"啪"的一声，装着昂贵手提袋的礼品袋就落入了小区的垃圾桶内。

"俞又暖。"左问眯了眯眼睛，语气充满斥责之意。

俞又暖没有回避左问的眼睛，直直地朝着他走过去，然后擦着他的肩膀继续往前走，在小区门口拦了一辆出租车，扬长而去。

从这以后，整个晚上俞又暖就再也没有见到过左问。第二天Andy来敲门的时候，俞又暖才知道左问昨晚乘最晚一班飞机回城了。

俞又暖大概已经麻木于左问的冷漠了，婚姻无可挽回，她不过是做了一场无用功，至今想起水煮蛋的味道，依然觉得胃里翻腾得难受。只但愿白宣能重新找到合她心意的儿媳妇，一个能忍受水煮蛋的儿媳妇。

俞又暖抱着膝盖，坐在花园的秋千上，四月的阳光洒在身上，却照亮不了她的内心。她不知道自己对于左问是一种什么样的感情，只因为雏鸟情结，他是她空白的脑子里见到的第一个人吗？抑或是感动于在她车祸期间，他对她那不算精心的照顾吗？

其实也说不上什么照顾，他只是住在俞宅，让俞又暖每天都能见上他一面，让她觉得自己的世界并没有倒塌而已。但是也是这个人，在她快要崩溃的时候，拎着她的脖子逼着她做复健，重新像正常人一样站了起来。

起初的时候，去医院复诊，每一次也是左问陪着她。说起来左问对她也算是仁至义尽了。

俞又暖还是有些不甘心，就这样灰溜溜地跟左问离婚，在左问的心里她连一片云彩都留不下。

可惜理想是丰满的，现实却很骨感，左问住在他的公寓里根本不回俞宅，俞又暖即使有心培养感情，也没地儿使力气，只能跺跺脚又去了绿园小区。

这个时间点儿左问照旧还没回来，俞又暖绕着绿园小区慢悠悠地转了一圈，看到小巷子里有一家五金商店，门口挂着一个小纸牌子，像是从啤酒箱上撕下来的，上写"开锁、通下水道"几个歪歪扭扭的毛笔字。

抱着试一试的心情，俞又暖走了进去。

左问拿钥匙开门的时候，俞又暖正在客厅看电视，听到动静儿的时候看了看手机，上面显示现在才不过九点钟，真是糟糕，俞又暖压根儿没料到左问这么早就回来了。她脸上敷着海藻泥面膜，不用照镜子也知道这模样有些瘆人。

可是左问用钥匙开不了门的时候，已经在外面大力敲了敲门冷声唤道："俞又暖。"有胆子换他门锁的人除了俞又暖真没有第二个人选。

俞又暖只好低着头把门打开。

"你是怎么进来的？"左问冷冷地道。

"我在小区门口找人帮我换的锁。"俞又暖道，她其实也没想到事情会那么容易，她说钥匙丢了开不了门，那老板居然问都不问拎上工具箱就跟着她到左问的公寓换锁了。

老式小区，物业丝毫不作为，只管每月收垃圾费。至于防盗门也是旧款，那老板前后花了不到十分钟的时间就换好了，俞又暖选了他家最贵的锁，也不过120元钱。

如此简单就搞定，俞小姐顺利地入主了左问的公寓。

"哪一家？"左问问道，决心明天一定要叫那家店主好看。

俞又暖觉得别人毕竟是帮了她大忙，所以绝没有出卖那老板的打算，她缄口不言，挺直背脊道："我是你太太，换一下门锁有什么不对？"

左问刚想发作，可是一看俞又暖那令人惊恐的脸，所有的话就咽了回去，"你脸上涂的什么？"

俞又暖心里一通"呜呼哀哉"地哀号，急忙转身进了洗手间洗脸，顺便洗了一个香喷喷的澡，等再次出来后又是一张白白嫩嫩堪比水煮蛋蛋白的脸蛋了。

但到底最差劲儿的一面已经被左问看了去，俞又暖精心准备的"美人计"大约也派不上用场了，可惜了那件她精挑细选的黑色蕾丝睡裙，屁股上还有一个可爱的粉色毛球小尾巴呢。

俞又暖四处都没找到左问，进卧室一看才见左问和衣躺在床上睡着了，连鞋都没有脱。

俞又暖走过去捏着鼻子帮左问把鞋袜脱了，拉了被子替他搭在胸口，然后按捺住满心的失落，慢条斯理地坐下开始进行自己每日的保养大计，半个小时之后待她涂涂抹抹搞完，再回头看左问，居然还在睡。

俞又暖偏了偏头，觉得有些不对劲，以左问对自己的防备，怎么会没打电话叫老王来接自己呢？她跪坐在床沿上，借着昏暗的灯光仔细打量了左问一番，伸手在他额头上摸了摸。

好烫！

难怪左问今晚九点就回来了，原来是身体不舒服。俞又暖找不到左问公寓里的药箱，只好胡乱套了一件长T恤拿着钥匙就出了门。

温度计、退烧药、感冒药，俞又暖拎了一大袋东西回到公寓，手忙脚乱地给左问量了体温，39.3℃。

有点儿高的温度，俞又暖用湿毛巾包了冰块儿放到左问的额头上，也没敢给他胡乱吃药，拿起手机给俞家的家庭医生贺光去了电话，半个小时后贺光就到了。

"用不用去医院？"俞又暖在贺光身后担忧地问。

"不要紧，左先生身体底子好，只是天气变化可能受了凉，加之疲劳过度，吃了药休息一两天就会好的。"贺光低声道，收了听诊器，看了看俞又暖买的各种药，拣了两样出来，告诉了她用量。

而俞又暖则为贺光那"疲劳过度"四个字皱了皱眉头。

"最好是饭后半小时再吃，才不伤胃。"贺光临出门时回过头来道，"早晨再量一下体温，如果还是下不去，就得去医院验血。"

俞又暖点了点头。

左问睡着的时候五官很柔和，其实他的五官本来生得十分清俊，只是他醒着的时候，配着那股子冷峻，无端就增加了一股让人难以靠近的距离感。

俞又暖的指尖在左问的唇瓣上轻轻地来回划拉了两下，沉睡中的人忍不住皱起了眉头，俞又暖赶紧收回手，又给左问换了一张湿帕子敷在额头上。

也不知道左问吃了晚饭没有，俞又暖去到厨房找米找锅，熬了一锅白粥，并非高难度的家务，十指不沾阳春水的大小姐熬粥这点儿智商还是有的。

虽然左问正躺在床上难受，可俞又暖就是忍不住地在厨房里跟着耳机里的音乐开始扭臀摆腰。

生病的左问就像拔了牙的老虎，再也不能伤人，而且还给俞又暖提供了一个"乘虚而入"的机会，这让她实在忍不住撇开罪恶感而觉得有些开心。

香喷喷的白粥出锅的时候，俞又暖就像做了一桌满汉全席一般有成就感，她盛了一小碗白粥用凉水冰了，试了好几次，待到温度合适了这才端了出来。

俞又暖将粥碗放到床头柜上，跪坐到枕头边上将睡得十分难受的左问扶了起来，"起来喝碗粥好吗？"

左问难受地睁开眼睛，皱着眉头道："你怎么还在这儿？"

俞又暖耐着性子道："你发烧了，贺医生已经给你看过了，你把粥喝了暖暖胃，半小时之后就能吃药了。"

左问坐起身揉了揉眉心，"我叫老王来接你。"

"已经凌晨了，王叔早就休息了，我睡外面沙发好不好？"俞又暖觉得自己都快低到尘埃里去了，但是总不好跟病人一般计较，她忍着脾气将粥碗递给左问。

左问过了片刻才接过碗，俞又暖侧过头松了一口大气。

左问喝过粥，起身去了浴室洗澡，俞又暖则收拾碗筷，替左问温了水以方便他待会儿吃药。

到底是爱锻炼的人身体底子好，第二天左问醒来时，已经跟没事儿人一样了，俞又暖在厨房忙得不亦乐乎，又煮了一锅白粥。

其实病人嘴里无味儿，白粥没有配菜，喝起来如同嚼蜡，可俞又暖自认为这可是她大小姐精心烹制的粥，满满都是爱心，什么鲍鱼、鱼翅都及不上这小小一碗白粥金贵，左问必须得胃口大开才行。

哪知左问只扫了一眼饭桌就开口道："我回公司用早饭。你要是喜欢这儿就住吧。"

俞又暖心里一喜，还以为自己昨天晚上的精心照顾总算打动了左问半分，哪知下一刻就听见他道："我不回这儿了。"

狡兔还有三窟呢，左问自然不止这一处房产。

左问说完就开门出去了，俞又暖跑到阳台上，看着他往小区大门走去，心里说不出是什么滋味，但好像早就有了准备，难受也有限。

只是餐桌上孤零零的白粥，俞又暖也没心情收拾了，管它今后是发霉还是长虫呢？俞又暖拎起手包直接走人。

俞又暖在百货公司狂扫了一番之后刚到家，慧姐就走了过来，"小姐，有你的快递。"慧姐将裁纸刀递给俞又暖，避嫌地走开了。

俞又暖有些奇怪，不知道谁会这时候给她寄文件，她打开一看，里面只有薄薄两页纸，是左问寄给她的离婚协议书，协议书中将他在俞氏拥有的股份，全部给了俞又暖。

俞又暖猛地站起身，险些摔倒，她当着慧姐的面恨恨地将离婚协议书撕碎，抛洒到了空中。

算时间应该是左问刚回公司就把文件送出了。也就是说昨天晚上她做的那些事，丝毫都没有打动左问，甚至可能反而促使他尽快寄出了离婚协议书。

俞又暖跌坐在沙发上，悲哀地想着，原来左问的心里真的一丝一毫也没有她的存在。

俞又暖拿出电话就要拨出左问的号码，可片刻后她又退缩了，她几乎可以预见左问会说什么，大约就是公事化地表示他的律师会代他妥善处理下面的事情。

俞又暖在时隔两年之后再度坐进驾驶室，她有好几辆跑车，最喜欢的那一辆在车祸里撞毁了。

"小姐，你不能开车。"慧姐急急地追了下去。

俞又暖一脚踩下油门，她想她如果死了，大概能为她伤一会儿心的也就只有慧姐了。

这样的人生还真特么没意思。

慧姐看着一阵风一样飙出车库的跑车，急得跺脚，赶紧给左问去了电话，"先生，小姐开着跑车出去了，她开得非常快。"

会议室里公司的 CFO 正在做报告，Andy 将慧姐的话写在纸上，放到了左问的面前。

左问站起身，"会议改期，时间再定吧。"他从 Andy 的手里拿回自己的电话，拨了俞又暖的手机。

俞又暖用余光瞄了一眼来电显示上闪烁的"老公"两个字，心里只觉得讽刺，以至于连她自己钟爱的电话铃音此刻都觉得刺耳，索性关机。

俞又暖此时的车速并不快，在离开慧姐的视线后她就降低了速度，并且手已经没有胆的开始哆嗦了，一直到她的车速降低到20码才稍微好转。不过俞小姐也因此被后面无数的人吐槽，开着千万级的跑车，居然只开20码，好意思吗？

"又暖，真的是你啊？"俞又暖旁边的车落下车窗来，关兆辰的脸在副驾驶位上露了出来。

"当初这车还是我们一起挑选的，颜色是定制的，我就想我应该不会认错。"关兆辰笑道，他的牙齿很白。明星的牙齿嘛自然格外白，因为都会定期做美白，笑是他们吃饭的工具。

"等下一起吃个饭好吗？"关兆辰又问。

俞又暖侧头扫了他一眼，又继续正视前方战战兢兢地掌着方向盘道："向颖呢？"她曾经犯过的错误，可没想过要再犯。

"我和她分手了。"关兆辰敛起了笑容，神情里露出一种暧昧的忧伤，那眼神仿佛在说，这都是因为你。

俞又暖心忖，真不愧是去年的影帝。大约是因为好奇，也或者是因为赌气，俞又暖道："把地址发给我。"

南湖会所藏在南湖曲曲折折，绿柳荫浓的小道里，即使住在南湖边上的人也未必知道这里还有这样一个神秘而幽静的去处。

俞又暖走在古旧的青石板路上，绕过了好几道竹篱，肩膀上落了好几片樱花的花瓣，才在柳暗花明之处，看到南湖会所。

粉墙黛瓦，北欧进口木材散发着自然的清香，不失现代的简约，却又让人找回了一点儿古人的闲雅。

俞又暖和关兆辰用饭的桌子挨着窗边，木窗外是一架粉色的蔷薇，更远处顺着草坪望过去，南湖的湖光山色尽收眼底。

俞又暖满足地啜了一口红酒，"这地方不错。"

"这店开了好几年了，还是你带我来的。你说这里是你最喜欢约会的地方。"关兆辰道。

"这店的老板很有品位。"俞又暖环视了一下周围，店很大，但客人却只有寥寥几桌，实在对不起这家老板的这份用心，"似乎懂得欣赏的人并不太多。"

关兆辰笑了笑，"欣赏的人很多，不过他们每天只接待五桌客人，且不预约。客满的时候，在你刚进来的小道旁那株樱花树上会系一只纸鹤。"

俞又暖数了数在场的客人，"看来大明星的面子就是不一样啊。"他们这可是第六桌。

"不是我的面子大，而是你。这店，你随时来都有预留的位子。"关兆辰道。

俞又暖有些吃惊，"老板和我认识？"

关兆辰道："不知道。从没见过，也没听你提过。"

俞又暖偏了偏头，看来她以前真是一个很有故事的人。她沉默地转了转自己手中的红酒杯，望着湖面发呆。

"不想问问我和向颖的事情吗？"关兆辰挑眉一笑。荧屏上又帅又酷的长腿硬汉，笑起来时格外的春意盎然，不得不承认，关兆辰很适合做明星，第一眼就能抓住你的视线。

俞又暖望着关兆辰，不由又想起了左问，想起他穿灰色羊绒大衣，冷着脸的样子，真想让人在雪地里就将他扑倒，一起滚几圈才能压下心底的炽热。人的魅力真的很神奇，绝不仅仅只在于一张脸。

左问的眼睛总是在说，别来烦我，却让人忍不住想要去烦他，想要看他烦躁的样子。而关兆辰的脸虽然说着不要，眼睛却总是在挑逗你，不能说不好，但对于俞又暖来说，却不太感兴趣。

"我和向颖已经不算是朋友了。"俞又暖淡淡地道，算是回答了关兆辰的问题，她没有想和过去的朋友再续前缘的想法，自然就更不愿关心她们的男朋友。

"那我呢？"关兆辰追问道，在这等气氛下并不算突兀。

俞又暖偏头看向关兆辰，嘴角微翘，等着关兆辰开口。

关兆辰看着俞又暖，叹息了一声，"不说这些了，既然你不记得以前的事了，就让我们重新开始吧。"关兆辰对着俞又暖举了举杯。

俞又暖笑了笑，不置可否。

"你和左问现在怎么样？"关兆辰问道。

"挺好的。"俞又暖道。

关兆辰笑了笑，笑得微带讽刺，"你们什么时候好过？他不过就是一个赚钱机器。"

俞又暖敛起笑容，将餐巾搁到桌上，"我不喜欢听人说我先生的不是。"

关兆辰看着俞又暖，往前俯了俯身，手掌盖住了俞又暖放在桌上的手，"又暖，他只是在你最脆弱的时候乘虚而入，让你产生了错觉，你以前根本就不喜欢他，不过是费尽心机想高攀俞家的穷小子，如果……"

俞又暖抽出了手。

关兆辰深呼吸了一口，手用力地撑在桌子边缘仿佛很艰难地道："如果不是他无耻地阻止，这两年陪在你身边的人应该是我。在你出事之前，你对我说过，你已经把离婚协议书给他了，他也同意签字了。"

这件事在情理之中，又在意料之外，俞又暖没想到原来两年前她和左问的婚姻就已经走到了尽头。

"他配不上你，又暖。你们的出身完全不同，喜好不同，话也说不到一起。"关兆辰又想去捉俞又暖的手。

"我并不这样认为。"俞又暖的青春期大概很乖顺，以至于她的叛逆期在她婚后才表现出来，而且时间格外的长，别人越是说不行，她就越想说"yes"。

关兆辰往后靠了靠，整理了一下情绪，"不管怎么样，我会让你重新爱上我的。又暖，我们才是注定的一对。"

俞又暖看着关兆辰，从心底找不到一丝悸动，就像一个旁观者一样，无法体会关兆辰这种随口就能说"爱"的情感。"抱歉，我得走了。此外，我想你不必再在我身上浪费时间。"

关兆辰做了个举手投降的动作，"好了，好了，我再也不说这些了，吃完这顿再走好吗，错过眼前的美食难道不会让你觉得遗憾？"

俞又暖想了想，又重新坐下，"我真想认识一下这店的老板。"她觉得如果对方是个女的，她们很可以做个朋友，若是男的，如果她离了婚，而对方又是单身，且不妨发展发展。

"他一直很神秘。连店内的经理都不知道他家老板是谁。"关兆辰道。

不提感情的事情，俞又暖和关兆辰的确聊得颇为投机，关兆辰很会说笑话，俞又暖很久没这样大笑了。

关兆辰在俞又暖的笑声中，突然停顿了下来，双眼含情地望着她，"又暖，你要是肯出来演戏，一定会红透整片天的。你应该常笑。"

俞又暖点了点头，谢过了关兆辰的恭维。

"下半年我有一部新戏，是我工作室监制的第一部戏，你要不要来做制片人？"关兆辰问道。

俞又暖没有立即拒绝，她忽然就想起了那份离婚协议。左问将俞氏的股份都还给她的话，他自然就要从俞氏抽身。但俞又暖自问实在不是管理公司的料，她还不如去当女明星呢。

也许出售俞氏股份之后，她可以另寻投资渠道。前提是，左问铁了心要离婚的话。

从南湖会所离开的时候，夜幕已经降临，司机已经在车上等候俞又暖，关兆辰绅士地替俞又暖打开门，用手遮住她的头顶防止她碰头。

闪光灯刚好在此刻闪起，俞又暖作势就要从车里出去，却听见关兆辰道："没事，我会去处理的。"

处理这种事情关兆辰显然比俞又暖有经验，因此俞又暖没有异议地重新坐回了车里。

回到俞宅的时候，时间并不算太晚，慧姐一看见俞又暖进门，就赶紧迎了上去，"小姐，你是去哪里了啊，先生和我到处找你。"

俞又暖放下手袋，"左问也在？"

慧姐顿了顿，"没有。不过先生很担心你，一直在到处找你。"

俞又暖喝了酒，有些站立不稳，她顺着沙发扶手滑到沙发里坐下，扶着头道："慧姐，给我拿点儿解酒的药来。"

"哦，好。"慧姐赶紧道，"小姐，你的身体状况不能喝酒，喝酒你的头会很难受的。"

俞又暖闭上眼睛，头痛欲裂，却还比不上心里空荡荡的难受。左问对她的关心不假，可是出发点并不是她想要的。她父亲对左问有提拔之情，左问要是对她这个妻子不闻不问，在圈子里必然被人不耻。

慧姐拿了药端了水递给俞又暖，俞又暖睁开眼睛拉着慧姐的手幽幽地道："慧姐，我怎么办？如果离了婚，我就一个亲人都没有了。"

慧姐眼睛一酸，这个小姑娘是她看着长大的，何曾有过眼前这样低落的时候，她轻轻拍着俞又暖的背，"小姐还有一个姑姑，她现在在美国。"

俞又暖抬起头，车祸之后她还是第一次听说自己有个姑姑。"我还有个姑姑？你有她的地址吗？"

尽管可能是关系非常疏远的姑姑，但此时却像俞又暖的救命稻草一样，血缘有时候的确神奇。

"有。姑太太在你出事之后，还特地从美国飞回来看过你。"慧姐道。

俞又暖用手背擦了擦眼泪，"慧姐，帮我订一下飞美国的机票。"能躲一时算一时吧。

清晨，阳光将露水蒸发之后，早餐和晨报一起送到了俞又暖的面前，她打开报纸翻到娱乐版，首先印入眼帘的就是昨晚关兆辰为她遮住头顶扶她坐进车里的照片。

"天王夜会本城名媛，被偷拍后怒砸记者相机。"

文中虽然没有指名道姓，而俞又暖只露了侧脸，但其身份显然已经曝光，文中说她已婚，暗示她婚变在即，导火索就是和关兆辰的婚外恋情。

另外文中还附上了左问自己公司——四维的资产估值，以暗示对俞又暖这样的名媛来说，爱情就是她皇冠上的明珠，珍而重之，至于面包，那只是老百姓的主旋律。当然也可能是讽刺俞又暖被爱情冲昏了头脑。

俞又暖仔细看了看那数字，即使是在她看来，那也颇为心动，看来离婚之后，排队等着嫁给左问的女人可不会太少。

俞又暖喝了一口牛奶，拿起手机把玩。朋友圈里已经因为这则娱乐新闻而炸翻天。

"YYN 是傻了吧，论颜值、论身材、论财产，Mr. L 哪一点儿输给关啊？别是青光眼吧？"

"那不是向颖的盘中餐吗？"

"早就分手了，过了保质期的老腌肉居然也有人捡？呵呵。"

俞又暖将手机放到下巴下，也不知道左问看到晨报上的这则消息没有，他好像没有翻娱乐版的习惯。

直到这一天过完，俞又暖也没收到任何左问的电话和信息，似乎她这个人做什么都和他没有关系一样。

倒是关兆辰来过电话，解释他也不知道这张照片是如何流出去的。并且表示他已经在微博上澄清了这件事。

俞又暖只回了一句，"你最近拍的那部大片要上映了吧？"

"又暖……"关兆辰有些受伤。

俞又暖不关心关兆辰的心情，因为也不会有人关心她的心情，连她自己都关心不了自己。俞又暖在大床上翻滚了无数圈，失眠外加头疼，凌晨时终于忍不住拨通了左问的电话。

绿园小区的公寓里，左问扫了一眼屏幕上闪动的俞又暖的头像，仰头将杯中酒一饮而尽。诚然昨晚他的确有一刹那的心软，可是他心软又能如何了，不过是陷入下一个十年无望的等待，看着俞又暖故态复萌，等待她回头看他？

当电话里传来忙音后，俞又暖不死心地又拨了一次电话，她这样难受，难受得睡不着觉，左问却在安眠，指不定还有美人相伴，俞又暖只要想到这一点就恨不能跳起来冲到左问的面前。

又是无人接听的忙音。

俞大小姐的执拗劲儿上来，那可不得了。直到左问的手机被她拨得没电关了机，她才不甘心地重新躺下。

一夜无眠，早晨她不得不戴着墨镜去机场。俞又暖在入关前，不甘心地又拨了一次左问的电话。

接电话的是左问在俞氏的助理 Andy。"把电话给左问。"

"俞小姐的电话。"Andy 将手机递给正在谈事的左问。

左问淡淡地道："让她有事就跟你说。"

俞又暖在电话那头已经听见了左问的声音，跺了跺高跟鞋，进了安检。

Andy 有些走神，他原本以为自己的大 Boss 只是对着外人才会冷着一张脸，没想到对着俞大小姐那样的美人也如此硬得起心肠。若换作是他，Andy 自问可做不到，光是手机上闪烁的照片头像，就已经叫人心猿意马了。

俞又暖在美国受到了她姑姑的热情款待，以及那两个小天使一样的表弟和表妹的喜欢。她在美国住了一个多月，这里越是温暖，她就越是想念左问，即使他总是冷冰冰的样子。

俞又暖极渴望地想要一个孩子，最好是个甜甜的有着香香的脸蛋的女儿。这样的话，即使没有左问，她想她的生活也会挺好的，当然如果左问不介意负起做父亲的责任的话，她也很欢迎。

俞又暖出现在四维的大厅里时，几乎所有人的眼睛都忍不住向她看去，像俞大小姐这样漂亮的人的确少见。不过大厅里的大多数女人更关心的还是她身上的行头。

手表是百达翡丽，包是需要排队两年以上才能拿到的特殊皮质的某奢侈品牌，鞋是高级定制，定制者的鞋模将被保存在英国老店中，食指和中指戴着指环，白色的过膝宽摆裙，上面是黑色透明蕾丝无袖衬衣。

禁欲的学院派，端庄的淑女风，一看就是家世良好的名媛。

"哇，女神。" Alice 碰了碰旁边站着的 Cathy。

"夸张。" Cathy 撇了撇嘴，放下手里的纸杯咖啡，"做事了。"

"你好女士，请问你有预约吗？" Alice 对走到她前面的俞又暖笑了笑。

"我找……"俞又暖想了想，"我找 Andy，我姓俞。"

当 Andy 听到一位姓俞的小姐找他时，还颇为纳闷儿。坐在他对面的 Cathy 道："去吧，是一个女神级别的美女。"

Andy 脑子一下灵光闪现，想起了他唯一认识的姓俞的女神级的美女，赶紧再向 Cathy 确认，"是不是眼睛大大的，很有气质，腿又长又直？"

"你观察得挺仔细啊？我只知道她一只手表就能买一套小公寓了。"Cathy 道。

除了老板娘还能有谁？ Andy 果断走到左问的办公室门口，敲了敲门。

等 Andy 出来时，Cathy 绕过桌子紧跟着他往电梯口去，"是老板的女朋友吗？" Cathy 当左问二助的时间并不长，这一年多从没见过有任何非业务往来的女性出现在左问身边过，每次需要携伴参加的宴会，都是她跟着左问去应酬。

在 Cathy 的眼里，左问就是一个对女人完全不感兴趣、洁身自好的工作狂。

"是老板娘。" Andy 按下下行按钮。

Cathy 有些不愿相信，因为左问实在不像是一个结过婚的男人，哪有结了婚的男人，一周五天，天天在公司加班的。最重要的是，左问的手上没有戴结婚戒指，而如果她没看错的话，刚才那位俞小姐也没有戴结婚戒指。

"俞小姐。"Andy 一出电梯就看到了俞又暖，目标太过醒目，你怎么都不会错过。

俞又暖朝 Andy 点了点头，"左问在吗？我有事找他。"

"老板在楼上，请跟我来。"Andy 道。

俞又暖挑了挑眉，她给左问打电话，他从来不接，她还以为今天左问也不会见她的。

四维不算大，本来做的就不是劳动密集型的产业，只占了两层楼，但办公室楼层很高，视野开阔。

俞又暖看着左问，原本准备好的话却怎么也说不出口。他的脸上早已没有了年少时的柔和，偏向冷峻和硬朗，唯有眼睛，深邃里藏着一点儿让人看不懂的澄澈，就好像钻石包装盒里那点儿柔软的甜品。

最后得到甜品的人，不仅能收获巨大的钻石，还能品尝到最可口的美食，由不得人不贪心。

"如果我每天不再烦着你说话，就像我刚刚醒过来的那段时间一样，你能不能搬回俞宅？"俞又暖说着说着眼圈就红了，如此低声下气，心里肯定还是有委屈的。

"俞又暖，你已经完全康复了。"左问道。言下之意是既然康复了就再也不需要人照看了。

左问说得那样的容易，表情是那样的冷淡，让俞又暖微酸的鼻子又硬了起来。

俞又暖深吸了一口气，坐到左问的对面，"离婚协议里的条款需要改动。"

"你说。"左问道。

"我不懂经营俞氏，不然当初爸爸也不会逼我嫁给你对吧？"俞又暖并不需要左问回答，继续道："离婚可以，但是你得把我手上的俞氏股份买过去，今后他依然叫俞氏也可以，叫左氏也可以。"

左问冷冷地看着俞又暖，"那是你父亲给你留下的。"

"但那对我来说却是包袱。"俞又暖道，"四维，我要一半的股份，但是这一半股份我也要你出钱买回去。"

简直就是无理取闹，"我没有这么多的流动资金。"

"我可以给你时间。"俞又暖道，"你什么时候凑够了钱，我就什么时候签字。"

"可以。"左问很干脆地道。

俞又暖咬了咬下唇，放在膝盖上的右手握紧了拳头，又无力地松开，这样苛刻的条件左问居然都答应了，她讽刺地笑了笑，"看来左先生是迫不及待要摆脱我了？"

左问不说话。

俞又暖的眼睛又忍不住泛酸，酸涩地一笑，"早晨我去立了遗嘱，你若是不想付这一大笔赡养费的话，可以祈祷我尽快死去，就没人烦你了。"

俞又暖说完就僵直着背站起身，左问随之起身居高临下地看着她道："俞又暖，不要总是像泼妇一样动不动就把死挂在嘴边。"

俞又暖为之气结，抬起下巴道："是啊，反正也没人会在乎，没人会心疼的。"

"俞小姐什么时候缺过关心的人？"左问讽刺道，站起身送客。

俞又暖的心情却奇异地好了些许，原来左问对那则绯闻并不是无动于衷呢，她望着左问道："你看到那个照片了？"

左问没有正面回答，只是垂眸看了看表道："再过五分钟我有客人。"

俞又暖是给点儿阳光就可以灿烂的人，"娱乐新闻你是知道的，狗仔的那支笔恨不能天天都有周一见。左先生就算不相信自己，也该相信我的品位。"

真是自打嘴巴。

左问深深地看了俞又暖一眼，拉开门，对着俞又暖做了一个请的动作，"你的品位一向不怎么高。"

俞又暖走出四维所在的大楼时，回头望了一眼，觉得自己大概是有自虐倾向，左问这样讽刺她，她反而高兴，看着他的情绪会为她的事情所波动，俞又暖就又恢复了一点儿信心。

傻瓜才会离婚呢。尽管左问把她的自尊心和自信心都打击得够呛，可是俞又暖还是不想放弃他，放弃了左问，她的生活就会失去最大的支柱，尤其是经济支柱，从而她就不得不面对那许多烦琐的公事。她父亲真的很有眼光，左问俨然一只会下金蛋的母鸡和勤勤恳恳的孺子牛，于情于理，俞又暖都不能轻易放弃。

俞又暖拿钥匙试了试绿园小区那间公寓的门锁，居然可以打开。她走进去四处瞧了一番，当初桌子上的白粥已经收拾得干干净净了，而左问的房间明显是有人住过的痕迹，俞又暖抿嘴一笑，不是说不回来住了吗？还不是回来了。

俞又暖换上上次留在这儿的家居服，洗手间里她的牙刷、毛巾已经不见踪影，不过没关系，她早有准备，今日又自备了一套。

左问回来的时候，俞又暖正在客厅的瑜伽垫上用功——眼镜蛇式，听到钥匙开门的声音时，她的身体正游走向上，在左问沉默的眼神里用手臂支撑着身体像灵活的美人蛇一般抬起头，就差吐出蛇信子了。

"你回来了，老公。"俞又暖故意嗲着嗓子道。

左问已经不问俞又暖为什么来了，直接掏出了手机。

俞又暖起身走到他身边，看他翻阅联系人里的老王，才慢悠悠好心地告诉左问道："我让王叔将你的电话拖入黑名单了，他是我的司机，不是你的司机。"尽管老王的薪水实际上是左问在支付，可是他还是听俞又暖的。

这一次俞小姐可是有备而来，不打无准备的仗。

左问收了电话看着俞又暖，"怎么，时隔一个多月，俞小姐又开始玩这种幼稚的游戏了？"

左问也不等俞又暖说话就进了寝室。

俞又暖站在客厅里，手指扶着下巴笑得好不开心，看来有些人也很介意她失踪嘛。只是俞又暖也不敢去问左问，就怕他恼羞成怒，反而弄巧成拙。

左问拿了睡衣出来直接进了卫生间。

俞又暖被当成了空气，或者当成了家中的一件摆设，被左问完完全全地无视了。

等左问回了房间，俞又暖敲了敲门，也不等他回应，就直接推门而入，"我给你热了牛奶，可以帮助睡眠。"俞又暖将牛奶端到床头柜上，她觉得自己还真是有贤妻良母的潜质。

可惜俞又暖的声音频率仿佛不在左问的耳朵接受范围之内，左问毫无反应，只专注地看着放在腿上的电脑。

俞又暖也不生气，自己拿过牛奶杯子喝了起来，"上个月我去了姑姑家，你知道她吗？"

"真不敢相信，她 46 岁的时候还生了一对龙凤胎。"俞又暖道，"她以前是主张丁克的，直到 40 多岁才突然想要个孩子。"

左问不说话，俞又暖喝着牛奶继续道："看到那两个小家伙的时候，才明白姑姑为什么改变主意。你见过他们吗？"

牛奶在俞又暖的嘴唇上添了一行白胡子，她自己恍然不觉，向前倾了倾身，以一种哄骗情人的低柔声调道："我们生个孩子好不好，左问？"

左问滑动电脑触摸屏的手停了停，脑海里响起俞又暖曾经说过的话。

左问推开电脑，掀开被子坐起身，因为太过突然，以至于俞又暖不得不往后退来避开他，牛奶泼了一半在她自己的衣服上，好在温度不高，俞又暖刚想抱怨，就听背对着她站在门边的左问道："我们曾经有个孩子，你把它拿掉了。"冰冷的声音里有尽量克制却还是抑制不住的颤抖，因为愤怒。

俞又暖心里一惊，没想到还有这一茬，出轨加拿掉孩子，她都不知道换作自己是左问，还会不会原谅自己了。

俞又暖在愣神中，听见关门的声音，一下就被惊醒了，也顾不得换鞋，趿拉着拖鞋追下楼去。

俞又暖跑上去拉住左问的手臂，"对不起，我真的不记得了。"

左问缓缓地将俞又暖的手掰开，认真地道："又暖，别在我身上浪费时间了，我累了，不愿再陪你走下去。"

俞又暖抓着左问的衣襟，抬头望着他的眼睛，里面没有任何情绪，的确如他所说，他累了，他的眼睛就像老僧一样古井无波。

俞又暖都不知道自己是怎么回到房间的,她躺在左问的床上,拉过他的被子盖在脸上,鼻尖有他的气息,好像还可以自欺欺人,以为足够努力就可以挽回。对于俞又暖来说,她已经忘记了过去,就想当然地觉得左问也可以放下过去,显然她是想错了。

俞又暖睡得迷迷糊糊的时候,听见有敲门声,她起身从猫眼看出去,却是Andy扶了左问站在门口。

俞又暖刚打开门,就闻见一股浓烈的酒气。

"俞小姐,左先生喝醉了。"左问的脑袋斜搭在Andy的肩上,Andy有些吃力地将左问扶进房间,放到床上。

左问睡得很熟,只是睡着之后眉头也依然紧皱。Andy道:"俞小姐,麻烦你给左先生倒一杯蜂蜜水,解解酒吧。"

"好的。"俞又暖去厨房找了半天蜂蜜,用温热水兑了,端到房间里。此时Andy已经将左问的外套和鞋子脱了下来。

"俞小姐,我先走了。左先生的胃不好,他已经很久没喝酒了,如果可以,你给他熬点儿白粥养养胃吧,他半夜可能会饿醒。"Andy道。

俞又暖点了点头,显然Andy这个助理比她这个左太太称职多了。

俞又暖在左问的耳边轻声道:"喝点儿蜂蜜水再睡好不好?"

左问本来已经放松的眉头又拧了起来,将头转了一个方向。俞又暖吐了一口气,她实在不知道该如何照顾一个喝醉酒的人,不过好在左问的酒品很好,喝醉了就是睡觉。

俞又暖起身到厨房去熬白粥,这种事情一回生二回熟,她已经是熟能生巧了。

俞又暖站在料理台边,用勺子搅动着锅里的粥,在厨房的窗户上看到自己围着围裙的样子时,忍不住抿嘴一笑。她的眼睛不停地偷看窗上自己的影子,有一种虚假的温馨感,就好像她和左问是一对最平凡的夫妻,妻子正在给酒醉的丈夫熬粥。

粥熬得很黏稠,俞又暖就着勺子尝了尝,挺好喝的。她关了火,去寝室看左问,他已经将身上的薄被踢到了地上。

俞又暖将薄被捡起来,重新盖在左问的身上,却见左问忽然睁开了眼睛,可眼神却很茫然。

"左问,你是胃痛吗?"俞又暖轻声问道。

左问转过头,有些木愣愣地望着俞又暖。俞又暖俯下身道:"我熬了白粥,你喝一点儿好不好？"

"俞又暖？"左问有些迟疑地问出。

俞又暖点了点头，"是我。"

左问却突然伸手，将她大力一拉，俞又暖站立不稳地跌坐在左问的腿上，不得不用手支撑身体，以防止压到他的腿。

"这一次你又想要什么？"左问冷冷地道，满脸的讽刺。"这样耍我很有意思吗？"左问的手贴上俞又暖的脸颊，拇指在她的耳畔来回摩挲。

俞又暖看着左问的眼睛，里面不同于往日平静的深邃，而像是藏了火焰一般，他的眉心还有余红，俞又暖就知道左问大概并没有真的清醒。

左问流连忘返地摩挲着俞又暖的脸颊，"你要什么直接说，但凡我有的就从来没有对你吝啬过。俞小姐也不必再这样纡尊降贵，不然只怕我在你心里的罪名又要加上一条了。"

俞又暖往后退了退，她才知道自己在左问心里居然如此之差。

感觉到俞又暖的后退，左问扣住俞又暖的后脑勺，缓缓低下头，鼻尖在俞又暖的唇边轻触，"你好香。"

男人天生具有掠夺性，尤其是酒后。左问翻过身将俞又暖压在身下，认真地看着俞又暖，手指轻轻描画着她的眉毛，"你每次求我的时候，总这样望着我。我总是心软，一而再、再而三地……"左问没有再往下说，仿佛想起了不开心的事情，眉头又拧了起来。

"这一次我没有骗你。"俞又暖伸手去摸左问的脸。

左问轻笑出声，双手慢慢滑到俞又暖的脖子上，"俞又暖，我警告你，这一次你再要我，我真的不知道自己会做出什么事情来。"

左问的双手禁锢着俞又暖的脖子，越收越紧，俞又暖奇异地也不想挣扎，就这样凝望着左问。

左问收回双手，坐起身懊恼地揉了揉头发，"你赢了，说吧，想要什么？这一次想要四维所有的股份？"

俞又暖皱了皱眉头，原来她在左问的心底就是个要钱的女人？她坐起身看着左问，"如果这一次我是真心的呢？"

左问低着头不知在想什么，听到俞又暖的这句话，就像听到了极大的笑话一样笑了起来，可他的眼里并无笑意，他的神情也已经恢复了平日的冷清，"俞小姐不用在我身上找征服感，我的爱早就被你踩在脚下一钱不值了。哪怕是现在，我也奢望你这一次是真的认真。你还有什么不满意的？"

俞又暖的心一酸，眼泪就流了下来，为曾经的左问，也为现在的自己。

"你还有脸哭？"左问指责俞又暖道。

俞又暖越哭越大声。

"丑得跟鬼一样。"左问抓起被子替俞又暖擦眼泪。

"可是我喜欢你啊。"俞又暖不害臊地道。

左问愣了愣，将俞又暖拉进她的怀里，视线在她的脸上搜索再三，就像扫描仪一样，恨不能将她所有细微的眼神和表情都看个明明白白，想找到那抹隐藏的嘲笑。

俞又暖有些心虚，忍不住将唇贴到了左问的唇上。

"你给我熬的粥在哪里？"左问没有向后退，唇瓣摩挲着俞又暖的嘴唇道。

"在厨房里。"

左问叹息一声，"你赢了，俞又暖，你又赢了。"左问惩罚式地吻着俞又暖的唇，灼热的吻急切而贪婪地落在她的眉间、耳畔，一路向下。

俞又暖从昏睡里醒过来的时候，已经是次日中午。身体的酸疼提醒着她昨晚的疯狂。

床的另一边已经没有余温，左问应该离开许久。

俞又暖扶着腰艰难地坐起身靠在床头。左问的床上功夫大约受他的出身影响，白手起家，那就是上进再上进，攫取再攫取，炙热得仿佛都要将她烧成灰烬，和他平日的清冷可谓是判若两人。

难怪杂志上说，闷骚的男人最惹不起。

俞又暖的双脚落到地面上时，有一种自己是人鱼公主的感觉，之所以忍受这种双脚走路的痛楚，都是为了陪在王子身边。

整个公寓里没有穿衣镜，俞又暖在浴室镜里才看到了自己狼狈的模样。她皱了皱眉头，前胸后背几乎没有完好的地方，她低下头看了看自己大腿内侧，依稀还能看到齿痕。俞又暖的肩膀忍不住抖了抖，有些吃惊于左问的热情，他是食人兽吗？

狭窄的卫生间里没有浴缸，俞又暖在热水喷头下站了许久，才算是缓过一丝劲儿来。这种事情不啻于受罪，只是男人的狂欢，于她不过是夫妻生活不得不付出的代价，若能连这种代价都不付出，那婚姻几乎就堪称完美了。

换了衣服走到厨房，昨晚熬的那一锅粥已经不见踪影，厨房也收拾得干干净净了。

床头柜、冰箱门上，普通人习惯留言的地方，一张纸条都没有。

俞又暖拿起手机，想给左问打电话，但拨到最后一个数字时，却又掐断了。这种时候，如果追得太紧，那可就真是太掉价了。

俞又暖叫了外卖解决了午饭。整个下午电视遥控器都快被她按出火来了，左问还是没有到家。俞又暖忍不住给 Andy 打了电话。

"俞小姐，左先生去 C 城出差了。"

俞又暖既委屈又愤怒，抱着膝盖坐在沙发上，她已经牺牲身体的不适，尽量容纳左问，可如今眼前却是一片茫然，婚姻依旧看不到未来。

昨晚她以为她看到了希望，可今天左问无疑给俞又暖泼了一大盆冷水。身体的接触，并没能让他们之间更亲密，反而戳破了俞又暖一切不切实际的幻想。不过是一次酒后乱性，于他们之间的关系丝毫无补，反而徒增尴尬。

醉的时候左问也许放下了心防，可是一旦清醒过来，又开始理智得可怕。

俞又暖用手背擦了擦眼泪，其实她自己也不知道还能走多远，左问明摆着是不愿意原谅，只留她一个人单方面支撑又可以走多久，五年、十年？俞又暖只要想着今后的每一天都要如同今日这般冷清寂寞，就觉得可怕。

这种冷清在昨晚的炽热映衬下，显得格外刺人，至少俞又暖觉得自己受不住了。

也或许她其实并没那么爱左问，只因为左问恰好是她的丈夫，又恰好在她最脆弱的时候给了她帮助，所以她就误以为自己爱上了他？俞又暖找不到答案。可是有一点却是可以肯定的，既然在她失忆前的八年，她都没有爱上左问，这是不是也可以变相证明，她其实并不爱左问呢？

俞又暖就像找到了救命稻草一般，从沙发上站了起来，给老王打了电话。

药店是 24 小时营业，俞又暖在车上看到药店的招牌时，下意识地摸了摸自己的肚子。俞大小姐即使再落魄，也绝对不会自甘堕落到用孩子来留住一个男人的地步。她曾经幻想过和左问能生一个可爱的女孩，可前提是她会有一个爱她的父亲，一个完整的家。

"王叔停车，在这里等我一下。"俞又暖道，她走进药店买了药，就着矿泉水当场就吃了，这才面无表情地重新回到车上。

之后的半个月俞又暖都没有收到左问的任何信息，倒是关兆辰亲自将他工作室准备开拍的剧本送了过来。

慧姐看到关兆辰的时候，就忍不住诧异地看向俞又暖，"小姐。"那眼神里多有不赞同。看起来慧姐也是知道她以前和关兆辰的事情的。

"慧姐，给关先生倒杯水吧。"俞又暖道，她看向关兆辰，"我先看看剧本再跟你联系吧。"

"不着急，这部戏我请了陈正山做导演。你要是感兴趣，大家可以见个面。"关兆辰道。

陈正山是国内顶尖的导演，每部戏都有票房保证，由他执导的戏，投资商就像蚊子见了血一般，再也摆不起高贵的架子，只会蜂拥而至。

俞又暖微笑地看向关兆辰，"你应该不缺我这笔钱吧？"

关兆辰笑道："谁会嫌钱多呢？"

俞又暖道："这部戏还是你担纲男主吗？"

关兆辰摇了摇头，"年纪大了，总不能一直在荧屏前当偶像吧，太累了，我想逐渐转到幕后。"

俞又暖点了点头，却再也找不到话说。

关兆辰道："好了，我也该走了，等会儿还有一个通告，你看了剧本若是感兴趣可以给我打电话。"

俞又暖起身将俞又暖送出门，一回头就看到慧姐不赞同的眼神。"小姐，先生他……"

俞又暖现在一点儿也不愿意听到"左问"这个名字，"别再跟我提这个人。慧姐要是舍不得左问，可以去他的公寓帮佣。"

"小姐……"慧姐仿佛又看到了失忆前那个尖锐的俞又暖。

Chapter 5

关兆辰的剧本是一部充满了文艺范儿的戏，剧中的女主角和俞又暖一样失忆了，醒过来的时候发现她深爱的男友另有了女朋友，老套的二女争一男的故事，最奇葩的是，编剧居然没有给出最后的结局。

但剧本胜在对话幽默风趣，如果加上男女主角的颜值和奢侈华丽的服饰，应该可以成为当下比较卖座的都市时尚大片。

冲着女主角失忆这件事，俞又暖对这个故事就有了不一样的感触，所以她给关兆辰回了电话。

关兆辰的资金到位很快，以他这么多年在圈子里积累的人脉，这次又能够请得陈正山执导，国内的一线明星基本可以任他挑。

半个月后关兆辰在鼎和设宴，宴请投资商。男女主角也已经正式签约定了下来，是目前正当红的长腿花美男林昊明和人红是非多的花瓶美女任菲菲。

俞又暖到的时候，任菲菲正陪坐在陈正山的旁边，这女人正是前段时间俞又暖看到的和左间闹出绯闻的那个女明星。不过后来报纸上再也没有后续消息，俞又暖也就置诸脑后了，今天看到任菲菲的时候才再次想起来。

"俞小姐，幸会。"任菲菲站起身朝俞又暖走过去，伸出了手。

俞又暖打量着她，年纪虽然不大，可是妆化得太多，皮肤的状况很不好，遮瑕膏也掩盖不住她脸上的雀斑，就像一张大芝麻烧饼。

俞又暖朝任菲菲微笑地点了点头，但一点儿也没有伸出手的意思。

任菲菲伸在半空中的手，只好硬生生地放到耳边理了理鬓发。

席间任菲菲看俞又暖的无名指上并没有戴结婚戒指，微笑着挑了挑眉头，脑海里不由想起俞又暖的丈夫左问来。再反观关兆辰，她还真不知道俞又暖怎么就舍弃左问而看上他的，世人啊，可真是萝卜白菜各有所爱。

俞又暖起身去洗手间的时候，任菲菲也跟了出去，在镜子面前补妆。

"俞小姐，左先生最近还好吗？如果你看见他的话，请代我问个好。"任菲菲笑看着低头洗手的俞又暖。

俞又暖直起身，抽出擦手纸擦了擦手，"好的。"

"俞小姐，上次的事情我还没向你解释。说起来上次还得多谢左先生，明明是我的车撞了他的车，他却一点儿不计较，还亲自送我去了医院。"任菲菲道，"左先生很绅士，并非如媒体报道所言我和他有什么暧昧。"

俞又暖转过头认真打量起任菲菲，然后"唔"了一声。她自己实在未体会过左问的绅士。

任菲菲嘘了一口气，并不想得罪投资商。

俞又暖没有回包间，转过角，倚在窗户边上俯瞰城市的车流汇成的璀璨灯河，在那条灯河里，不知道有多少人正满心欢喜地往自己家里赶，家里有他们的爱人在等着他。

俞又暖找不到让自己回家的理由。

"这么巧？"向颖不知从哪里冒了出来，站到了俞又暖的身边，将手中漂亮的鎏银古董烟盒打开往前一伸。

俞又暖侧头看了看烟盒里摆放着的香烟，她伸手取了一支，向颖替她点了烟。漂亮的红唇吞吐着白烟，夹着香烟的手指漂亮修长，猩红色的指甲油显得异常妖艳，向颖抽烟的姿势的确很漂亮，让不想抽烟的女人都想学着抽一支。

"怎么又跟关兆辰混到一起了？这么多年了，你也不嫌腻味？哦，对了，你失忆了，又觉得有新鲜感了。"向颖笑道，"我还以为他有什么能耐能让你死活离不开呢，所以试了试，也不过如此嘛，只是伺候女人的确有一套，你是不是也迷恋那个？"向颖冲俞又暖眨了眨眼。

俞又暖皱了皱眉头，有些不能接受自己过去是那样的女人。她将手上一口也没吸过的烟熄掉，"我该回去了。"

酒席上有人已经喝多，陈正山和任菲菲已经亲密得有些离谱，俞又暖低头在关兆辰耳边说了一句就站起了身。

"我送你。"关兆辰起身。

原本以为人多的地方就热闹，在热闹的地方至少不那么有时间去独自品尝自己的孤独，但俞又暖显然想错了，热闹只让她觉得头疼。

中午，俞又暖接到左问的电话时，实在有些惊讶，没想到时隔一个多月左问会主动给她打电话。

"现金我准备好了，离婚协议需要我再给你寄一份吗？"左问在电话里道。

俞又暖握着电话的手都快把手机捏碎了，她的眼泪"啪嗒"地落在屏幕上，在她心里响起了巨大的声音，可电话另一端的人却一点儿也听不见。

"是吗？我改主意了。不要现金了，还是要股份吧。你名下的俞氏股份我不要，四维的股份给我一半。尽快准备好协议吧，我去律师楼签字。"俞又暖道。

"又暖。"左问唤了一声。

俞又暖声音里的哽咽藏也藏不住，她捂住嘴，掐断了电话，不想再在左问的面前丢脸。

左问的律师效率很高，第二天就通知她去签字。

俞又暖吐了一口气，落了笔，结束过去的一切对她来说未尝不是一件好事。

等俞又暖走后，杜海江就给左问打了电话，"左先生，俞小姐已经签字了。"

左问将左面抽屉里的一个牛皮信封取了出来，里面有俞又暖去24小时药店买药的照片，也有关兆辰去俞宅的照片，当然也有关兆辰和俞又暖并肩从鼎和走出来，替她开门护送上车的照片。

左问揉了揉眉心，给俞又暖打了电话，"下午去一趟民政局吧。"

俞又暖抬头望了望天空，湛蓝湛蓝的，阳光刺眼，"好啊。"字已经签了，难道还怕她反悔？或者是心里着急让她给别人腾出左太太的位置。

下午，江开区民政局的卢雅惠看着眼前两个颜值爆表的男女，深为惋惜地道："两位真的想清楚了吗？"

左问不说话，俞又暖点了点头。

卢雅惠又打量了一番眼前这对太过赏心悦目的男女，忍不住再次补了一句，"两位看起来真的很相配，确定是想清楚了，而不是一时赌气？听大姐一句劝吧，我可遇到太多这种事儿了，上午来办离婚，下午就来复婚的都有。"

俞又暖有些烦躁地道："我们是经过深思熟虑的。"

卢雅惠摇了摇头，准备开始办理业务。也不知道左问和俞又暖的运气是好还是不好，卢雅惠试了好几次，含着歉意地道："抱歉，网络突然不通了，两位能不能稍等一会儿，或者明天再来？"

"可是我们明天都有事，你们怎么能这样服务呢？"俞又暖有些气愤地道，她可不知道她明天还有没有勇气走进来。

卢雅惠诚恳地道了歉。

左问看了看手表，对俞又暖道："我还约了人谈事。"

俞又暖看着左问，最讨厌这种每天都摆出"我很忙"的样子的人，她冷笑了一声，"可我也不是每天都有空。"

"那我让助理再跟你约时间。"左问道。

两个人一同从民政局大厅走出去，却分别是向两个方向离开。

"左先生。"Andy 见左问出来就迎了上去，不过他也不敢问左问的私事，只是都到了民政局，那这婚肯定是离成了的。

左问立在原处看着俞又暖离开，良久才侧头看向一旁等着的 Andy，"有烟吗？"

左问没有烟瘾，只偶尔抽烟，不抽烟的人一般都不喜欢闻到烟味，所以 Andy 的烟瘾也早就戒掉了，"Boss，我去给你买。"

左问想了想，"算了，你把我下礼拜的行程清空，顺便告诉崔明皓。"崔明皓是左问在俞氏的特助。

"左先生，刚才俞小姐把你公寓的钥匙给我了。她说过几天会让慧姐去整理她的东西。"Andy 道。

左问没有答话，过了片刻才道："还是去买一包吧。"

Andy 慢了半刻才反应过来，左问是让他去买烟。Andy 在买烟的路上心想，这年头还是女人厉害，拿得起放得下，心比谁都狠的绝对是女人。这些年他 Boss 和俞大小姐的纠葛，他也算是清楚一些，每次都像是悬崖走钢丝，但回回都能履险如夷，不过没想到这一次真的离了。

不过 Andy 转念又一想，其实两年前如果俞大小姐的车祸不是出得那样巧的话，他们早就离婚了。

俞又暖回到俞宅，就对慧姐道："慧姐，我和左问离婚了，你把他的东西收拾一下，让王叔给他送过去，顺便你去左问的公寓收拾一下我的东西。"

对俞又暖来说，她和左问的婚姻今天已经画上了句号，差的不过是最后一道手续而已，但是已经不影响大局。

慧姐大吃了一惊，"小姐，这是怎么回事啊？"

俞又暖双手揉了揉自己的太阳穴，扶着扶手站在楼梯上居高临下地看着慧姐，"性格不合。"这是离婚协议里的原话，"慧姐，我有些头疼，晚饭不用叫我了。"

俞又暖昏沉沉地睡了两天，第三天上头才恢复了些许精神，离婚受的罪比脱皮也不遑多让，不过俞又暖没有给自己太多时间去颓废。

人争一口气，树活一张皮，俞又暖已经失恋了，就不能再叫左问看她的笑话。这时候，事业总是失恋之人的首选替代品，只可惜俞又暖实在想不起自己有什么特长。

靠着花园的落地窗边摆放着一架斯坦威钢琴，虽然俞又暖对弹琴是一点儿印象也没有，但当她将双手放在琴键上时，乐音就自发而流畅地从她指尖流淌了出来。

俞又暖闭上眼睛，音乐本就是情感最好的宣泄渠道之一，她几乎是沉醉了进去。

俞又暖也不知道自己弹了多久，直到有掌声响起，她转过头去一看，刚才鼓掌的人是关兆辰。

"你怎么来了？"俞又暖虽然问着关兆辰，眼神却跳过了关兆辰在询问他身后的慧姐。

"听说了一些消息，所以来看看你。"关兆辰走上前道。

俞又暖挑了挑眉，世界上从来没有不透风的墙。

"刚才的曲子很陌生，是你自己谱的吗？"关兆辰问。

俞又暖站起身，"不知道，应该是随便乱弹的吧。"俞又暖不太确定。

"乱弹也够得上专业水准了。"关兆辰想了想，"又暖，你要不要给这次的电影谱一支插曲？这部戏是小清新路线，中间有一段儿用钢琴配乐我觉得很不错，你怎么想？"

俞又暖引了关兆辰在沙发上坐下，"别开玩笑了，专业的事情还是留给专业的人做吧。"但是不可否认，俞又暖对关兆辰的这种恭维很是受用，他哄女人的确很有一套。

"又暖，能不能再给我一次机会？你不喜欢我演戏，我从今往后就转到幕后。"关兆辰有些动情地拉起俞又暖的手。

关兆辰的眼睛生得很漂亮，他含情脉脉地看着你的时候，会让你有一种被宠溺包围的感觉，称得上是"我的眼里只有你"的最佳写照。

俞又暖的心微微动了一下，如今这种情形，为什么不能给自己找一个会说会玩的人陪着呢，只要她有钱，想必关兆辰就会一直有耐心像公主一样哄着她。

俞又暖迟疑了一下，没有抽回自己的手，刚刚抬头就看见倚在偏厅门边的左问。

左问的嘴角扯出一丝嘲讽的笑意，俞又暖抽出手冷冷回看着他。两个人大约都回忆起了一个多月前的那个晚上。

那天晚上，俞又暖说这一次她是认真的，而左问承认他还爱着俞又暖。如今看着这场面再对照那番话，真是讽刺至极。

"我们去花园里走走吧。"俞又暖站起身对关兆辰道，左问大概是回来拿东西的，彼此见面徒增尴尬和莫名的怒气，俞又暖不想再纠结在这段没有希望的感情里。

关兆辰欣然起身。

"俞又暖，这就是你所谓的认真？"左问在俞又暖和他擦肩而过时冷冷地道。

虽然俞又暖已经下定决心再也不跟左问说话，可此刻忍不住停下脚步看着左问，"我认不认真反正你也不在乎，现在再说这些话又有什么意思？"

左问没有再出声，眼神在关兆辰虚扶着俞又暖后腰的手上扫了一眼，就转身走了。

俞又暖的指尖微微扣入掌心，她也不知道自己还在盼望什么，盼望左问能被她和关兆辰的亲昵激得发怒？真是可笑！

再这样下去，俞又暖自己都快瞧不起自己了。其实这段婚姻带来的好处，未必赶得上它的坏处，让人忽上忽下的感情，疼痛干涩的性事，事了拂衣去的冷漠，俞又暖耐心尽失。

俞又暖曾经期盼用孩子来挽回，但如今已知，如有孩子，增加的只是一场争夺监护权的官司，何况孩子也不该作为利用的工具而出生。那时看着恩爱的小姑姑夫妻与可爱的孩子而生出的对孩子的渴望，已经彻底湮灭。

等俞又暖和关兆辰在花园里散了一会儿步再回到大厅里的时候，左问已经离开了，他的确是回来拿他落下的东西，将来想必再也不会踏足俞宅半步。

失去了男主人的俞宅开始变得彻夜灯火通明、热闹非凡。在俞又暖的生活里从来不缺少宴会和华丽的衣裙，她感觉自己就像重新复出的女星一样，几乎每晚都周旋在衣香鬓影之中。

俞大小姐虽然离了婚，但是身价不降反升，她手中的俞氏股票和四维的股票可以让她直接坐上今年本城的女首富宝座。并且，俞又暖本身还是城中出了名的大美人，名利场中周旋的人对她自然是倍加欢迎，令她如鱼得水。

"又暖。"

俞又暖回过头去一看，灿烂地笑道："丽君阿姨，你回来啦？"范丽君是俞又暖父亲生前的好友，俞又暖康复的这两年，几乎每两个月她都会去俞宅看她。

"又暖，看来你的身体完全好了，我很高兴。"范丽君拥抱了一下俞又暖。

"谢谢，丽君阿姨。"俞又暖点了点头。

"既然身体已经康复了，那有没有兴趣继续回来帮你丽君阿姨啊？"范丽君道。

范丽君手中有一个华氏慈善基金，是她丈夫死后，为了纪念她的丈夫而成立的。俞又暖车祸之前，一直在帮范丽君打理基金会。

"可是我已经什么都不记得了。"俞又暖有些踌躇。

"不记得也没关系啊，你刚开始帮我的时候，不也一样没有任何经验，但后来的事实证明你做得很好。"范丽君道。

俞又暖此刻急需让自己分心的东西，这个时候重拾自己过去的事业真是再好不过，"谢谢你，丽君阿姨。"

事实再次证明，俞又暖在华氏慈善基金会做得的确不错，募捐的时候就冲着俞大小姐的名头，也有一大把的钻石王老五慷慨解囊。以她的身家和容貌，又无拖油瓶，即使是二婚，也有太多的人趋之若鹜。

日子不快不慢地就走进了七月的盛夏，俞又暖在当晚的慈善拍卖宴会上看到左问的时候有些错愕，半晌才反应过来其实他们离婚才不过两个月，可心里却感觉他们离婚好像是上辈子的事情了，久得她都忘记了左问曾经做过自己的丈夫。

彼此太过陌生。

左问带了一个女伴，是俞又暖不熟悉的生面孔，据她所知这种宴会左问要么单身出席，要么带的都是助理，今天居然带了一个新面孔，而那个女人的手正挽在左问的手臂上，这就说明两个人的关系至少比普通朋友更深一层。

俞又暖深呼吸了一口，转过头假装什么也没看见。

向颖端着酒杯走到俞又暖身边，微笑道："怎么，后悔了？"

俞又暖看着自己这个往日的朋友，隐隐约约已经摸到了彼此的关系，就是那种互相幸灾乐祸的竞争关系，表面上却还要挂着"我们是好友"的虚情假意。

"其实那个女的你也认识，你当初还扇了人家一耳光呢。"向颖道，"她是左问的前女友。"

俞又暖笑了笑，"你对左问倒是挺上心的。"

向颖竟然也没有反驳，"钻石王老五，人人得而追之嘛。"

俞又暖顺着向颖的眼神再次看向左问，他的气质偏于冷峻，但是胜在五官清隽，所以看起来就带着天生的三分儒雅，现在更是周身都镶满了钻石，折射出冰冷的光芒。

越是冷清，越是有人上赶着扑上去。像左问这种男人，的确很容易让女人生出征服的欲望，毕竟回报十分高昂，哪怕辛苦一点儿也值得。

至于左问身边的女人，看年纪也不小了，小鸟依人地挂在他手臂上，很符合左问的审美观，知性大方兼具贤妻良母的气质，没过几年就能跻身黄脸婆的行列了。

俞又暖手中的酒杯在指尖转了转，昨天她还给 Andy 打了电话，想约左问的时间去民政局，被告知未来一周左问的行程都安排满了。现在俞又暖有些后悔自己那么积极了，看来左问这个大忙人迟早要上赶着来求她去民政局的。

"你们基金会不是每年七夕固定都要搞钻石王老五的晚餐拍卖会吗？今年左问恢复了单身，应该有资格参加了吧？"向颖看向俞又暖，"你会不会邀请他？和他共进晚餐的机会，肯定能卖出天价的，你们基金不会错过他吧？"

如果不是向颖提醒，俞又暖还真没有想到过要邀请左问。

"又暖。"关兆辰出现在俞又暖的身后。

俞又暖揉了揉太阳穴，她和关兆辰最近也相处过几次，实在找不到感觉，应酬他的"热情和痴情"倍觉疲倦，近日已经找过诸多借口推脱了他的邀约，但彼此关系也不能搞得太僵，好歹也算有投资合作，只能敷衍应付。

"头又疼了？要不要我帮你揉一下，专业级别的哦。"关兆辰笑道，"最近跟一个老中医学的。"

"又暖，你过来一下。"范丽君及时地将俞又暖解救了出去。

俞又暖向关兆辰抱歉地笑了笑，"失陪一下。"她走到范丽君身边，微笑着和范丽君介绍给她的人打了招呼，略作寒暄。

"又暖，阿姨虽然没资格管你，但是娱乐圈的人过往都太复杂，我想你是个聪明的女孩儿。"看来范丽君也是看到了左问和他的女伴。

"我可不是什么女孩儿了，我明白的，丽君阿姨。"俞又暖笑了笑。

"那好，刚才的林董你也认识了，他儿子是我干儿子，明天我替你们约了在丽悦见面，你会去吧？"范丽君道。

俞又暖着实没想到女强人范丽君女士原来也有给人做媒的兴趣。

"忘记一段感情最好的方式，莫过于开始下一段，别人都已经 move on 了，你还要继续留在原地吗？"范丽君扫了一眼左问和他的女伴，对着俞又暖一针见血地道。

俞又暖的心像被针刺了一下，脸上的笑容已经有些维持不住，"明天我会去的，丽君阿姨。"

林晋梁在大学搞科研，虽然略带一点儿书呆子气，但是得益于良好的出身和英俊的容貌，据说开的公选课在大学里十分受女生的欢迎，堂堂爆满，连走廊上都站着学生。

也许是因为俞宅太大，总显得空荡荡的，急于甩开那种寂寞到荒凉的恐慌，俞又暖在接到林晋梁约她听音乐会的电话后，并没有拒绝。

相亲界有个不成文的规定，如果相亲的两个人都有意向见第二次面的话，那就是默认了彼此有进一步发展的空间。

"我没想到你会同意。"林晋梁道，"我以为我没有第二次机会的。"

"为什么？"俞又暖好奇地道，说实话林晋梁的条件不算差，含着金汤匙出生，自身条件也很优秀。

林晋梁斟酌了一下，才道："觉得你不是能安得下来的样子。"林晋梁看着俞又暖的脸，这张脸让人百看不厌，第一次看是惊艳，第二次再看依然惊艳。

俞又暖瞪了瞪眼睛，"这是讽刺我吗？"

"当然不是。只是觉得我可能没有资格让你安定下来。"林晋梁实话实说地道。

"那你还约我？"俞又暖轻笑着反问。

林晋梁不好意思地笑了笑，"因为不甘心放弃，总想试一试。万一幸运女神眷顾我呢？"

"还是让丘比特眷顾你吧。"俞又暖笑道。

俞又暖和林晋梁的第三次约会定的地点是在俞宅，因为林晋梁想表现一下厨艺，为自己加一点儿分。

林晋梁在基金会楼下接到俞又暖，"走吧，今天我厨神附体，给你展示一下。"

俞又暖笑道："好啊，我让慧姐做裁判，要是不及格，可是会扣分的。"

"扣多少分？我考虑一下费用效益比。"林晋梁道。

两个人一路说笑着去了附近的大型超市。

"你爱吃什么？"林晋梁问。

"我爱吃的，你都会做？"俞又暖偏头反问。

"呃，那我还是买虾吧。辣椒能吃吗？我做香辣虾给你吃。当初我去四川出差的时候，跟名厨学过。"林晋梁道。

俞又暖不太能吃辣，可是林晋梁一提到香辣虾，她就想起跟左问在他小区附近的大排档吃香辣虾的那天来，俞又暖摇了摇头，好像都不是什么美好的回忆。

"不能吃辣吗，那你可会错过很多美食的。"林晋梁道。

"是吗？那你做香辣虾吧，别太辣就行了，让我慢慢适应。"俞又暖道。

林晋梁笑了笑，"好，我们慢慢来。"慢到天长地久。

俞又暖回望着他也笑了笑，眼睛弯了起来。

林晋梁还从没有见过这样漂亮的眼睛，以往都觉得是文学作品里在夸张，什么"如倒映着星光一般"，而这一次他只觉得那些语言形容得还不够完美。

林晋梁挑选活虾的时候，俞又暖推着购物车，低头在一旁的玻璃水缸里看鱼，考验一个男人厨艺的时候，鱼是必须挑选的原材料。

因为挑选得太过专心，购物车不小心就碰到了对面来的手推车上，俞又暖还没抬起头之前就赶紧道歉道："对不起，不好意思。"

道完歉俞又暖抬起头，这才发现对面扶着手推车的人正是左问。

尴尬的离婚夫妻，分手的场面不算和平，彼此都怀有怨气，就这么对视着，彼此都没有开口打招呼的意愿。

"又暖，挑好了吗？"林晋梁称好了活虾，拎着袋子走了过来。

俞又暖回头冲林晋梁笑了笑，"挑好了，买石斑鱼吧。"

林晋梁走上前，将塑料袋放到推车里，也发现了左问，他是搞学术的，不涉足商场，所以并不认识左问。

对面的人气质清冷矜贵，通身气派，一看就是非富即贵，只不过看人的眼神太过冰冷，林晋梁诧异地看了看俞又暖，笑了笑："是撞到别人的推车了？"林晋梁抬头对左问抱歉地笑了笑，"不好意思，这位先生，我女朋友刚才可能是挑鱼挑得太认真了，我替她向你道歉。"

左问无视林晋梁，只是冷眼看着俞又暖，"俞大小姐不跟他介绍一下我们的关系吗？"

俞又暖顺了顺耳边的碎发，尴尬地道："晋梁，这位是左问，我的前夫。"

林晋梁脸上抱歉的笑容转变成了客套的笑容，朝左问点了点头，"原来是左先生。"

俞又暖挽上林晋梁的手臂，指了指鱼缸里的一条石斑鱼，"就买那条吧，我觉得花纹好看。"

"好。"

左问这个过气前夫直接就被新出炉的情侣无视了。

挑好了鱼，林晋梁看了看依然挽在自己手臂上的手，微微笑了笑，"刚才我说你是我的女朋友，你没有反对。"林晋梁直直地看着俞又暖，每个男人都有强势的时候。

俞又暖看了看自己的手，又看了看林晋梁，觉得自己还真是可悲，演戏给谁看呢？

林晋梁看到俞又暖眼睛里的茫然，抬手摸了摸她漂亮的眼睛，"别难过了，一切都会过去的。"

俞又暖的事情，林晋梁听别人说过，也下了功夫打听过，当初他碍于范丽君的面子，不得不去见一见传闻中的俞小姐，说实话见面之前他对她的确有诸多误解。

可是只不过才看了第一眼，林晋梁就陷了下去，他自己也不由自嘲，想不到他也是个以貌取人的人，于美色上原来也并不如他预期的那样有自制力。

如今越接触，林晋梁就越觉得关于俞又暖过去的那些传言未必是真。

俞又暖看着林晋梁，这个人心思细腻而通透，估计刚才就看明白了，才由着她装傻。既然已经开始装傻充愣，又何妨假戏真做，俞又暖笑看林晋梁一眼，"走吧，男朋友。"

左问在另一头冷冷地看着这一幕，想起林晋梁的资料调查，含着金汤匙出生，和俞又暖还真是绝配。只但愿他今后，不会再经历自己所经历的折磨。

俞宅的厨房里，林晋梁颠了颠锅，香辣虾在空中翻了一圈，锅重新放在燃气炉上时，火苗一下就蹿了起来，俞又暖大吃一惊地尖叫道："啊——火——"

不过这并非什么火灾，林晋梁用锅盖一盖，火苗就下去了，转头朝俞又暖笑道："这样炒出来的味道会更香。"

俞又暖拍了拍自己的胸脯，夸张地做出松了一口气的表情。

四菜一汤端上桌子的时候，红彤彤的香辣虾、清油油的腐乳炒芥蓝，还有五彩椒炒黄牛肉、清蒸石斑鱼，颜色十分漂亮，令人食指大动。

俞又暖目不转睛地看着正在品菜的慧姐，就等着她说话。

"60分。"慧姐道。

林晋梁的表情明显有些失望。

俞又暖笑道："你就别失望了，慧姐的嘴巴可挑剔了，能让她打及格的菜，在外面就已经属于超级好吃了。"

慧姐笑了笑，也没有反驳，显然对自己的厨艺和品评都是很有自信的。

林晋梁总算是释然了，戴上一次性手套给俞又暖剥起虾子来。

俞又暖见林晋梁低着头仔仔细细、勤勤恳恳地给她剥着虾，说感动还谈不上。俞又暖本身就是个被惯坏了的大小姐，对方如果不给她剥，才会让她印象深刻，例如左问。

只是这种时候，俞又暖也忍不住问自己，她的一辈子是想和左问那样的人一起，处处迁就他，还是和林晋梁这样的人在一起，有他迁就自己，在她无助的时候可以提供肩膀安慰她？

稍微有点儿脑子的人，大约也不会选前者。

"好了。"林晋梁将虾肉放到俞又暖的碟子里。

俞又暖吃了一口，味道的确不算辣，但是闻起来十分香，林晋梁的手艺着实不错，还细心地很照顾她的口味。

"很好吃。"俞又暖笑道。

送走林晋梁之后，慧姐忍不住在俞又暖耳边嘀咕道："小姐，你和这位林先生才见几次面啊，就把他请到家里来。"

俞又暖将慧姐当作亲人一样看待，所以听她说这样的话，也不生气，"慧姐，他说他要做饭给我吃，总不能我去他家吧？再说了，我都一把年纪了，又是二婚，再不积极一点儿，还怎么嫁得掉？"俞又暖半开玩笑地道。

慧姐想了想才道："其实先生以前也做菜给你吃的，因为你口味刁，还跟着我学了好长一段时间的厨艺。"

"左问？跟你学厨艺？！"俞又暖觉得有点儿不可思议，这人忙得脚都快不沾地了还能学厨艺？

慧姐点了点头。

"难怪你偏向他呢，敢情是入门弟子啊？"俞又暖笑道。

"小姐。"慧姐抱怨地叫了一声，"先生胃不好，外头的东西他吃不惯，他自己肯定没时间做菜，要不然你改天请他回来吃晚饭，我给他煲汤吧？"

俞又暖在想，不知道左问给了慧姐什么迷药吃，居然离了婚还这样偏向他。"你别担心他，今天我在超市里碰到他了，他正在买菜，而且他前女友也回到他身边了。你就别替他操心了，等着照顾他的女人排了好长的队伍呢。"

"小姐，这世上不会再有比先生对你更好的男人了，你不要身在福中不知福。"慧姐的话说得有些重。

俞又暖眼睛一酸，"慧姐，离婚是左问提出来的，他迫不及待想离婚，过去的事情我不记得了，但是我从你的话里能感觉出来，他以前对我很好，是我没有珍惜，把福分都消耗光了。我如今唯一能做的，就是放手。他过得很好，你也替他开心是不是？"

不管慧姐多偏心左问，在她心底最重要的自然还是俞又暖，听了她的话未免感到难过，"可是，你和先生就不能……"在慧姐看的肥皂剧里，离了婚又复婚的夫妻可不少。

俞又暖摇了摇头，不想再讨论左问，"慧姐，你觉不觉得俞宅空荡荡的，太没有人气了？我打算过几天找人来把西翼装成婴儿房，再弄一个儿童乐园，你觉得怎么样？"

慧姐一脸被雷劈了的模样看着俞又暖，"小姐，你怀孕了，是先生的吗？"

"慧姐，你电视剧看多了。"俞又暖叹息道，"这位林先生你觉得怎么样？如果可以，我就想定下来，早点儿生个宝宝。"俞又暖摆了摆手，"不跟你多说了，我去花园里散散步。"

这是哪儿跟哪儿啊？才相处了多长时间，居然就到了谈婚论嫁、生儿育女的地步了？左问用十年都没做到的事情，竟然让林晋梁几个礼拜就完成了。慧姐觉得俞又暖的情形十分不对，想了想，走到厨房里给左问拨了一个电话过去，"先生。"

左问此刻正在鼎和跟人谈收购的事情，放在桌子上的手机屏幕亮起时，他原本打算掐断，但是扫了一眼来电显示后就站起了身，朝对方歉意地点了点头，拿着手机走了出去。

"慧姐。"

"先生，你什么时候有空回俞宅吃顿饭吧，我给你煲汤，你胃不好，一定要准时吃饭啊。"慧姐道，话里话外都依然还是将左问当成姑爷在看待。

"我知道了，慧姐。"左问道。

慧姐迟疑了一下，还是和盘托出地道："小姐今天回来说，过几天要把西翼装成婴儿房，你能不能劝劝她，哪有人生大事这样草率的。"

左问闻言不语，过了良久才道："慧姐，我还有事，先挂了。"

"哦哦，好的。"慧姐把手机收好，不管怎样，她总算是把话告诉左问了。再多的事情，也就不是她能管得了的了。

慧姐抬头望向二楼，轻叹一声，俞又暖是她从小带大的孩子，是个什么脾性她最清楚。她自幼丧母，和俞先生相依为命，但俞先生事业做得极大，陪伴女儿的时间难免就少。俞又暖从小就怕寂寞，怕一个人待在家里，身边不能离人太久，慧姐真怕被那姓林的乘虚而入了。

俞又暖继续保持着和林晋梁两三天见一次面的频率，吃饭、打球、听音乐会，还去俱乐部骑了一次马，各种爱好都很合拍，关系也日趋稳定。

至于基金会的事情，俞又暖也算是完全上手了。

"俞小姐，左先生拒绝了我们七夕晚宴拍卖晚饭时间的邀请。"周清颜道，她是俞又暖自己掏钱请的私人助理。

俞又暖点了点头，本来也就没想过左问会同意，他惯来低调，如非必要，应酬晚宴基本是不参加的，更何况是拍卖他的晚餐时间了。

"不过他已经答应出席七夕的晚宴了。"周清颜又道。

"好的，我知道了，座位名单安排好以后，让我看一看。"俞又暖道。

七夕节是中国的情人节，虽然现在的人都流行过 2 月 14 日的情人节，但是因为范丽君和她丈夫华先生就是七夕节那天结婚的，所以她对这一天情有独钟，也一直致力于推广中国的情人节。

华氏基金会每年七夕的定例晚宴——单身汉饭局拍卖会，曾经成功地促成了不少夫妻，也留下了不少佳话。

"又暖，你今晚穿得这样漂亮，是不是也想参与竞拍？"范丽君打趣俞又暖道。

俞又暖今晚穿了一件深 V 领的烟灰蓝透视蕾丝礼服，腰上一条细细的腰带，将她的优点全都烘托得淋漓尽致，纤细的腰肢、修长笔直的腿。皮肤很白，在灯光下几乎呈半透明，一出现，自然就是全场的焦点。

"我也想捐点儿钱啊。"俞又暖笑道。

"你就不怕晋梁吃醋啊？"范丽君打趣道。

"据说吃醋是增进感情的最佳调味品。"俞又暖道。

范丽君笑了笑，抬眼就看见左问和他的女伴走了进来，问俞又暖道："你去招呼还是我去招呼？"

俞又暖转过身，自然也看见了左问和他的女伴，依旧是上回那位"前女友"，上一次俞又暖对这一对璧人视而不见，而这一次虽然俞又暖觉得自己的心防坚强了不少，但她还是没有走过去，"丽君阿姨，你去吧。"

只是有些人不是你想躲就能躲开的。左问的女伴端着酒杯朝俞又暖走了过来，微笑着点头道："俞小姐。"

左问的这位前女友挺有气质的，近看皮肤也好，属于知性美女那种类别，穿的晚礼服和俞又暖的是一个牌子，系列也相近，只不过她穿的是裸色礼服，胸围也直接秒杀俞又暖。

"我叫王雪晴，俞小姐还记得我吗？我们几年前见过面，当时我刚回国，不知道左问已经结婚了，对俞小姐多有得罪，一直很想跟你道歉。"王雪晴的脸上挂着得体的笑容。

话虽然说得很好，但言外之意却是在挑衅。这一次俞又暖可再也不是左太太了，也就再也没有资格对她王雪晴指手画脚了。

俞又暖这样近距离地看着王雪晴，脑子里突然就出现了她伸手扇王雪晴耳光的画面，虽然只是一瞬间，可是俞又暖也能感受到自己心里的那种愤怒，当时甚至做出了不符合她教养的事情。

每当记忆的大门打开一个缝隙的时候，俞又暖的脑子就会开始抽疼，眼前画面纷乱，她站立不稳地往后退了退，伸手想扶住什么东西，哪知却刚好打翻了侍者手里的托盘，香槟溅了一地。

"又暖，你没事吧？"关兆辰跑过来从背后接住俞又暖。

"我有些头疼，扶我坐下。"俞又暖抓着关兆辰的手都白了。

王雪晴却冷笑了一声，"俞小姐现在不演泼妇，改演白莲花了？"

这里闹出这么大的动静，自然所有人的关注都集中了过来，关兆辰扶着俞又暖有些焦急地道："用不用送你去医院？"

"没事，坐一会儿就好了。"俞又暖的脸色发白，不过疼痛已经渐渐缓解，并不像上一次初见向颖时那样剧烈。

左问走过来的时候，关兆辰正扶着俞又暖去楼上的客房休息。

"怎么了？"左问问王雪晴。

王雪晴有些无奈地看着左问，"不知道啊。我就跟俞小姐说了一句话，她就这样了。"

"你说了什么话？"左问看着王雪晴的眼睛。

"也没说什么。"王雪晴道。

"你说了什么话？"左问再次问道，语气虽然依旧和缓，但态度十分坚决。

王雪晴整理了一下呼吸才开口道："我就是跟她道个歉，当初我回国的时候并不知道你和她已经结婚了，给你们造成了一些误解，我一直欠她一个道歉。"

左问的唇角讽刺地勾了勾，王雪晴的这点儿浅白的心思又怎么够如今的左问看。

王雪晴也是个聪明人，看左问的样子就知道自己糊弄不过去，她有些委屈地道："对，我的确是故意的。可是当初我回国的时候，和你之间并没有怎么样，不过是老朋友吃顿饭而已，她打了我一巴掌就算了，还事先就叫了媒体的人等着。这口气我早就想出了，只不过一直看在你的面子上，没有跟她计较罢了。"

左问并不想跟王雪晴一起回忆过去，这两次之所以请了王雪晴做女伴，也不过是因为和王雪晴父亲的公司正在洽谈合作而已。

王雪晴看着左问道："我们能不能谈一谈，这么久以来你一直避而不谈，可是你心底是清楚的，为什么我会站在这里，我又为什么会对俞又暖耿耿于怀。"

左问没有跟人玩暧昧的心情，也没有和王雪晴长谈的意思，冷淡而礼貌地拒绝了。

王雪晴看着左问的背影，提着裙子追了上去，她没想到左问在离婚之后对她依然如此冷淡，天知道她等他离婚这一天等了多久。

"左问，我们能不能重新开始？"王雪晴伸手拦在左问的面前，她的声音脆弱得仿佛飓风中的玻璃。

左问没有避开王雪晴的眼睛，他对她毫无愧疚，"当初在美国，你决定不跟我回国发展的时候，我以为我们已经说清楚了。雪晴，我无意再续前缘。"

王雪晴有些绝望。她家世出众，才貌、能力也都样样出众，当时笃定左问绝不会找到比她更好的更爱他的女孩儿，想拿感情逼他留在美国和她一起发展，奈何左问决心十分坚定。

左问回国之后就彻底跟她断了联系，待王雪晴醒悟过来不甘心地追回国内时，左问和俞又暖已经结婚。

王雪晴当时几乎不敢相信自己的耳朵，左问回国才短短一年多的时间居然就结婚了。那他们的感情又算什么？

王雪晴努力克制住自己的心情，才能勉强扯出一丝微笑，"我知道了，今天我的话不会影响我们的合作洽谈吧？"

"我从来不公私混淆。"左问道。

王雪晴松了一口气，当初在国外的时候，也是她先追求左问的，用了两年的时间才拿下他女朋友的宝座。其实当时她之所以不跟左问回国的原因多少也有赌气的成分在里面。

交往一年，左问对她尊重有加，但彼此男女朋友的亲密度却十分不足，偶有越界，也都是她厚着脸皮靠近，左问并不十分热衷。

这种不远不近的关系让王雪晴挫折万分。在这样的情况下，左问提出要回国发展的时候，王雪晴才赌气拒绝的，原本想着如果他能好生哄哄她，她也未必要坚持继续留学。

现在的王雪晴自然再也不会像当年那般意气用事，她想，她能追到左问第一次，就一定能追到他第二次。

拍卖正式开始的时候，俞又暖已经恢复了正常的脸色，对着关兆辰道："谢谢。"

"又暖，真心想谢我的话，就帮帮我行不行？我正有一件事要拜托你。"关兆辰道。

俞又暖点了点头，示意关兆辰继续说。

"你能不能把我的晚餐时间拍下来？我实在不想应付其他人，你懂的。"关兆辰道。他是大明星，又是大帅哥，今夜想必会有不少人竞拍他的晚餐时间，势必会给他造成困扰，其实今次他肯答应献出晚餐时间，也全是看在俞又暖的面子上才来捧场的。

俞又暖却有些迟疑，"可是我和晋梁在交往，我不想让他误会，我另托人帮你好吗？"她和关兆辰是有前科的，圈子里的人或多或少都知道，俞又暖不想冒这个险。

关兆辰笑了笑，酸酸地道："就这样不想和我吃一顿饭？这才多长时间啊，又暖，你就开始如此在意林晋梁的感受了？想当初，你可没顾忌过左问。"

同样的错误，人不能总一直犯。俞又暖以前虽然有些混账，但是并不妨碍她改过自新。关兆辰的话让俞又暖觉得十分刺耳，其实更多的原因还是她自己不想面对过去的自己而已。

关兆辰将支票递给俞又暖，"真的不能帮我吗，又暖？"关兆辰的眼里隐隐有伤。

俞又暖叹息一声，"我拍下你的晚餐时间，就算两不相欠了吗？"今后最好也不要再来烦我，俞又暖心想。

关兆辰没说话，只笑着颔首。

"那我给晋梁打个电话。"俞又暖在电话里同林晋梁解释了一切。

林晋梁在电话那头轻声道："我相信你。"

这四个字，莫名其妙就打动了俞又暖的心，她挂了电话，拿过了关兆辰手里的支票，看了看数额，"呵，你对自己还是挺有信心的嘛。"

关兆辰笑而不语。

不出关兆辰的意料，当晚他的晚餐时间的竞拍是最激烈的，价码已经喊到十万了。俞又暖端着果汁，好整以暇地继续看着为慈善事业尽心尽力喊价的女人们。小姑娘中迷恋关兆辰的很多，也十分舍得花钱。

片刻间，价码已经飙升到十八万了。

俞又暖摇了摇头，真是疯狂的女人，她抬了抬手，"30万。"

30万力压全场。

关兆辰又算是大火了一把。

"那位林先生知道你又玩这种脚踏两只船的游戏吗？"左问的声音在俞又暖的耳侧响起，他不知何时走到俞又暖的身边的，此刻两人正并排而站。

俞又暖侧头看了看左问，淡淡地道："周一有时间去办理离婚登记吗？"

"怕夜长梦多，那位林先生将来不肯娶你吗？"左问嘲讽道。

"左先生什么时候成了这样刻薄的人？高高在上冰冷地等着人仰望不是很好吗？虽然已经离婚，从此成为路人，也不必这样说前妻吧？我如果那样不堪，你脸上也未必有光，对吗？"俞又暖讽刺地回击左问。

这两个人就好像刺猬一般，一定要刺得对方头破血流，仿佛才能略微平息他们心头的烦躁。

爱而不得，不爱却又不能。

左问沉默了良久，才道："你说得对。周一上午十点，在民政局见。"

俞又暖将果汁换成香槟，望着酒杯里透明的金色漩涡发呆，她心底最最微小的那点侥幸的火花终于被扑灭。她原本以为左问是因为后悔了，所以一直在推迟去登记的时间。

周一一大早俞又暖还在挑选去民政局穿的衣服，就接到了 Andy 的电话，"俞小姐，抱歉，左先生昨晚出了车祸，今天怕是赶不过去了。"

"严重吗？"俞又暖握着手机的手一紧。

"头被撞伤了，手臂也有骨折，不过没有生命危险。"Andy 客观地道。

"好，我知道了，我会和他再约时间的。"俞又暖挂了电话。

Andy 忍不住瞪着手机，心想真是狠心的女人，这时候还想着再约时间，也没有询问 Boss 入住的是哪家医院。Andy 走回病房，对左问道："Boss，我已经通知俞小姐改期了。"

左问看着 Andy 不语。

Andy 继续道："她同意改天再约时间。"所以老板丝毫不用担心老板娘会后悔。

左问点了点头，"你去我公寓把电脑带给我，有事发邮件给我。"

Andy 点了点头，"那我先走了，左先生。刚才我也给你父母也打了电话，两位老人家说明天会过来。"

左问皱了皱眉头，"谁让你自作主张的？"

"我……"Andy 其实真是一片好心，受伤的人最脆弱，有家人相伴难道不会更好？

左问知道自己是有些迁怒，昨天他昏迷不醒，Andy 自然不敢做主，肯定是要给他父母打电话的。

"好，我知道了，你先回去吧。"左问道。

白宣和左睿风尘仆仆地赶到医院时，见左问在病房里竟然还在埋头工作，忍不住上前一把抢过他的电脑，"你都伤成这样了，还想着工作呢，生怕累不死啊？你知不知道这几年有多少年轻人猝死的新闻啊？"

左问无奈地请了父母坐下。

白宣环顾了一下四周，声音尖厉地道："又暖呢？怎么不见她，就把你一个人扔在医院啊？她就是这样做人妻子的？这也太不靠谱了！"

左问还没来得及回答，就见王雪晴抱着花瓶从洗手间出来，花瓶里插着带着水珠的火烈鸟，十分漂亮。

Chapter 6

　　王雪晴看见白宣和左睿时，微微愣了愣，就绽开笑颜迎了上去，"是伯父伯母吧？我叫王雪晴，以前在美国的时候，经常听左问提起二老。"

　　白宣微微一笑。

　　"伯父、伯母喝茶吗？我去倒水。"王雪晴以女主人的姿态招呼起左问的父母。

　　白宣上下打量了王雪晴一番，这才看向左问。她虽然不喜欢俞又暖，可并不代表她就会喜欢另一个女人，尤其是在左问还没有离婚的情况下。

　　"雪晴和我工作上有些来往，今天也是来探病的。"左问解释道。

　　王雪晴端了茶水过来，笑着接话道："伯父、伯母喝茶。当初我和左问在美国读书的时候念同一个学校，他对我十分照顾，如今我刚回国，左问生病了，我自然该来看看。"

　　王雪晴如此解释一番，白宣对她的态度就稍微和缓了一些，不是第三者插足就好。

　　"谢谢，王小姐，怎么好意思麻烦你呢。"白宣从王雪晴的手里接过水杯，"按理说你才是客人，你快坐下吧。"

　　王雪晴当然不能这样没有眼色，笑了笑向左问告辞道："我公司还有些事情，晚上再来看你。"王雪晴又转向左睿和白宣道："伯父伯母，再会。"

　　王雪晴一走，白宣脸上的笑容就消失得干干净净，"你怎么样，伤得厉害吗？"

　　左问道："都是皮外伤，不要紧，只是手骨折了，可能要一段时间才能恢复。"

白宣仔仔细细检查了一下左问的伤势，证明他没有说谎，这才放下一颗心来。"刚才那位王小姐是谁啊？"

左问笑了笑，"白老师，你的眼睛一向是探照灯兼显微镜，还能有你发现不了的？"

白宣听了也忍不住笑，左问从小到大的确不乏爱慕者，即使结了婚，一样的市场广大。

"又暖呢？"白宣再次问到俞又暖，丈夫出车祸躺在医院里，她这个做妻子的居然不闻不问，可很是过了。

"吵架了？"白宣追问。

左问含糊地应了一声。

一直没有开口说话的左睿道："刚才我看了，你门边摆的花篮里，有又暖送过来的。你跟爸爸说，什么样的妻子才会给生病的丈夫送花篮？"

左问觉得他父母不去做侦探真是太可惜了，抬手揉了揉眉心，"我和又暖正在商量离婚的事情。"

"只是商量吗？"白宣追问，"这样子可不像是在商量。既然离了婚，为什么不告诉我们？"

"还不算。"左问道。

"什么叫还不算啊？你是书读多了，什么事情都要绕弯子是吧？"白宣气道。

"离婚协议已经签了，不过还没去登记，所以法律上我和她依然还是夫妻关系。"左问被自己的母亲逼得招架不住。

白宣看着左问，她太清楚自己这个儿子了，一向是极理智的，谨慎而沉稳，因而开口道："怎么会出车祸的呢？你一向是用司机的，我问过小崔，你是自己开车在高速上撞到护栏出的车祸，你又没有喝酒，怎么会这样不小心？"

"工作太累了，疲劳驾驶。"左问没有看白宣的眼睛。

白宣还想再说什么，却被左睿的眼神给阻止了。她深吸了一口气，那些从小看着左问长大的人，估计谁也不会想到他居然会在感情上栽了这样大的筋斗。

伤筋动骨一百天，白宣和左睿反正也退了休，就决定留下来照顾左问，左问不得不再次迁怒Andy，可真是会给他找麻烦。

俞又暖是在左问出事之后一个礼拜才去的医院。上周一的时候，她早晨约了左问去民政局，下午的机票就已经订好了，要和基金会的同事去山区看望孩子，华氏慈善基金主要是为了那些留守儿童的福利在服务。

俞又暖在山区也还惦记左问的车祸，委托周清颜送了花篮过去，自己直到周日才回城，这还没休息够，一大早却又被慧姐从床上挖起来，塞了一桶汤给她，"这是我煲的大骨汤，给先生补钙的，小姐替我送去吧。"

"我已经送了花篮。"俞又暖拒绝伸手。

"小姐出车祸的时候，先生是怎么对你的？现在先生躺在病房里，你就只送一只冷冰冰的花篮？就算不是为了这个，都说一日夫妻百日恩，小姐难道就不能去看看他？"慧姐犀利地道。

俞又暖想去，她怎么会不想去看看左问呢？出差的这一周，她有两个晚上做梦，都梦见左问出车祸的场景，每一次都是满头大汗地被吓醒。

只不过俞又暖不想再给自己任何的机会，再有不切实际的幻想，那样的话伤人伤己，于世人都没有任何好处。

但是俞又暖被慧姐这样"当头棒喝"，更兼威胁要罢工，她只能妥协，简直是"恶奴欺主"！

俞又暖提着保温桶，被王叔"押送"到医院。她低着头在病房门口徘徊了几步，还是不想进去，打算将汤倒入下水道，然后回去复命。

"又暖？"左睿推开病房的门出来时，正好看到转身准备离开的俞又暖。

俞又暖回头一看，发声的是自己公公，他既然在，白老师就肯定也在，她心里更加不想进病房去，只能尴尬地笑了笑，"伯父。"

称呼变得十分疏远。

"来看左问的吗？"左睿道。

俞又暖点了点头，将手中的保温桶递了过去，"慧姐给左问熬的大骨汤，伯父帮我拿给左问吧。"

"你不进去看看他吗？"左睿问。

俞又暖垂眸摇头道："不了。"

"那好，你等等，我把汤倒入碗里把保温桶给你。"左睿一边说一边提着保温桶进了门。他这个做父亲的并不愿意插手儿子感情上的事，是和还是分，都由得小一辈的自己决定，毕竟都是成年人了，都得学会为自己的行为负责。

俞又暖其实是想阻止左睿的，一个保温桶而已，对她来说，不要就是了。可是话到嘴边又说不出口，显得自己好似怕事儿一般。

"怎么又回来了，不是说要去买东西吗？"白宣看到去而复返的左睿出声问道。

"刚出门就遇到又暖来给左问送汤。"左睿道。

病房里正在工作的人听到"又暖"两个字的时候，忍不住抬起了头。

"她怎么不进来？"白宣问。

左睿没回答这个问题，"你把我们那个保温桶拿来，把汤倒过去，我好把保温桶还给又暖。"

白宣瞥了左问一眼，在心底叹了口气，左问虽然故作面无表情，但是连他自己恐怕也管不住自己，并不知道他脸上的落寞有多明显。做父母的就像前辈子欠了孩子一般，尽管满心不想管，却又不能不管。

"放着吧，我给她拿出去。"白宣道。

俞又暖看到白宣出来的时候，心里就后悔，一个保温桶而已，她等什么等？

"伯母。"俞又暖垂下眼皮唤道，她的确是有点儿怕左问的母亲。

"不是还没登记离婚吗，这么快就改称呼了？"白宣挑着眉道。

俞又暖一脸的尴尬，不知该说什么好，伸出手想接过白宣手里的保温桶。

白宣的手往后收了收，"又暖，你还记得你四月到家里来的时候对我说的话吗？"

俞又暖不答。

"你说，你想挽回左问，是不是？"白宣道。

俞又暖几乎都不记得，原来自己当时还说过那种话，真是天真得可怕。不过几个月时间，她现在就有一种沧海桑田之感了。

"左问是我儿子，我最了解。他在感情上有些被动，但是绝对不是拿婚姻当儿戏的人，除非他抱定了会和你过一辈子的心思，否则当初他不会和你结婚。你们这一代的人，对婚姻看得太轻，高兴了就结婚，不高兴就离婚，可是离婚之后呢？很可能很多事情就再也挽回不来了。"白宣盯着俞又暖的眼睛看，让俞又暖躲无可躲。

"又暖，左问的性子比较闷，有很多事情你都需要再耐心一点儿。"白宣放缓了声音道，其实她心里还是在埋怨俞又暖，就算离了婚，左问出了车祸，居然也送一只花篮过来，人却并不出现。可见当初她说的那什么"挽回"的话都是骗人的，也难怪左问一副不想多提的样子。

签了协议之后，其实午夜梦回之时，俞又暖也不是没考虑过再争取一下左问，只是她大概真的是前科累累，即使他们在一起了，她也不能保证左问将来不会后悔，不会一想起过去就互相伤害，那样的话，还不如现在就彻底放手。

俞又暖抬眼看向白宣，"抱歉，伯母，我和左问没可能了。"她伸出手接过了白宣手中的保温桶。

白宣长长地吸了一口气才能略微平静心情，她推开门往回走，却见左问就站在门后。

虽然左问的表情一片空白，可白宣看了就觉得难受，做儿子的长得再大，那心思却瞒不过做母亲的，白宣是想问却又不敢开口。

王雪晴到病房的时候，明显地感觉到了白宣态度的变化，前几天她来的时候，白宣对她总是保持着距离，但是今天显然热情了许多。

"雪晴，你给左问削个梨子吧，我和你伯父出去转转。"白宣拉了左睿站起身。

左睿在走廊上问白宣："你这是做什么，也太明显了吧？"

白宣白了左睿一眼，"治疗一段情伤的最好方法莫过于开始一段新的感情。"

左睿笑道："白老师，你可以啊，都能当情感导师了。"

至于左问，这些治疗情伤的道理他比白宣更明白，他也不是没尝试过重新开始，只是如果感情真的可以人为控制，那就不是真正的感情了。

什么是真正的感情呢？出车祸时情形左问记得非常清楚。当时他脑子里闪过的画面全是俞又暖，精致的眉眼，柔软的头发，还有雪白得晃人眼睛的肌肤，环在他腰上的腿。

那天晚上，他真的感觉到了俞又暖的变化。

俞大小姐是个刻薄又吝啬的性子，她见不得你感受一丝一毫的幸福，但凡左问喜欢的，都是她反对的。结婚这么多年，他们同房的次数屈指可数。就这样，每一次俞又暖都还捏腔拿调，吝啬得仿佛在恩赐他一般。

那个晚上，大概是左问在俞又暖身上吃的第一顿饱饭。

因为是酒后乱性，彼此关系又太过尴尬，左问的出差是前几天就定下的行程，早晨起床时犹豫再三还是去了机场，想给自己一段冷静的时间。

坐在飞机上的左问扶额假寐，为昨晚的自己感到好笑，俞又暖不过略微示好，他就又像一个愣头青般栽了进去，真是记吃不记打。

结果并没有出乎左问的意料，嘴上说着孩子的俞又暖，转眼就去药店买了药，继续和关兆辰藕断丝连。左问知道自己找人调查俞又暖，就像个偷窥狂一样变态，可是俞又暖这样的人又如何能让人再次相信呢？

太多的不信任累积在一起，必须要靠私家侦探的调查才能让他觉得安全。

这样的关系本就令人疲倦又绝望。

在左问心底虽然从没有想过会和俞又暖真正离婚，可近来却真是觉得再也熬不起。其实想通了也就觉得没什么，谁离了谁也不会活不了。

再说，连左问自己也不明白他怎么就忍受了俞又暖那么多年，这样的女人有什么值得人留恋的地方。

世间所谓的爱情，人们为之讴歌的爱情，简直毫无逻辑可言，让人活得像个傻子。

王雪晴将梨子递给左问，"你是不是要出院了？"

左问回过神来，应了一声，"明天。"

"我来接你好不好？"王雪晴期盼地道。

"Andy 会来接我，这几天多谢你了，改日我请你吃饭。"左问道。

王雪晴灿烂一笑，她总算在左问的身上看到了一丝软化的迹象。

这个世界的确是离了谁也不会不转，日子很快就转到了冬天。

朋友圈里爆出了一个不大不小的消息，俞又暖在里面晒出了左手无名指戴钻戒的照片，目测来看，钻石的大小至少在五克拉以上。

"恭喜林公子求婚成功。"下面一排的留言都是这个。

大约是冬天的寒冷让人更想找个人取暖，俞又暖也不知道自己怎么就答应了林晋梁的求婚，不过也没有什么好后悔的。

唯一需要解决的麻烦，就是她和左问的离婚登记还没有进行。

从左问出院后，俞又暖和他就好像在彼此回避，同一个城市，同一个圈子，居然也没再见过面。

所以俞又暖在"八方惜缘"用餐的时候看到左问时颇为意外。左问身边还有一个十分年轻的女人，他绅士地给对方拉了椅子。尽管两个人并没有肢体接触，可俞又暖立即就能觉察出左问和那个女人的关系不一般。

俞又暖坐在中庭，四周柱子上有葛黄的垂幔半遮半掩，所以左问进来时并没注意到她，如今又是背对她入座，更加无从发现，因而十分方便俞又暖放肆地打量坐他对面的女伴，并无什么独特的地方，脸蛋微圆，身材也微丰，称得上"珠圆玉润"一词，不过肤色很好，蜜糖色，是那种再多的钱也买不来的青春自然。

男人嘛到底还是钟爱二十来岁的女孩儿。

俞又暖看着左问没有询问对方很自然地帮那个那女孩儿点了餐，想来关系已经到了某种程度了。

俞又暖百无聊赖地喝了一口冰水，抬起手扫了一眼腕表上的时间，她未来的小姑子已经迟到了 20 分钟了。她再次看向左问和他的小女友，彼此聊天虽然不算太过热络，但左问的脸上一直挂着浅浅的笑容。

小女友偶尔望着左问那张脸时，蜜粉色的脸颊还会加深颜色，纯情又妩媚。其实仔细看，这小女友也不是没有特点的，至少胸大，显得腰就不那么粗了。

左问向来不在吃饭上浪费太多时间，哪怕是约会，用餐时间也不超过 40 分钟。

俞又暖看见左问埋单后，和他的小女友一起站起身。只不过小女友大概天生小脑欠发达，这么平坦的路都能被椅子绊倒扑入左问的怀里，左问将她扶正后，伸手拉住了小女友的手，小女友一脸甜笑。

"对不起对不起，又暖，我来晚了，等很久了吧？"林乐辰手上提着大包小包的购物袋夸张地向着俞又暖小跑过来，成功地让两个人都成了全场焦点。

左问回头，自然也看到了俞又暖，不过也只扫了一眼，就重新转过了头。

俞又暖漠然地看着左问拉着她的小女友走出"八方惜缘"。

次日，俞又暖给 Andy 去了电话，打听左问的行程，想预约他的时间去民政局。这件事早就该办了，可不知道为何一直拖到现在，现在再也没有借口拖下去了，俞又暖的婚期在即。

"不好意思，俞小姐，左先生带叶小姐出差了。"Andy 道。

俞又暖看着手机，心想，你要不要多加"叶小姐"三个字啊？

一个礼拜之后，俞又暖再次给 Andy 打电话，Andy 只能苦着脸地去敲他高冷 Boss 的门。

虽然左问自认为不会将私人的情绪带到工作上，但是"吹毛求疵"和"龟毛"最近几乎成了他的代名词。Andy 一点儿也不愿意面对他 Boss 那张脸，再好看也叫人胆颤。何况都是雄性，他的颜只会被他家 Boss 衬托成渣渣，在这看脸的世道里，格外叫人伤心。

"俞小姐今天又打了电话来确认你的行程。"Andy 努力镇定地道。

"我这周什么时间是空闲的？"左问签字的手顿了顿，问话时也没有抬头。

"周四下午两点到三点，你的时间是空闲的。"Andy 道。

"那就约她周四下午。"左问将签好字的文件合上。

"好的。"Andy顺道以这几年练就的"眼速"飞快地观察了一下自家Boss的神情。哎哟，不错哦，看来的确已经move on了，上次车祸可是吓坏他了，一朝天子一朝臣，万一他家Boss不幸罹难，他这个内外一把罩的总管也只能下课。Andy舍不得那份薪水。

"下次有这种事情，在内线里跟我说就行了。"左问公事公办地道。

Andy点了点头，"好的，Boss。"此时的Andy绝对不敢跟他家Boss说，这种事还想有下一次？离婚离成他这样一波三折的，真的很少见，但愿这次再也不要出岔子了，Andy心里流着泪想，他其实比他Boss更不想提及那位俞小姐啊，因为每次他都会被虐成狗。

晚上九点还在办公室加班的Andy，把最后一口咖啡喝掉，大力地将纸杯捏成一团，心里暗自祈祷，周四可千万要离掉啊。

周四的时候，左问准点到的民政局，等了半个小时也不见俞又暖的踪影。不过俞大小姐不守时几乎是常态，左问看了看表，指尖在膝盖上轻轻敲着。

一小时之后，左问冷着脸看向Andy，"打电话问问。"

Andy赶紧翻出俞又暖的电话，此时大Boss周身都笼罩着"惹我者死"的气压，一点儿响动就叫Andy心惊胆战。

电话打了好几次，对方都不接。最后一次终于被人接起，Andy的脸彻底被吓白了，他打开后座的门，尽量稳住自己的声音道："左先生，俞小姐出事了。"

左问缓慢地转头看向Andy，仿佛没听懂的样子。

Andy吞了吞口水，"林先生的车在高速上出了车祸，他和俞小姐都被送去医院了。"

Andy飞快地把医院地址报给了司机。

原来俞又暖刚下飞机，林晋梁去接了机送她到民政局，哪知道就在机场高速上出了事故。

左问赶到医院的时候，慧姐也刚刚赶到，一脸惊惶地跟在左问的身后跑着，"先生，小姐不会有事吧？"

林晋梁伤得非常严重，正在做手术，出事的时候，他将方向盘打向了右侧，护住了俞又暖，送来的时候生命体征都没有了，还是电击将心跳拉回来的。林晋梁的父母此时正在手术室外彷徨地徘徊。

至于俞又暖，身上虽然没什么太大的伤，但是头撞上了挡风玻璃，最危险的是，撞击之处恰好是她上次的旧伤处，人此刻已经是昏迷不醒。鉴于还有过去的病史，情况太过复杂，医院正在紧急组织专家会诊，也不敢贸然制定医疗方案。

左问在路上的时候就已经和医院联系上了，暖仁医院派出的直升机此刻已经降落到了这家医院的楼顶。

"左先生，我给你买了一份饭。"Andy 将盒饭递给左问。

暖仁医院内，医生会诊的结果是依然支持动手术。此刻俞又暖的手术已经进行了三个多小时，里面还没有任何动静，这种手术本来就费时，只是时间越长就越发让人的心发慌，手指都控制不住地发抖。

这三个多小时，左问就一直坐在走廊上，弓身双手抱拳放在额前，低头沉默不语，连姿势都没有换一下。

Andy 拿着盒饭等了半分钟，在他快要放弃准备自己独占两个盒饭的时候，却见左问抬头接过了饭盒，低头大口地吃了起来。

旁边的慧姐抱着盒饭，一边吃一边流泪，忍不住抽噎出声，旋即又憋了回去，生怕左问听了比她更难受。

就在所有人等得都快绝望的时候，手术室的灯总算灭了。左问缓缓站起身，国内脑外科的权威，也是俞又暖以前的主治医生李于戚摘下口罩道："手术比较顺利，俞小姐的伤势也比我们想象的好太多，不过接下来要看俞小姐 48 小时内能不能醒过来，才知道具体情况。"李于戚叹息了一声，"但是大脑的情况很复杂，虽然手术很顺利，但你们也要做好心理准备。"

最坏的心理准备，自然就是俞又暖再也醒不过来。

慧姐的身子当时就往地上滑，幸亏左问站在她身边扶了她一把。而左问扶着慧姐的手本身就在发抖。

第二天一大早 Andy 赶到医院的时候，一看左问的样子就知道他彻夜未眠，而慧姐已经被左问安排回去休息去了。

"Boss，你的换洗衣服我带来了，还给你打包了一份粥。公司那边，也安排好了，你未来一周的行程都空了出来。"Andy 道。

左问点了点头。

Andy 隔着玻璃，看了一眼还躺在重症监护室内的俞又暖，都不敢开口问情况。

48 小时的安全时间已经过去，俞又暖依旧没有苏醒的迹象，时间越长她成为植物人的可能性就越大。慧姐的眼泪这几天都已经流了一大碗了，拉着俞又暖的手不停说话，可她就是没反应。

"聂先生，有位林先生在门外坚持要见俞小姐。"医院的护士为难地道。聂是 Andy 的姓，护士没敢打扰左问，只向 Andy 招了招手让他出去。

因为俞又暖住在暖仁的高级 VIP 病房，没有左问这个做丈夫的同意，其他人都不能探视。

Andy 有些惊讶，"林晋梁吗？"

护士点了点头，来访者的确是林晋梁。林晋梁虽然伤得严重，但当天晚上就醒了过来，一直吵着要见俞又暖，到今天得在医生的允许下，才由专车将他送了过来。

Andy 悄声在左问耳边请示了一下，左问转头对他道："你看着一下，我出去一趟。"

林晋梁躺在推车上，全身缠着绷带，手上还打着点滴，看到左问从电梯出来时，就示意身后跟来的护士将他推过去。

"又暖怎么样？"林晋梁焦急地问道。

"她还没有醒。"左问淡淡地道。

"我听说她撞到了旧伤处，我……"林晋梁一脸自责和愧疚，眼圈都红了，"医生怎么说，又暖她……"

左问闭了闭眼睛，深吸了一口气，垂在身侧握紧的拳头紧了又松，松了又紧，"林先生请回吧，我希望你不要再打扰我的妻子。"

林晋梁脸一白，高声道："你的妻子？！你和又暖已经离婚了。"

左问没有说话，只是冷冷地看着林晋梁。直看得林晋梁从尾椎往上升起冰凉的惧意，他能看得出眼前这个男人已经到了爆发的边缘。

出事的原因，左问早就查到了，是林晋梁为了赶时间送俞又暖来民政局办理离婚，违章超车时出的事故。

"又暖是我的女朋友，她已经答应了我的求婚。"林晋梁不愿意后退。

左问将那颗暴发户的鸽子蛋戒还给林晋梁，转身往电梯走去，等进了电梯才再次转身看向林晋梁道："你最好祈祷又暖能醒过来，否则……"否则左问自己也不知道自己会做出什么事情来。

以前觉得绝望的事情，如今回想起来其实都不算什么。

看着俞又暖离开是一回事，可是看着她躺在床上再也醒不过来，对左问来说，却是绝对无法容忍的事情。

俞又暖醒过来的时候已经是五天之后，就在所有人都以为她将永远醒不过来的时候，她却奇迹般地睁开了眼睛。刺眼的光线让她有些不适应地眨了眨眼睛，入眼的是一张满脸胡楂的男子的脸。

左问看着俞又暖的眼睛，跟她两年前刚醒过来的时候一模一样——茫然、好奇。

左问的心一动，伸手坚定地握住了俞又暖的手，"又暖。"

有些人之所以能成为人生这场豪赌的赢家，就在于他们善于观察，善于抓住每一个一瞬即逝的机会。左问半分犹豫都没有，甚至都不用思考，瞬间就做出了决定。

俞又暖又失忆了，过去的一切又成了空白，一如两年前。

不过大概是一回生二回熟，这一次大家的反应和应对就有条有理了许多。

何凝姝当天就被左问再次请回到了俞又暖的身边，毕竟在俞又暖的康复过程中，她最有经验。

慧姐则要去南山拜一个月的菩萨还愿。

左问下班回到医院的时候，何凝姝正在给俞又暖念书。

"今天感觉怎样？"左问走到病床边，俯身亲了亲俞又暖的额头，"头还疼得厉害吗？"

一切发生得都很自然，尽管彼此没有通过气，但好似大家都默认了谁也不在俞又暖的面前提过去的事情，更没有人会提起"林晋梁"三个字。

左问自然不愿意提起旧事，慧姐更喜欢她前任姑爷左问，而何凝姝则是拿人的薪资签了合同，不该说的话一句也不能说。

俞又暖朝左问抬起手，慢慢地点了点头。左问捉住她的手顺势在床边坐下。

"左先生，那我先走了。"何凝姝道，她的新合同不再是全日陪护俞又暖，左问下班后她就自由了。

左问低头啄了啄俞又暖的唇瓣，"我去送送何小姐就回来。"

俞又暖眨了眨眼睛，没有反应。

左问起身将何凝姝送到门外，"又暖，今天还是没开过口吗？"

何凝姝点了点头，"这个过程急不得，俞小姐需要一个适应的过程，她现在就像孩子一样，对什么都没有安全感。不过这一次她的情况比上次好了很多，学习能力很强，基本上我们说话说慢一点儿，简单一点儿，她都能听明白了。"

"多谢。"左问道，"我叫王叔送你回去吧，现在不好打车。"

何凝姝低下头，微微点了点头，不敢面对左问的眼睛。原本是已经快要忘掉的人，可是那天何凝姝接到左问的电话时，还是立即就放弃了自己刚面试到的很不错的工作，她也知道自己极其不理智，可就是控制不住。

在何凝姝的心底，她觉得只有自己才能懂左问。左问的表面上虽然看着冷清，但实际上是一个很细心很体贴的人，最难能可贵的品质是专情，只是遗憾他喜欢的人不是自己。

有时候何凝姝真弄不懂俞又暖在想什么。天之骄女，家世、容貌什么都是上上之选，可是却将身边的人都折腾得疲倦不堪，生怕折腾不掉她的小命一样。

当初俞又暖解雇了何凝姝，她仍然忍不住去关注他们所在的圈子，俞又暖和左问离婚的事情，何凝姝知道，俞又暖接受林晋梁求婚的事情，何凝姝也知道，她只为左问感到心疼。

"左先生，今天林先生又来过了。"何凝姝道。

左问点了点头，"我知道了，这件事情我会解决，又暖如今对这世界充满了陌生感，不要让陌生人吓到她。"

何凝姝心里叹息一声，轻轻点了点头，其实无论左问让她做什么，她都愿意，也不是为了争取他，只是忍不住想帮他做些事儿而已，让他可以轻松一点。

何凝姝离开后，左问就给跟他平素有业务来往的安保公司去了电话，挂了电话之后才走进病房。

左问进来时，俞又暖正低头翻着杂志上的彩页，听见门响抬了抬头。

左问走过去亲了亲俞又暖的脸蛋，"喜欢看这种杂志，我明天让人多给你送几本来。"所有的杂志里，俞又暖似乎对她手上的时尚杂志好像情有独钟，但其实都只是在看那些华丽的图片。

俞又暖重新低下头去看图片，左问没得到她的回应也不介意，替她掖了掖被角，"我先去洗澡换衣服，你一个人看会儿行吗？"

俞又暖这次点了点头。

这说明她听懂了，左问脸上露出笑容来，轻轻捏了捏俞又暖的手，然后拿了家居服进了浴室。

俞又暖这间病房布置得比俞宅她的寝室也差不了多少，如果不知道这是医院的话，指不定就以为这是哪位白富美的香闺了。

左问洗了澡出来，看了看手表，“慧姐大概快做好饭了，我给你念会儿书？”不待俞又暖回答，左问就坐到了床上，单手揽了俞又暖到怀里。

纤细的身子越发瘦弱，身上带着俞又暖特有的香气，即使在医院时并不用香水或者香氛，她身上依然有着往日的香气，左问觉得真是神奇，忍不住又将头埋到俞又暖的颈畔深吸了一口。

当左问发现俞又暖再次失忆的时候，他不能不承认，自己当时的第一反应居然是高兴——这种最不该出现的情绪。

天予不取，反受其咎。明明已经是死胡同，谁知道又能柳暗花明呢？人生，本来就充满了无数的不确定。

俞又暖觉得有些痒，扭了扭肩想甩开左问，但这人居然手上使力将她抱得更紧，俞又暖用纤细的手指戳了戳左问的胸膛，左问才抬起头来笑了笑，“你想听哪本书？”他从床头柜上将一摞书放到腿上，让俞又暖选。

俞又暖指了一本诗集。左问的声音低沉而又浑厚，凝厚得像油滴一样，念带着韵律的诗，格外地悦耳。

慧姐将做好的饭送进来时，俞又暖正歪在左问的大腿上听他念诗，闻到饭菜香时，都懒懒地不想起来。

左问起身，想拉俞又暖下床。俞又暖噘了噘嘴，伸出双手，明亮的大眼睛里都在说，“要抱抱。”

左问低笑一声，将她抱下了床，“李院长说你应该多走走，这样有助于你康复，再过几天你就可以出院了。”

尽管俞又暖像八爪鱼一样吊在左问的身上，但还是被他强行放到了地上。

俞又暖不甘不愿地挪到外面的饭桌前，拨弄着碗里的饭就是不下嘴。

左问将碟子里鱼肉的刺挑了出来，再将碟子送到俞又暖跟前，“吃吧，补脑子的。”

慧姐在一旁看着，脸上就忍不住带出笑容。

晚饭后，俞又暖被左问强行带出去散步，还在复健师的指导下做了些简单的运动，直到出了汗才回到房间。

左问到浴室里替俞又暖放好热水，起身给她解纽扣，却见俞又暖拉着领口往后退了一步，脸上也带出了粉意，耳根都红了。

“怎么了？”左问问道。

俞又暖可不傻，她今天已经知道男人脱女人衣服的意思了。

左问正色道："又暖，我是你的丈夫，更亲密的事情我们曾经都做过，我给你脱衣服和洗澡，这再正常不过，你不用感到害羞。"

俞又暖拉着领口，往后又退了一步，低着头道："不。"

"你会说话了？"左问欣喜异常，但依然努力保持着声音的平稳，就怕吓到俞又暖。

俞又暖低着头不再开口，左问上前一步，她就后退一步，视线一直盯着地板，雪白的脚指头紧紧地抓在一起。

左问不得不妥协道："你自己会洗澡吗？不能打湿头上的伤口知道吗？"

俞又暖点了点头。

左问将毛巾等放在俞又暖的手边，"起来的时候一定叫我，地板太湿，我怕你滑倒。"

俞又暖又点点头，然后推了推左问，示意他赶紧出去。

左问走到门边时，还是放心不下，转过身道："不行，我还是不放心。我坐在这里陪你。"

俞又暖怒瞪着左问，左问也无动于衷，两个人就一直对峙，最后还是以俞又暖认输而告终，她用力地将左问推到门边，让他面壁。

洗过澡之后的俞又暖，又白又水灵，脸上因为这一个来月被慧姐养出了些肉，更显得粉粉嫩嫩，皮肤一掐就能出水的样子。

左问将俞又暖抱入怀里，检查了一下她头上的伤口，确定没有碰到水这才放下心来，亲了几口她的脸蛋，"我继续给你读书？"

俞又暖点了点头，拿了时尚杂志给左问，随便指了一页。左问就开始用柔和的男低音念道："触感冰凉光滑的按摩工具，瞬间就能舒缓镇静肌肤……"

俞又暖睡不着觉，坐起身拿了 pad 开始浏览网页，这是何凝姝教她的，俞又暖毕竟不是真正的孩子，大脑是完全成熟的，所以过去的东西对她来说只是放在那里，静静地等着她重新拿起，而不是像孩子一样需要从头开始学习。

"在找什么？"左问道。

俞又暖指了指自己的脸。

"这是什么？"左问笑着逗她。

俞又暖瞪了左问一会儿，才吐出一个字："脸。"紧接着又吐出一个字，"美。"

左问低笑出声，俞大小姐既臭美也爱美，脑子都还没有完全恢复正常，就惦记着美容了。"我让慧姐给你安排一下，等你出了院回家就让美容师给你护理。"

俞又暖点了点头，抱着左问的脖子笑了笑，主动亲了亲他的脸。

左问的手一紧，将俞又暖牢牢固定在怀里，在感受到俞又暖的挣扎后，才缓缓松开她，"睡觉了好不好？"

俞又暖大口呼吸了好几下，才缓过劲儿来点了点头。

左问抬手去取俞又暖头上的帽子，俞又暖立即如临大敌一般双手护住帽子，"不。"她头上没有头发，还包着纱布，自觉丑得要命，连洗澡的时候都是戴着帽子的，睡觉自然也不例外。

"我是怕你戴着帽子睡不舒服。"左问道。

"不会。"俞又暖飞快地钻入被子，闭上眼睛，表示自己睡得很好，一点儿也没有不舒服。

左问拿俞又暖没有办法，只能关了灯也跟着躺了下去。

屋子里开着暖气，被子里更为暖和，俞又暖身上的香气将整个被子的空间都晕染了一层暖香，左问不得不往后挪了挪身体。

结果俞又暖一感到热源离开，也跟着挪了挪屁股，严丝合缝地将臀部贴上了左问的腿根，两个人重叠得像两根汤匙一样。

"真是要命！"左问暗自咒骂了一句。

俞又暖大约也觉得硌得有些不太舒服，翻了翻身，转过来面对左问。大 T 恤式样的睡衣，领口将肩膀都露了出来。

胸前雪白的一片，在暗夜的光芒里散发着罪恶的幽芒，把人心底最邪恶的念头都勾了起来。左问换成平躺的姿势，俞又暖就贴上去抱着他的手臂。

俞大小姐虽然瘦，但身材一直保持得十分好，前凸后翘，玲珑有致，虽然称不上壮观，但至少也是平均线以上。柔软温热的触感让左问不得不挪开自己的手臂，以避开那他连正眼都不敢看的两团绵软。

半夜里俞又暖醒过来的时候，没有摸到身边的左问，微微睁开眼睛，就看见左问正坐在角落的沙发上工作。落地灯暗黄的微光笼罩在他身上，在他身上添了一层柔和的光芒，灯影将他的五官雕琢得越发立体，即使俞又暖再挑剔，都有些挑不出左问的毛病。

俞又暖心想，她的丈夫的确挺好看的，难怪那位何小姐看得眼珠子都不会转了。她虽然说话还不算流畅，但并不是真的傻子，因为沉默所以有些事儿反而看得更真切。

俞又暖动了动，左问就抬起了头，放下电脑走了过来，"是不是灯光影响你了？"

俞又暖懒懒地半眯着眼睛，将双手伸出被子，左问低下身，她就搂着他的腰，将脸贴过去。

此刻的俞又暖就像一朵鲜妍、柔嫩的花一样，左问需要极大的力气才能克制住自己心中那股想将她揉碎了吞入腹中的冲动。

左问轻轻摩挲了一下俞又暖的额头，正是因为经历了这种被无限需要的感觉，让他连想象俞又暖的再次冷漠都不能接受。

左问重新俯低身，像沙漠里饥渴了三天的旅人一般，贪婪地吮吸着一切他可以得到的甘甜。静静的黑夜里很快就响起了女人独有的娇媚的轻喘和抱怨。

早晨的阳光洒落在俞又暖的眼皮上时，再怎么用力也唤不醒她。

慧姐将早饭端到了外间的桌子上，走到门边敲了敲门。

"进来。"左问低声道，他已经洗漱好了，刚从卫生间出来。

"先生，早饭准备好了。"慧姐看着还赖在床上的俞又暖，笑道，"那我把小姐的饭先留起来。"

"不用，她的作息需要有规律。"左问双手撑在床上，用力地啜了一口俞又暖在阳光下几乎白得透明的脸蛋。

俞又暖恼怒地伸出手推了推左问的脸，却被他顺势捉了起来。俞又暖一低头就看到自己胸口上留下的某人的杰作，虽然只是亲吻，但是已经叫她觉得太过亲密，也太过羞人了。

左问给俞又暖挑了一件宽松的棉质衬衣，刚好能遮住俞又暖脖子上和胸口的痕迹，又替她套上长裙才作罢。

俞又暖平举双手，左问替她将衣袖挽了上去，她这才满意地笑了笑。

"我去给你挤牙膏。"左问亲了亲俞又暖的唇。

等两个人磨磨蹭蹭打开门到外间吃饭的时候，俞又暖的耳朵后面又添了一朵红痕。

用过早饭，左问系了领带准备离开的时候，何凝姝就到了，她每天都会提前十分钟到。

"何小姐用过早饭了吗？"慧姐笑着问道。

何凝姝点了点头。

左问低头正等着俞又暖的离别吻，俞又暖喝过牛奶没有擦嘴，戴着一嘴的白胡子，就在左问的脸上印了个湿漉漉的印子。

还没等左问捏她的脸，俞又暖的脸色瞬间就变得惨白，身体往下滑，她的头又开始剧烈疼痛。

左问一把将俞又暖按在自己怀里，"没事，没事，过一会儿就不疼了。"医生是开了止疼药给俞又暖的，左问怕她过于依赖药物，一直控制着尽量不让她吃。

慧姐奔出去找医生，左问则给 Andy 打电话，让他将早晨的日程都空出来，这一个来月这种事情经常发生，Andy 都习以为常了，所以给左问安排的日程都十分灵活机动。左问平日经常说的话是，如果一家公司离开了他这个老板就无法运转的话，那就称不上什么好公司。Andy 觉得他们大家正在努力向老板证明，四维真是好公司。

俞又暖的头疼来得突然，去得却不算快，她虚弱地躺在床上，左问坐在她身边给她念诗，平静而有旋律的声调奇异地抚平了她那骤然收紧的神经。

俞又暖在医院一共住了将近两个月，才回到俞宅——她从小生活的地方。

一进门，俞又暖几乎是迫不及待地开始了俞宅的探索，希望能刺激自己的脑子回忆起过去的画面，只可惜一切都是那样陌生。

不过走到二楼的时候，俞又暖很自然就推开了走廊右侧她房间的门，就像以前无数次那样自然，等她反应过来的时候，却不知道自己是如何走到这里的。

房间里贴着淡雅的墙纸，雪白的长毛地毯，精致华丽的古典家具，还有占据了两层楼的像百货公司一样品种齐全的衣帽间，俞又暖立在门外，只觉得陌生。

左问跟在俞又暖的身后，看着她一间一间地推开二楼的房间。

当俞又暖推开西翼第一个房间的门时，只见里面空荡荡的什么也没有，她眉头顿时就皱了起来。

"怎么了？"左问问道。

俞又暖揉了揉自己的太阳穴，"这儿不对，不是这样的。我总觉得不是这样的。"

左问没说话，但心底却泛起了波澜，他走上去搂住俞又暖的腰道："别太逼自己了，即使回忆不起过去，你也还是你啊。"左问亲了亲俞又暖的额头，在她的疑虑里补充道："这里以前是客房，后来你本打算改成婴儿室的，可是……"

这里虽然是左问以前的卧室，但是在更早以前却是客房，而俞又暖和林晋梁恋爱后，想将这里改成婴儿室，因此房间已经清空，但其他的还没有来得及改变，她就出了事。左问没有说谎，只是没有说改变的原因而已。

空荡荡的房间其实仿佛在提醒左问，他现在做的一切都是空中楼阁，他合上门，搂了俞又暖的腰将她快速地带了出去。

左问扶着俞又暖回房间躺了一会儿。经过一天的探索，俞又暖倒是确定这里的确是她从小生活的地方了，虽然她什么也记不得，可需要找东西的时候，她总是能很自然地伸手就拿到。

晚上，左问从浴室里出来的时候，一边擦着头发一边看俞又暖在她的衣帽间里挑挑拣拣，也不以为意，因为俞大小姐以前就是这样，衣服太多，每天挑衣服的时间至少都得花去一个小时。

俞又暖洗过澡穿上睡衣，有些别扭地在镜子面前往下拉了拉刚刚到自己大腿根部的睡衣裙摆。

俞又暖打量着镜子里穿着黑色蕾丝深 V 领睡衣的自己，实在有些不习惯，侧身看了看后面，居然还有一个粉融融的小毛团，真是奇怪的审美，她以前就喜欢这种衣服吗？俞又暖的脑海里不由想象起她以前穿这样的睡衣的样子，也不知道左问会是个什么反应。

俞又暖带着些许扭捏和些许兴奋地走出浴室。

"洗好了？"左问将手中的电脑放到一边，抬起头道。

片刻后，两管鼻血从左问的鼻孔里流出来的时候，房间里的两个人都奇异地静默了下来。俞又暖是不知道左问为何会流鼻血，也不知道该如何处理这种突发事件，对于血她有本能的害怕，抬腿就往外走，"我去叫慧姐。"

左问一把捉住俞又暖的手腕，若是叫了慧姐，他这丑可就丢大了。流鼻血这种事情发生在血气正旺从未经事的少年身上还能理解，但作为三十几岁的老男人发生这事，却可称得上人生最尴尬的十件事之一了。

左问故作镇静地仰起头，抽了两张纸擦了擦鼻血，"没什么事儿，不过是天气太干燥了。"冬天的空气的确干燥。左问怕俞又暖还是不死心，又补充道："慧姐早就睡了，别为这种小事去叫她。"

俞又暖点了点头，她完全相信左问说的话。

左问起身去了浴室，反身锁了门。俞又暖有些担心地坐在床上，却又帮不上忙，左问在里面已经待了半天，俞又暖不放心地去敲了敲门，等了半响才听到左问的声音从里面隐隐约约地传来，大意是表示他没事。

俞又暖回到床上，无意间瞥到左问放在床边的电脑，取了过来放到膝上。

左问出来的时候，俞又暖已经关了她那侧的床头灯，蒙头大睡了。左问松了一口气，掀开被子坐到床上，顺手拿过电脑继续刚才的工作。

网页浏览器没有关完，点开来页面还停留在最后的网页上，"男人看到性感美女真的会流鼻血吗？"

尽管非常奇怪为何俞又暖能搜出这样的网页，但此刻左问只觉得尴尬万分。

关于网页上解释的男人流鼻血的原因……

左问扫了一眼俞又暖，被子下的人根本就没睡着，抽动的肩膀足以说明所有的问题。

左问将电脑扔到一边，俯身压到俞又暖的身上，略微有些咬牙切齿地道："你还笑？"

俞又暖也是闷久了，见左问已经发现了，索性掀开被子探出头长长地呼吸了一口，可弯曲的唇角怎么也按不下去，索性大笑出声，在床上翻滚。

这两个月俞又暖每天都有学习看书，简单的字已经认识，何凝姝也教过她拼音，她对网络世界十分感兴趣，为了能浏览网页，所以这方面的学习特别积极。如今已经能够简单的搜索。

"我忍这么久是为了谁？"左问在俞又暖的脸上咬了一口，这么辛苦还不是怕刺激到俞又暖那脆弱的脑子。

多余的精力无处发泄，左问又恢复了晨跑的习惯，刚到门口就看到外面正在做准备运动的何凝姝。俞宅离市区不近，俞又暖体贴何凝姝，特地邀请了她住在俞宅，省得她每天舟车劳顿，也可省下一笔交通费。

"左先生，早。"一身粉色运动服、扎着青春洋溢的马尾的何凝姝，看到左问的时候甜甜地笑着问好。

左问点了点头，淡淡地回了一声"早"。

何凝姝看着左问的背影，叹息了一声，她也知道自己在做无用功，可就是克制不住，哪怕多看他一眼也觉得心里像大夏天吃西瓜一样舒服。

左问跑步回来的时候，在门口又偶遇了何凝姝。

"左先生，真巧啊。"何凝姝笑道。

左问没作声，只是看着何凝姝。

何凝姝心里一阵慌乱，低下头理了理头发。

左问则在权衡，何凝姝当初是在俞又暖身边待得最久的陪护，对俞又暖康复的帮助也是最大的，如果不是万不得已，他并不想辞退何凝姝。

沉默片刻，左问没有点破何凝姝的心思，抬腿进了门。

何凝姝抬起头，一脸的失落，她也不知道自己在盼着什么，不过心里却又松了一口气，他并没有赶她走不是吗？

俞又暖下楼的时候，刚好看到左问进门。

"怎么不多睡一会儿？"左问上前揽住俞又暖的腰，在她唇上亲了亲。虽然俞又暖能感觉到她和左问的夫妻感情比较好，但是在外人面前如此亲昵，她还是觉得有些不好意思。

"早，何小姐。"俞又暖侧身躲过左问，笑着跟左问身后的何凝姝打了打招呼。

何凝姝看着俞又暖对左问的拒绝，那种幸福却不在乎的模样，令她刹那间就生出一种想把过去的一切都告诉俞又暖的冲动，不过很快又压制了下去。

用过早饭，左问亲了亲俞又暖的脸颊道："最近外面患流感的人很多，你体质弱不要出门，有事就给我打电话。快过年了，如果觉得闷，我们就去澳大利亚度假，那边是夏季，太阳正好。"

俞又暖点了点头，看着阳光洒在左问的背影上，总觉得她的生活美好得有些不真实，世间上的好事似乎都被她占全了，尤其是她的丈夫——左问。结婚十年，还恩爱得如同热恋，是否太过美好？

记不起过去，总让人觉得不踏实，好像自己的生活就像空中楼阁一般，不知道什么时候就落到了地上。

午睡起来，何凝姝给俞又暖读书，"……最终绮贞伸出了自己的左手，不再迟疑地让尹浩将戒指戴在了她的无名指上。"

俞又暖伸出手迎着太阳光看了看自己的左手，才突然发现，她的手指上并没有本该一直戴着的结婚戒指，连戒指印也没有，可是据说她和左问已经结婚十年了。

俞又暖回到卧室，首饰盒、保险柜全都找遍了，戒指倒是有不少，但没有一个是结婚戒指的款。

俞又暖几乎不假思索地就拨了左问的电话。

"怎么了，又暖？"左问已经习惯了俞又暖每天不定时的电话问候。

"我找不到我的结婚戒指了。"俞又暖急急地道，就在她说出口的刹那，才发现她原来还忽略了一件事，那就是左问居然从没在意过她这个做妻子的戴没戴结婚戒指。是因为男人的心比较宽，所以从来不在意吗？

"你放在梳妆柜左手边第三个抽屉里的，别急，你再找找。"左问道。

俞又暖拉开抽屉，果然看到一个装戒指的盒子，里面的戒指她刚才还看了的，只是没想到这会是她的结婚戒指而已。

小小的一颗，不用放大镜都几乎看不见。

"那，你知道我们的结婚证放在哪里了吗？"俞又暖又问。

左问的脸色微微一变，起身走到窗户边，声音依然保持柔和，"你的我不知道，我的放在保险柜里的，下班回来的时候给你看好不好？"

"哦。"俞又暖也知道自己有些疑神疑鬼了，大概是最近电视剧看多了。

"怎么突然想起找结婚戒指了？"左问问道。

"今天何小姐给我念了个爱情故事，跟我解释了婚戒的事儿，我才突然想起来的。"俞又暖随意地道，她的注意力已经全部集中在那枚钻石小得几乎可以忽略不计的结婚戒指上了。

挂了电话俞又暖走下楼喊道："慧姐。"

慧姐正在接电话，一看到俞又暖几乎手忙脚乱地就挂了电话。

"谁打来的电话啊？"俞又暖看着慧姐那一脸的做贼心虚忍不住出声询问。

"打错的。"慧姐道。也不是她偏心左问，只是这十年来慧姐是一路看着俞又暖和左问怎么走过来的，她不能不心疼左问，在她心里也觉得只有左问才能无限包容自家小姐，所以她只好对不起林晋梁了。

俞又暖不以为意地道："慧姐，怎么我到处都没找到我和左问的婚纱照呢，哦，还有，你知道我和左问的结婚证在哪儿吗？"

慧姐心里闪过一丝狐疑，"我知道，我这就去给你找来。"

俞又暖的结婚证是在衣帽间的一个很不起眼的装杂物的盒子里找出来的，至于婚纱照，则根本没有。

"没有婚纱照？"俞又暖喃喃自语。她举起手，看向手里的红本子，打开来里面有她和左问的名字，还有两人合影的大头照，虽然都是俊男美女，不过现在回过头来看当时，怎么看怎么觉得老土，土得简直令人不敢直视。而照片上的人则像在比赛谁的脸更像冻库里刚拿出来的，寒气十足，画里画外都透露出一股"不情不愿"的味道。

俞又暖看了看戴在自己左手无名指上的戒指，疑惑地想着当初她和左问是自由恋爱结婚的吗？

"在看什么？"左问的声音在俞又暖头顶响起。

俞又暖将左手伸到左问的跟前，"这么小的钻戒，我当时就答应嫁给你了？"

俞又暖有许多戒指，有她自己买的，也有她母亲在世的时候收藏的古董戒指，但不管是成色还是大小，她的这枚结婚戒指与其他戒指相比都显得太过寒酸，压根儿就不在俞小姐的审美范围内。

左问垂眸看了一眼俞又暖手上的戒指，不由就想起了他人生中最艰难的那段岁月，以及和俞又暖第一次吵架的情形。

坦白说，左问压根儿就没有过娶老板的女儿以少奋斗20年这种打算，他对自己向来就很有自信，将来他不会比任何人差，对于吃软饭的行为也向来不屑一顾。

但是缘分真是很奇妙的东西，理工科出身的左问，听到"一见钟情"四个字的时候从来都是习惯性地嗤之以鼻，虽然很多女孩子跟他表白的时候，都喜欢用这四个字。

左问不解的是，不过是一张面皮，她们既不了解他的品行，也不了解他的为人，怎么就能凭空说爱呢？

不过当左问第一眼看到俞又暖的时候，才知道这世上确实有科学无法解释的东西，确实有理智无法控制的情感。

当然，这八成还是得归功于俞大小姐绝美的脸皮，以至于他在昏迷过去的那瞬间，还以为自己看到仙女了。如今想来，着实可笑，身为无神论者，那个时候居然会有那种奇怪的想法。

左问摸了摸鼻子，他不是个喜欢回忆过去的人，此刻看向年纪已经不算太小但依然美得动人的俞又暖时，内心还是有无法控制的悸动。

左问错开眼再次看向俞又暖白皙的手指上那枚细小的戒指。那时候他虽然在俞氏上班，可是自己的事业刚刚起步，百事待举，经济并不宽裕。

而与此同时他的父亲左睿却查出了尿毒症，急需换肾，左问配型不成功，但好在他小叔和左睿的肾配型成功，也愿意捐献一个肾给左睿。

手术费需要一大笔钱。此外，左问小叔的疗养费，以及小叔一家人未来的生活都压在了左问的肩上。

黎明前的黑暗，格外的浓烈。左问又看了一眼俞又暖，心想人生得美的确有美化环境和愉悦心灵的功效，他当时也不知道是为何，就是疯狂地想看到俞又暖，静静地看着就好。

也许是因为至爱的亲人或许会离世，所以急于想找后补来填充空白？时至今日，左问已经分析不清当时的那种盲目心理了。

不过尽管心里极端渴求，但是左问的确既不会浪漫，也不会追女孩子，俞又暖傲慢而骄矜，故作的和颜悦色下则是最真实的疏离和漠然。

左问自问是绝没有精力去追求俞大小姐的，权衡之后，只能放弃，好在欣赏美人并不需要看到真人，照片也是不错的选择。

左问不知道俞易言是怎么看出他的心思的，但是那个时候他还年轻，而俞易言虽然是子承父业，但他本身的确是很有能力的人，否则俞氏不会在他手里发扬光大，他也自然不是等闲之辈，年轻小辈被俞易言看穿心思，并不在意料之外。

俞易言查出癌症，急于将俞又暖和俞氏托付给可信之人的时候，这种买一送一的买卖由不得左问不接。

虽然俞氏并不在左问的眼里，俞易言能做到的事情，左问自问假以时日他也必定能完成，如今回过头去看，四维的市值也已不逊色于俞氏多少。

只不过，这世上最难得到的就是人，左问心里再清楚不过，错过了那一次，他就再也不可能走近俞又暖，于是向俞易言低了头，哪怕将被人嘲笑是靠老婆起家，他也愿意接受那种局面。

至于眼前的这枚戒指，是当时左问所能凑出来的所有钱能买到的最大的钻戒了，价格并不便宜，他现在还记得那个标价——198000。

戒指的大小俞又暖初时并不在意，但也不愿意戴着示人。而当她知道左问有钱开公司，却没钱给她买鸽子蛋的时候，俞大小姐的小姐脾气就压不住了。

时至今日，左问也无法理解俞又暖等女人的想法。在她们看来，会下金蛋的公司其重要性远远比不上她们戴在手指上的装饰品，并且还可以上纲上线到是不是真爱的层次上。

此时，十年后的俞又暖将手迎着光举向头顶，又在看那枚婚戒。

左问道："你手指漂亮，戴什么戒指都好看。"

俞又暖嘟了嘟嘴，"可是戴出去会很不好意思啊。"这就好比开宾利的人却抽五元一包的香烟，用一元一个的打火机一般，不相称。虽然的确是虚荣了一点儿，可是人在江湖飘，哪里能不虚荣呢？

"那我陪你再去挑一只戒指？"左问小心翼翼地问道，当初那场世纪大吵，左问虽然记不清内容了，但是俞又暖的脾气可是深深印在了左问的心里。

俞又暖收回手放到眼前仔细端详，嘴里道："那怎么行，这可是独一无二的结婚钻戒呢。"

左问无奈地摊了摊手。

俞又暖喃喃地道："看来只有离一次婚，重新结婚才能换戒指了。"

左问捏了捏俞又暖的下巴，"你想得美，趁早打消这种念头。"左问左手上戴的素戒晃入了俞又暖的眼里。

"我记得你前几天没有戴的。"俞又暖一把捉住左问的手，"好啊，我不戴结婚戒指是因为钻石小，那你不戴结婚戒指是什么意思？"

"戴起来不太方便。"左问很自然地回答道，仿佛这个答案是如此的天经地义，以至于俞又暖是太大惊小怪了。

就在俞又暖愕然之际，左问已经取了衣服进了卫生间。

俞又暖往后一靠，躺在床上，又看了看手指上细小的戒指，心想结婚十年了还亲密得仿佛热恋一般的夫妻，应该是极不正常的吧？

如果不是因为爱，那就是为了钱？可是即使俞又暖失忆了，她现在也已经明白俞氏早已经握在左问的手中，他实在不需要还如此小心翼翼地对待自己。

用晚饭的时候，俞又暖忍不住问左问道："我们当初是自由恋爱结婚的吗？"

左问挑了挑眉毛，并不说话。

最后还是俞又暖自己沉不住气，补充道："我看着结婚证上我们两人的表情，不太像是自愿的。"

Chapter 7

　　"当时岳父病了，所以希望你尽快嫁给我，而你那时候只有 20 岁。"左问简短地就概括了当时复杂的情形。

　　俞又暖了然地点了点头，这年头的确没有女孩儿会愿意在 20 岁就嫁人。至于她父亲的意思，俞又暖多少也能猜到，因为大部分小说里都是那么写的，临终托孤嘛。

　　不过晚上躺在床上的时候，俞又暖又将结婚证上的照片递到左问面前，"我不情愿是有原因的，那你呢？你看看你这张脸。"俞又暖气呼呼地戳了戳照片上的左问。

　　"我不是挺高兴的吗？"左问看了一眼照片，不以为意地道。

　　"哪里看出高兴来了啊？"俞又暖不服气。

　　左问苦笑道："大小姐你是记不得当天的情形了，6 月 6 日，排队登记的人人山人海，我当时能有这个表情，已经是很高兴了。"

　　俞又暖没说话。

　　左问补充道："那天半夜就有人开始排队，你自己不去排队，又不许我让人帮我们排队，我在民政局外面挨了一晚上的蚊子咬，你看我脖子上还有被蚊子叮的包。"左问指了指结婚证上的照片。

　　那个包是左问让慧姐拿了放大镜来给俞又暖，俞又暖才算勉强找到。只是经过这么一番折腾，她倒是确信左问那天算是心情真不错了。

　　俞又暖侧身支着头看向左问，手指在他胸口来回画着圈儿，"你当时就没想过这婚干脆不结了？"六月已经是夏季，有时候比八月还热，俞又暖有些不能想象，左问还有去民政局外面彻夜排队的青葱经历，真是人不可貌相哪。

不结婚倒是真的没想过。其实排队的时光并不难熬，前后几对小夫妻都是年轻人，旁边还有精明的小摊贩卖烧烤和啤酒的，除了蚊子多一点儿，并不算太受罪，何况排队是为了结婚，每个人打心里都觉得开心。要不是真开心，谁会选 6 月 6 那种热门的日子去登记啊，不就图个好彩头吗？

左问虽然没说话，但是俞又暖从他的眼睛里读得出他的意思，抬起身在左问的颊边亲了亲。

又不是男女朋友，老夫老妻的了扮什么纯情？左问翻身压住俞又暖，时隔十年之后，放肆地攫取当年的利息。想当初，别人都是夫妻双双把队排，即使男友心疼女友，劝她回去了，女友夜半也会悄悄来"探班"，唯独俞又暖，那可真是衣角都没看到一眼。

俞又暖趴在床上，半眯着眼享受左问的吻落在她肌肤上的感觉，无关情欲，只是纯粹地喜欢这种被需要和被爱怜的感觉，只希望不要停。

可惜想象太过美好。俞又暖尖叫一声，猫起腰捂住屁股，"左问，你属狗的啊？"

左问扫了一眼俞又暖屁股上的牙印，"瘦得屁股都没肉了。"怎么亲都不够，似乎只有用咬的，才能表达自己的喜欢。

俞又暖伸出腿去踢左问，左问轻轻一让，起身进了浴室。

俞又暖拉过被子盖住，捂着头睡了，迷迷糊糊里只觉得左问许久都没出来，可还没想出个所以然来就睡着了。

早晨，俞又暖起床的时候，左问已经跑完步回来了，俞又暖走到厨房的料理台边对慧姐道："慧姐，给左问打一杯香蕉蜂蜜汁，家里有火龙果吗，做个沙拉吧。"

都是治便秘的食物，以至于慧姐和刚走到厨房边的何凝姝都忍不住看了左问一眼。被人关心这种隐私，即使沉稳如左问也忍不住回避了众人的眼光。

可是便秘与自渎孰优孰劣呢？

左问出门的时候，俞又暖亲自将装着火龙果沙拉的保鲜盒塞到左问的手里，并嘱咐他不要久坐，隔一段时间就得起身走动。

十男九痔啊。

左问垂眸看着俞又暖，算了，不跟脑子进过水的女人计较。若非看在她脑子不能受刺激的分上，他又何苦已婚享受未婚待遇。

左问走后，俞宅就来了一位访客，范丽君女士。慧姐犹豫再三还是给她开了门，这位范女士对她家小姐一直很好，不过她也是林晋梁的干妈。

慧姐迎了范丽君进门，低声道："范女士，以前的事情小姐都忘记了，医生说她脑子再也受不了刺激，主张静养，先生也不许旁人打扰她。"

"又暖又失忆了？"范丽君略显惊讶，但其实心里早有预料。她刚环游了世界一圈，才回来就听说了俞又暖和林晋梁出车祸的事情。她刚下机，林晋梁就来接机，拜托她一定帮他去看看俞又暖，问清楚到底是怎么一回事，为何一直避而不见，即使想悔婚，他也想等她一句话。

俞又暖在楼上略微打扮了一下才下楼，此时头上已经戴了价值不菲的假发，一袭长裙飘逸柔美，丝毫看不出出过车祸的样子了。

"又暖，你的气色极好。"范丽君迎了过去。

俞又暖往后微微退了半步，并不习惯陌生人的亲近，看向范丽君的眼神充满了茫然。

"又暖，我是你的丽君阿姨，你父亲去世的时候，还拜托我照顾你。对不起，这么久才来看你，我昨日刚旅行回来，才听到你的消息。"范丽君解释道。

"丽君阿姨。"俞又暖轻轻一笑，唤了一声范丽君。这位范女士很容易让她亲近，她的神情和语气都很真诚，而慧姐也绝不会放不亲近的人进入俞宅的。

范丽君拉着俞又暖坐下，问了些她近日的情况，多说几句就看得出来俞又暖的确是受了不轻的伤，说话和动作都比往日缓慢，看来还需要时间来恢复。

"又暖，等你伤好了，还是来帮阿姨管理基金会好吗？没有你，我可忙不过来。"范丽君道。

俞又暖很怀疑自身的状况可以适应什么基金会的工作，又不好明着拒绝，想了想道："我得问问左问。"

范丽君点点头，拿出一张请帖给俞又暖，"后天是基金会办的新年慈善晚宴，你一定来哦。多出去走动走动对你的恢复会有帮助的。"

俞又暖有些为难，左问的意思好似是不希望她出门的，她自己顶着毛茬子一样的短发其实也不愿出门。"好，我问问左问。"

事事都要询问左问，范丽君已经大致猜到了俞又暖的处境。明明是已经离婚的夫妻，不过差了最后一道手续，如今左问却卷土重来，范丽君不知这对俞又暖是好是坏。说实话，范丽君冷眼旁观这么些年，这对夫妻从来就没好过，这一次范丽君也依然不看好他们。

范丽君拉了俞又暖的手，拍拍她的手背，轻声道：“又暖，有时候有些事情你看到的未必就是真的。”

范丽君走后，俞又暖一直在琢磨她说的话，明显是意有所指，而俞又暖心底本身也有怀疑，至此不过是加深了怀疑而已。

左问提前下了班，回来的时候问俞又暖的第一句话就是：“你丽君阿姨今天来过了？”

俞又暖点了点头。

“哦，都聊什么了？”左问随意松了松领口，状似自然地问道。

“她说什么我看到的并不一定就是真实的。”俞又暖看向左问的后脑勺道，“你说丽君阿姨这话是什么意思啊？”

背对着俞又暖的左问轻呼了一口气，其实范丽君对俞又暖说的每句话他都知道。至于范丽君今日上门拜访的事情也在他意料之中，有些事情一味地遮掩未必就好。

而俞又暖跟他说话没有任何隐瞒，这无疑让左问放了一大半的心，看来他的决策并没有错，他并不能一辈子将俞又暖关在家里，她总要出门的，而他也不是一个遇事躲避的人，当然遇事也绝不能莽撞而缺乏耐心。

左问转过身，搂了俞又暖的腰，低头抵住俞又暖的额头，“有时候旁观者未必清。”

“嗯。”俞又暖低声回应，推了推左问，“去换衣服下来吃饭吧。”

周五的时候，俞又暖来回把玩着手里的烫金请帖，还是下不了决心，叹息一声将请帖扔进抽屉，正要起身却见左问背着手倚在门边看她。

“你今天回来得怎么这么早？”俞又暖道。

其实左问现在每天都回来得挺早的，不到五点就离开办公室了，俞又暖这话纯属没话找话说，典型的心虚。

“既然想去，怎么不提前做准备？”左问道。

看来什么都没逃过左大神的法眼，俞又暖噘噘嘴，指了指自己的头发，又指了指自己的衣服，没有客人的时候俞又暖都不戴假发，不是她自己的东西，她都有些嫌弃。衣服则是没有新款，衣帽间里虽然有许多还没有剪掉标签的衣服，可都过了季。

左问变魔法似的从身后拿出一个系着蝴蝶结的礼盒递给俞又暖。

俞又暖打开一看，里面躺着一件裸色斜肩晚礼服，手工刺绣钉珠，是俞小姐喜欢的样子。

俞又暖当即就试了试，十分合身，衬得她高挑而窈窕，凭空多了一种疏淡的迷离气质，只是自己的胸部似乎略显不足，俞又暖在衣帽间里捣鼓了一番，找出两个海绵垫来塞入衣服里，瞬间就提高了不少自信。

唯有身后的左问轻笑出声，叫人尴尬。

俞又暖走过去将手搭在他手肘上，问左问道："左先生，这样你难道不会更自豪一些？"俞又暖故意挺了挺胸。

"假的真不了，真的假不了。你多吃点儿饭，就长回来了。"左问低头扫了一眼俞又暖虚假的事业线。

原来她曾经大过？俞又暖心满意足了，只要不是一直这么小就行，好歹还有希望。

衣服是不用愁了，俞又暖又在鞋柜的上千双鞋子里挑选了半个小时。女人都有恋鞋癖，俞又暖的鞋柜是特制的，里外一共三层，按下控制键可以让里面的鞋子露出来。她还收集了很多古董鞋，以前时常有时尚杂志找她借鞋子拍片儿。所以挑花眼是时常有的事情。

化妆和戴假发又花费了一个多小时，等俞又暖挽着左问的手出现在华氏慈善基金会的新年慈善晚宴上时，已经迟到了一个小时。

范丽君上来抱了抱俞又暖，"我还以为你今天不会来了。"

"基金会的事，我一定要来捧场。"俞又暖笑道。在场很多人看她，纷纷上前跟她和左问打招呼，并询问她的康复情况。都是人精，看到左问的手搂在俞又暖的腰上时，不该说的话一句也没人多说。

晚宴上，左问慷慨解囊，给俞又暖拍了两幅油画。

不过直到晚宴结束的时候，林家也一个人都没有出现。送客时，范丽君看向左问，脸上带着场面上的笑容，"果真是后浪推前浪啊。"短短十年，左问就成长成了不可撼动的参天大树，让林家不得不避其锋芒。即使是俞易言，当初也没有今日的左问强势。

回程的时候，俞又暖有些无聊地望着窗外，脑子里想起范丽君对她说的"很多人都想见她"的话，所以今晚她来了，可是好像并没有什么收获，也或者压根儿就是她太多疑了，她和左问本就是例外的恩爱夫妻？

"饿不饿？"左问出声问道。

俞又暖闻言揉了揉肚子，晚宴上她几乎没吃什么东西，其实所有人都没怎么动筷子，筷子稍微动勤一点儿，就会惹出笑话，"饿。"俞又暖脆生生地道。

车从绿园小区过的时候，左问让老王特意绕了过去，将车停到他公寓楼下。

俞又暖在左问给她开车门的时候，搭着他的手走出车，冷得打了一个寒战，虽然外面披了大衣，但是夜晚的温度格外低。

左问拥了俞又暖上楼，她好奇地道："我们是来找人吗？"

"不是。"左问打开门，让了俞又暖进去，"来换件衣裳我们出去吃饭。"这附近若是穿着晚礼服去吃大排档就显得太不合时宜了。

"这是你的公寓？"

"嗯。"

俞又暖好奇地四处打量，房间干净整洁，看物品似乎这间公寓并非空置，那左问是什么时候住在这里呢？

"糟糕，你留在这里的衣服都是夏天的。"左问的声音从卧室传出。此时俞又暖正在逼仄的卫生间里翻看，洗面奶是她惯用的牌子，还有一盒面膜，也和俞宅的一样。听见左问的声音，俞又暖越发确定，原来这是她和左问"爱的小巢"，只是这口味未免太重，怎么选择这么个古董小区。中隐隐于市？

俞又暖走进卧室，在衣橱里翻了一下，好歹是找出了一条夏日的长裙换上，总比她身上的晚礼服好。里面被左问逼着穿了他的保暖裤，外套是她的大衣，大衣外面又罩了左问的羽绒服。

俞又暖简直连照镜子的勇气都没有，左问上下打量她一番，即使是如此的奇装异服，在俞小姐身上呈现出来的也不是丑，而是另类的美感。

天生丽质大概就是她这类人了。

俞又暖留在这间公寓里的东西，其实早就该被慧姐收走了，但当初也不知是什么原因，她吩咐过慧姐一句之后，就再没过问过，即使慧姐不去收，她当时想着就让左问扔掉好了，不必多加惦记。

如今看来显然慧姐没来收拾，左问也并没有扔掉，因此有了今晚美丽的误会。

下楼的时候俞又暖抱住左问的手臂道："怎么想起在这儿买房子啊？"并没有什么升值空间，环境条件也糟糕。

"当初结婚的时候买下的。"左问道，语气十分轻松，可天知道当时两个人闹得多厉害。左问不愿意住俞宅当上门女婿，而俞又暖死活看不上绿园小区。

当时，绿园小区这套房子是左问能够买得起的为数不多的房子之一，因为离公司近所以就选了这儿。

“我觉得你的审美有待提高。”俞又暖噘噘嘴。俞小姐的心里从没考虑过经济问题，买东西向来只看颜值。

左问闻言只是笑笑，以前顶讨厌俞又暖这种说话的方式的，现在却觉得挺好，说明她娇生惯养没受过挫折，他也舍不得她受到任何挫折。“走吧，带你去吃消夜。”

依旧是那间大排档，冬天的晚上顾客少，桌子再也不需摆到街沿上，左问点了一份虾蟹粥、白灼菜心和鸡汤芦笋。

清淡菜式吃起来比较健康，可是味道就压不过邻桌菜式的扑鼻香气。

“那是什么香味儿？”俞又暖吸了吸鼻子，闻起来可真是让人食指大动。

左问扫了一眼旁边的桌面，“是这家的秘制小龙虾，香辣味儿的。”

俞又暖吃不了辣，闻言难免泄气。而左问已经抬手让老板来一份秘制小龙虾。

“干吗啊，我们又不吃。”俞又暖不吃辣，印象里左问好像也没特别爱吃。

“不吃，咱们闻闻香味儿也好啊。”左问道。

俞又暖笑弯了眼睛地点点头，“我喜欢。”

等秘制小龙虾真的上来的时候，哪里忍得住不吃。俞又暖看着左问剥虾的手道：“你这手剥虾的时候真好看。”

左问没抬头，“放心吧，你吃多少我给你剥多少。”不必灌迷魂汤。“要不要给你在茶水里涮一涮？”

俞又暖摇摇头，“不要，我试试。”入口就是一股鲜辣，香得人咬舌头，就是辣得胃里像烧了一团火，俞又暖端起水杯，喝了三杯勉强算解了辣。

左问看着眼前鲜活的俞又暖，心里后悔得有些发胀，做人不能太执拗，当时俞又暖给他剥虾的时候，他能放下过去接受她的话，如今也不用她的脑子但凡有个风吹草动，他就吓得胆战心惊。

而她也不会曾在生死边缘挣扎。

“再来一只。”俞又暖豪气地道，味道是真香，让人欲罢不能，大冬天的吃着浑身都暖和。

因为辣，俞又暖的嘴唇显得格外红艳，左问忍不住探过身去轻轻一啄。

最后左问只让俞又暖吃了三只，“你平时都不吃辣，骤然吃这么多要胃疼的。”

剩下的小龙虾都进了左问的肚子，还点了一两老板自己泡制的虎骨酒。

吃完消夜，两个人都暖和了起来，俞又暖抱着左问的手臂往回走。冬天的夜里刮着北风，除了这个大排档还开着，其他的铺子都是关门闭户的，路灯昏暗，道路狭窄而幽深，若是一个人走的话大概十分瘆人。

"哥们儿，借点儿钱花花。"转过角的时候，黑暗里不知道从哪儿蹿出三条人影来，吓得俞又暖往后退了一大步。

俞又暖定睛一看，才发现这三个人都染着一头黄毛，大冬天的也不穿厚衣服，长袖 T 恤配挽到踝关节以上的低腰牛仔裤，右手拿着西瓜刀在左掌心里上下拍着，嘴里叼着烟，吊儿郎当的流氓样。

左问二话不说地将钱包扔给对方。领头的那个眼睛一直往俞又暖身上瞄，"这妞正点啊，留下来陪我们玩玩嚖。"

后面两人跟着一阵淫笑，上前一左一右将左问和俞又暖夹在中间，领头的那个伸手去拽俞又暖。

俞又暖往后一退，左问的脚就踢了起来，四个人迅速打作一团，俞又暖吓得连救命都喊不出，片刻之后才转过身往回跑，她也算聪明，四周无人只能往大排档跑。

那三个混混中有人发现俞又暖想跑，撇开左问就来追俞又暖，俞又暖被他一把拉住，一个踉跄就扑到了地面上。

左问看得肝胆俱裂，生怕俞又暖又撞到头，他本来还算能应付这三人，只是不想动刀，但此刻已经顾不得许多，抢了对方的刀直接劈向那个正弯腰要抓俞又暖的混混。

这么大的动静已经惊动了不少人，虽然不敢出来帮忙，但报警是肯定的。巷子里响起脚步声，三个混混一个也没跑掉，都受了伤带了红。

左问属于正当防卫，但也得搂着俞又暖去派出所。

"你的头没事吧？"左问捧着俞又暖的头问。

"没事。"只是左问夺刀时手心受了伤，这样一抹，鲜血全抹到了俞又暖的脸上，看起来十分瘆人。

两个人折腾了大半夜才回到俞宅，左问的手已经包扎过了，到睡觉换衣服的时候，才发现俞又暖的左手手臂多了好几道血痕，此时已经结痂，虽然称不上伤得厉害，可是伤在俞又暖那身娇弱雪白的肌肤上，就显得格外的触目惊心。

左问没说话，只是用没受伤的那只手轻轻地在俞又暖的小臂上摩挲。

俞又暖只觉得痒痒，轻声道："没多疼的，当时顾不上，现在已经不疼了。"

"我帮你洗澡，伤口不能沾水。"左问拉了俞又暖起身。

"你右手还伤着呢。"俞又暖道。

左问举起左手，"左手更灵活。"

左问拿定了主意的事情，俞又暖根本劝不了。晚上躺在左问身边时，俞又暖才觉得后怕，那三个人手上都拿着刀，左问居然能全身而退，简直不可思议。

俞又暖侧身看着左问，"没想到你身手还挺了得嘛。"

左问笑道："上小学的时候我家附近没什么兴趣班，我妈就给我报了跆拳道，后来一直没扔下。"左问每日都有健身的习惯，有了钱，还请了专门的教练校正姿势和对练，随便应付几个小混混还是可以的。

不过不管左问说得多云淡风轻，但俞又暖心里却觉得左问今天英勇极了，虽然现在就是个以财富论地位的世界，但是崇拜英雄的情结从来都没消失过。

俞又暖抬起头在左问的唇边轻轻印了一下，"我爱你。"不管是真心还是冲动，反正她觉得今晚的左问很可爱。

左问愣了愣，伸出手揽住俞又暖的肩膀将她的头压向自己，狠狠地索了一个吻。

清晨俞又暖睁开眼睛的时候，很难得地看到左问居然还躺在她旁边。俞又暖没敢动，怕吵醒左问，她微微侧头看着左问，心里纠结的却是这人昨天居然没有回应她的话，"我也是，我也爱你……"诸如此类的答案竟然一句也没有。

俞又暖直觉就认为有问题。这个人其实并不爱自己？男人对一个女人好有太多的原因了，报恩？同情？俞又暖觉得自己身上恐怕两者都有。据说当初正是自己的父亲慧眼识英雄给了左问投资，才有了今日的四维。

俞又暖蹬了蹬腿，满心的烦躁。她就说老夫老妻的这么恩爱绝对有问题，但如果是报恩就没问题了。

左问被俞又暖的动作给弄醒了，迷糊中翻身去搂俞又暖，却见俞又暖直接坐了起来，"不睡了吗？"

俞又暖"嗯"了一声，起身去了卫生间。

早晨，左问接到电话，亲了亲俞又暖的额头，"我去一趟公安局。"这是纳税人交的钱构筑的社会，纳税大户自然享有优待，昨天的案子自然也就格外受高层重视。那三个混混也是倒霉，没想到会遇到左问这么个硬茬子。

虽然他们也看得出左问那身气派肯定是个成功的精英人士，但这样的人也通常都是手无缚鸡之力的白斩鸡，而俞又暖穿得奇形怪状，他们也就没觉得这两位吃大排档的是惹不起的人。今日知道后悔的时候，却也晚了。

从公安局出来后，左问忍不住有些庆幸，亏得当初俞小姐大闹，死活不肯住绿园小区，否则以她那张脸肯定早就惹事儿了，万一自己刚好不在呢？即使法律重惩了那几个混混又如何，有些伤受过了就再也好不了。

左问想着俞又暖那样的人也就生在俞家这样的家庭才能愉快地活到这么大。

处理了半天公事，左问到家的时候，四处都没看到俞又暖。

"小姐和何小姐在放映室。"慧姐见左问进门就四处张望，就知道他在找俞又暖。

左问点点头去了三楼的放映室。俞宅的这间放映室相当于小型电影厅了，规格也是比照电影厅来的，此刻屏幕上正放着经典老片《乱世佳人》，俞又暖和何凝姝并肩坐着，手上还抱着爆米花。

何凝姝一见左问进来，就起身找了借口出去，左问在俞又暖身边坐下，从她怀中的爆米花杯里取了一颗抛入嘴里，"电影好看吗？"

"嗯。"

左问能察觉出俞又暖的不开心，原因大致也知道一点儿，只是他实在说不出口，只能装傻。

"你若是喜欢看，改天我们去电影院看场电影如何？"左问道。说起来，十年的夫妻他们似乎还从没有过真正意义上的约会。

俞又暖已经绷了一天的脸了，自己撑着也有点儿累，听左问这么一说就来了兴趣，侧头道："好啊。"她就像盼望放风一般盼望出门。

左问扫了一眼屏幕上斯嘉丽和白瑞德接吻的画面道："听说费雯丽为了整盖博，拍吻戏的时候特地吃了大蒜。"

俞又暖看向左问，不解他为何说这句话。

"今天午饭吃的什么？"左问倾过身问俞又暖，鼻尖呼出的气息近得几乎直接进入了俞又暖的鼻孔。

反正没吃蒜，俞又暖闭上眼睛的时候想。

黑暗里传来俞又暖的惊呼，"左问，你上辈子是狗变的吗？"动手动脚打扰她看电影就算了，居然还咬人。

"就算是，那也是狼狗。"左问贴着俞又暖的耳朵道。吻到动情时实在克制不住，其实连咬也无法发泄那种情绪，最好的解决之道大概只能是拆吃入腹。

黑暗里的俞又暖被左问逗得面红耳赤，这个人说话越来越没有节操了，索性懒得理他。

"背过身去，我替你扣。"左问推了推俞又暖的肩，抬手替她扣上背扣，又调整了一下肩带。

被左问这样一打扰，俞又暖也没了继续看电影的心思，起身回了卧室，左问进卫生间又是一待大半天，俞又暖看着门若有所思地摸着下巴。

这几天她已经知道左问应该不是便秘了，因为好奇，她一边查字典一边偷偷地上网百度过，得到了不少新鲜知识。三十几岁的老男人了，需求还这么旺盛，真是稀罕。不过因为这段插曲，俞又暖为左问的"无回应"而产生的抵触情绪又减轻了不少。

越近年边，左问的工作好似越忙，应酬也越多，到家的时候俞又暖都已经睡着了。

清晨俞又暖偶然醒过来，瞧见左问正站在阳台上打电话，她爬起身踮着脚想偷偷地去吓一吓左问，刚走到落地窗前时，就听见左问道："不回来过年了，今年有点儿忙。"

对方不知道说了什么，左问侧过来的脸上有些愧疚和怅然之色，他的余光扫到俞又暖的时候，很快就挂断了电话走进房间。

"怎么这么早就醒了？"左问搂住俞又暖的腰。

"我起来去洗手间。"俞又暖道，"你今天还要跑步吗？"

"嗯。"运动成了习惯，一天不跑步好似就不习惯。

俞又暖双手环住左问的腰，抬头嘟嘴道："不要跑步，你怎么这么忙，两三天都没见到人了，你陪我睡。"

左问低头亲了亲俞又暖的唇，拍了拍她的屁股，"去上厕所吧，我不去跑步了。"

待左问用过早饭去公司后，俞又暖才想起自己忽略了的大事儿，公婆这对电视剧里的经典人物还没露过面呢。

前几天左问说带她去澳洲度假，机票订在腊月二十九，这是一早就没有打算回家过年的意思。可今日俞又暖看左问的神情，似乎并非是不想回去。难道是因为自己？

"慧姐，你知道先生的老家是哪儿的吗？"俞又暖下楼问慧姐。

自打上次俞又暖去过左问的老家后，慧姐对左问的老家就了解了不少，"在宾市下面的一个小镇上。小姐上次找人调查过，我帮你找找那份文件。"

俞又暖拿到文件，在网络上搜了一下宾市的位置，心里已经打定了主意。正巧看到何凝姝在订机票，俞又暖就过问道："订机票是想出去度假吗？"

何凝姝点了点头。

"你能不能教我怎么订机票？"俞又暖问。

"当然。"何凝姝道，订机票并不是困难的事情，而她的工作就是帮助俞又暖重新回归正常生活，这种普及生活常识自然也在工作范畴内。

晚上左问回家的时候，俞又暖偷偷翻了他的钱包，将身份证拍了照，又给他放回去。

"在找什么？"左问从卫生间走出来，刚洗过澡。

"你钱包里都没有我的照片。"俞又暖听到左问的声音赶紧转过身面对他，幸亏她灵机一动想到这么个好借口。

"现在谁还在钱包里放照片？"左问将手机递给俞又暖，"给你，屏幕上都是你。"

居然是素颜照！

俞又暖不满地盘腿坐在床上给左问的手机下载了一个美颜相机，火速地给自己打了一层柔光，又点了"亮眼"技能，这才满意地对比了一下前后的照片，虽然差别不大，但美颜之后眼睛亮得更趋洋娃娃化。

美女一旦美颜之后就停不下来，俞又暖靠在床上连续自拍了好几张，挑了七张出来美颜，然后才将手机还给左问，"喏，每天换一张，一周七天管够，以防审美疲劳。我要检查的哦。"

左问接过手机，还没回答，就见俞又暖的手又挡在了屏幕上，"不许叫 Andy 代劳。"

"这种事我不会叫他代劳。"左问收好手机，搂过俞又暖亲了一口，"你明天可以开始收拾行李了。"

俞又暖转了转眼珠子，行李早就收拾好了，只不过不是去澳洲就是了。"明天我想出门买点儿东西。"

左问想了想，明日早晨有四维的年终总结会，中午还有员工聚餐，他都不能缺席，"下午我早点儿回来陪你去好不好？"

俞又暖摇了摇头，"不好。我跟何小姐去，跟男人逛街一点儿意思都没有。"

"你都没跟我逛过，怎么就知道没意思？"左问道。

"我们没有一起逛过街吗？"俞又暖惊奇地反问。

"你现在脑子里有我们逛街的记忆吗？"左问的脑子转得自然比俞又暖快，些许说漏嘴，很自然就抹平了。

"你欺负我脑子不灵是吧？"俞又暖瞪了左问一眼，又用力拧他腰上的肉。

模样嚣张又可爱，左问低头狠狠亲了俞又暖一口才作罢，"你同何小姐去逛街没问题，出门记得戴口罩，流感还没过去，带上保镖，不许说不，否则我让慧姐不给你开大门。"左问其实也并不想将俞又暖管得太紧，太紧了容易反弹。

俞又暖嘴巴疼，说不出话，只能比了个 OK 的手势，过了会儿才抱怨，"你别老是咬我，别人还以为我被家暴呢。"

司机将俞又暖和何凝姝直接送到了她以往爱逛的商场，虽然是临近过年，但这间商场里人气依然不算太旺，主要是不菲的价格让大部分人连 window shopping 的心情都没有。

俞又暖不知道该给自己的公婆买什么礼物，想了半天还是决定选一条丝巾，这种礼物比较保险。

H 家的丝巾图案十分别致，只是仿版太多，俞又暖选了一条真丝的，转头对何凝姝笑道："何小姐你也选一条吧，当作我送你的新年礼物，谢谢这些天你尽心照顾我。"

何凝姝说了声谢谢，也没有矫情，对于俞小姐来说，一条丝巾的价格就像普通人买一棵大白菜的价格。

店长自然认得俞又暖，她刚进门时，就自动清了场，恰逢店内到了新包，连柜台上都没摆出来，不是熟客根本不告诉你有货，这会儿店长亲自取了包出来，"俞小姐，要不要看看我们新到的包？"

俞又暖本来没打算买包，但听店长这么一说，又想着不如顺便给自己婆婆买一只，便将店内新到的三只包都买了下来，又买了一堆配饰，算是酬谢店长的热情。

女士的礼物好买，上到包包、首饰下到化妆品，应有尽有，轮到给她公公买礼物的时候，俞又暖就犯难了。

"不如买点儿保健品？"何凝姝已经知道了俞又暖的打算，因此建议道。

俞又暖点点头，去旁边的百年连锁老店买了点儿虫草、花旗参、燕窝之类的，但是她想了想还是觉得不妥，这种保健品是公婆都可以用的，并不算是专门给公公的，所以她又折道回了百货公司，最后挑了一顶巴拿马草帽，这种草帽柔软得令人咋舌，卷起来可以穿过结婚戒指，当然价格也令人咋舌，足可抵一个女士手包。

如此一折腾，午饭就赶不回俞宅了，俞又暖请了何凝姝在百货公司顶楼的花园餐厅用餐，入座刚不久，就见一行人走了进来。前面那位男士戴着墨镜，长手长脚，身材着实不错，他转头看到俞又暖时，摘了墨镜面带微笑地向她走来。

俞又暖愣了愣，然后低声问何凝姝："呃，这个人好像那天我们看的那部电影的男主演啊。"

何凝姝自然也看到了关兆辰，她当初离开俞宅后，曾经看到过关兆辰和俞又暖的绯闻，但是对他们之间具体的情况却不清楚。

"就是他，关兆辰。"何凝姝道。

此时，关兆辰已经走到了桌边，"又暖。"

俞又暖放下餐巾站起身，有些尴尬，对方认识她，她却已经忘记了对方，实在有些失礼，"对不起，我……"

"我知道。"俞小姐再度失忆的消息左问并没有刻意隐瞒，经过那天华氏慈善基金会的新年晚宴后，该知道的人几乎都知道了。"重新认识一下，关兆辰。"关兆辰朝俞又暖伸出手。

俞又暖迟疑了一下，才伸出手。关兆辰象征性地握了握，就松开了手。

"又暖，我们的电影档期定在情人节那天上影，你一定要到场哦。"关兆辰从身后助理的手里接过一沓电影票，"这是首映会的票。"

"我们的电影？"俞又暖还处于震惊之中。

"你投资做制片人的电影，《极光》。"

关兆辰的助理看了看手表，低声催了一句，关兆辰便又道："我不打扰你们了，用餐愉快，你多吃点儿，瘦了许多。"

语气似乎比普通朋友亲昵了一点儿，俞又暖望着关兆辰的背影，看着他进了包间。"我以前和他很熟吗？"俞又暖问何凝姝。

何凝姝摇了摇头，"我不太清楚。"

俞又暖想了想笑道："本人好像比屏幕上更帅是不是？"

何凝姝点了点头，心里却觉得还是左问更好看一些，也更有魅力。她遇到任何男性，都忍不住拿出来和左问比一比，有时自己也觉得傻透了，可就是忍不住。

何凝姝看着对面的俞又暖，几乎都生不出嫉妒之心了，剩下的只有艳羡，因为差距太大。如今回想起上一次被辞退的时候，何凝姝居然还有些自豪，至少那时候的她给俞又暖的心里造成了压力，所以才会被辞退。而这回，她连给人造成压力的资格都没有。

俞又暖和何凝姝回到俞宅的时候，居然惊奇地看到左问也在，"你不上班吗？"

"我是良心老板。"左问道，所以比国家规定的时间提前了一天给员工放假，腊月二十八也只上半天班，聚餐之后就直接回来了，"看来收获颇丰啊。"左问看着司机以及何凝姝手上大包小包的东西。

俞又暖赶紧道："很多都是送人的东西，我先去换衣服。"

左问跟着俞又暖上了楼，"行李都收拾好了吗，要不要我帮你？"

俞又暖点头道："嗯，慧姐已经帮我收拾好了。"

"哦。"左问说话间就去衣帽间取箱子。

俞又暖又急急地道："你做什么？"

"我收拾我的行李。"左问道。

澳洲现在是夏季，国内却是冬季，左问要是收拾一箱T恤回宾市不冻坏才怪，俞又暖一把压住左问拿箱子的手，"我已经帮你收拾好了。"

左问怀疑地看着俞又暖，她什么时候这么贤妻良母了？

"真的，反正我闲在家里也没什么事儿做，就提前帮你收拾了。"俞又暖流畅自如地撒着谎。

左问也就由得俞又暖去折腾，只要护照和卡在自己身上就行了。"今天逛街好玩吗？"

俞又暖正对着镜子取耳钉，闻言道："还行，哦对了，今天吃饭的时候还遇到了一个大明星，关兆辰，他送了我几张首映会的票，还说是我投资拍的，你知道这事儿吗？"

左问当然知道,脸色也随之变了变,虽然明知关兆辰已经是过去式,但依然忌惮。

俞又暖此刻正借着梳妆镜打量左问的神色，看起来关兆辰并非路人甲嘛，居然能让左问动容。不过俞又暖也没想深究，因为她对关兆辰并不感兴趣，和他有关的过去也并不在她想要回忆起的范围内。

腊月二十九这日，左问将俞又暖从温暖的床上挖起来，看着老王将两人的行李装上车，"你就带这么点儿行李？"才两个箱子，实在不符合俞小姐的作风。

俞又暖嘿嘿一笑，"我们不去黄金海岸。"俞又暖将两张机票递到左问面前，"Surprise！我们回你老家过年。"

左问的脸上并没有出现俞又暖盼望的那种欣喜，反而是出奇地平淡，平淡得仿佛在遮掩什么。

"你不高兴？"俞又暖嘟嘴问。

"为什么不提前跟我说？"左问从俞又暖手里抽走机票。

"那天听你跟家里说不回去过年，我就想给你一个惊喜，也给我公公、婆婆一个惊喜。"俞又暖低头道，"而且我现在又不怎么会说英语。""Surprise"这种词只是无意识地从她嘴里冒出来的。

左问不回老家的确有自己的考量，他父母已经知道他和俞又暖离婚的事情，这种时候他不愿意让不确定的因素影响到他和俞又暖的关系，

只是左问不知道自己是哪里做得不好，以至于让俞又暖起了疑心。虽然她嘴上说得好，但这样的惊喜其实并不合时宜，澳洲那边早就安排好了。而年关边上，国内正是春运高峰，事前没安排好交通工具，很可能惊喜变叹息。

不过都到了这个节骨眼上了，去澳洲肯定是不成了，回家已经势在必行，左问不想加深俞又暖的怀疑。

"如果回老家的话，你这一身恐怕不适合。"左问道。

俞又暖低头看了看自己的行头，黑色蕾丝荷叶摆连身裙，浅驼色经典款羊绒大衣，红底高跟鞋，十分低调，就算称不上高贵，也当得起"端庄"二字，见公婆应该是够格儿了。

左问一看俞又暖眼里的茫然就知道这位大小姐没抓住重点，"小镇上没有城市里的热岛效应，平均温度要低三到五度，而且南边儿不供暖，你穿这身会冷得发抖的，前几天那边才下过雪。"

"有那么冷吗？"俞又暖脑子里没有概念。

"走吧，换衣服，重新收拾行李。"左问搂了俞又暖的腰重新上了楼。

"那我穿什么？"俞又暖坐在衣帽间的沙发上发呆，完全不知道该如何下手挑衣服。

他们最多只有半个小时的时间可以浪费了，可是对于她来说，短短半个小时要把行李重新收拾出来简直就是不可能。

俞又暖的话刚落音，左问已经将一套衣服放到她手里了，"去换这套，我给你挑鞋。"

俞又暖这才重新绽开笑颜，抱着衣服看向左问，"不许给爸妈打电话，要惊喜，

惊喜。"

左问无奈地点点头。

俞又暖走了两步，还是觉得不放心，转过身道："我就在这儿换吧。"又不用脱内衣，也就不用太不好意思。

左问挑挑眉，没有拒绝这场艳福。

烟灰蓝的贴身毛衣，领口和胸口是带着设计感的镂空针织花样，修腿铅笔牛仔裤，白色羽绒服，还有一顶白色绒球毛线帽，俞又暖穿好之后，从左问手里接过平底软牛皮的黑色短靴穿上，在镜子面前转了一圈。

不错，看起来又暖和又可爱，虽然有装嫩的嫌疑，但是并没有违和感，在开着暖气的屋子里，俞又暖都开始冒汗了。

而那厢左问已经麻利地收拾好了两箱行李，"走吧。"

真不愧是效率帝啊，俞又暖感叹。

两个半小时的飞行差点儿折腾掉俞又暖半条命，她也没想到自己会晕机，大概是车祸后遗症，从机上下来的时候已经面无人色，嘴唇上一点儿血色都没有。

左问从宾市分公司的李经理手里接过路虎的钥匙，将俞又暖扶到副驾位子上坐好，"还有四个小时的车程，今天在宾市住一晚吧，明天再回去。"

俞又暖努力地撑开眼皮，奄奄一息地道："不用，一年本来就难得回来一趟，爸妈肯定想早点儿见到你，我没关系的，过一会儿就好了，不是已经下飞机了吗？"

左问伸手碰了碰俞又暖雪白的脸颊，触感太过细嫩，让人忍不住心疼，他没想到自己有一天居然会为俞又暖的温柔体贴而感到难受，"那你要不要去后排躺一会儿？"

"不用，我在这儿陪你。"俞又暖轻声道。

左问用暖水杯喂了俞又暖两口水，"真的不吃饭吗？"机上的午餐她一点儿没动。

俞又暖已经没有说话的力气了，只动了动头。

左问看了俞又暖片刻，这才挂上挡出发。

因为明天就是除夕，外地的游子都开始陆续归家，白泉镇的教师小区里也显得格外热闹，大门上还挂了两个红灯笼，小区里的树上也系上了小小的红灯笼，一派喜气洋洋。

"老李，你这是第三趟去菜市场了吧？"白宣有些艳羡地看着老李，他儿子回来了，还带着媳妇和两个孩子，人家李华二胎都生了，他们家左问现在却成了孤家寡人，白宣有些唏嘘，忍不住心里又埋怨俞又暖耽误了左问十年，既然要离婚，早干吗去了？

"是啊，两个孩子一个要吃水果玉米，一个要吃红提，不吃就要闹，这不我只好又跑一趟。"老李嘴上虽然抱怨，但脸上的笑容却一点儿没减。看白宣的眼神还有些同情，儿子有出息又怎么样，一年难得回趟家，连过年都不露面。不过老李绝不会逮着白宣的痛脚问，点点头就快步往菜市场去了。

白宣有些泄气地走上楼，将装零钱的小包一扔，冲左睿抱怨道："过年真没意思，连牌搭子都凑不齐。"人家家里人就足够凑一圈儿麻将了，自然不会再出来打。

左睿笑道："我知道你心里不痛快，我说订机票去左问那儿吧，你又死活不同意。孩子不是忙嘛！"

白宣赌气道："你儿子可没让咱们去他那儿过年。"到底还是白宣知道左问，她儿子不是粗心的人，过年他不回来，又没给两老订机票去他那儿，那就是不想他们过去。

左睿答不出话来，过一阵才笑了笑，"都说越老越小，你这心眼儿可比过去都小了，你跟自己儿子怄什么气？他肯定是知道说了你也不会去的，你不是讨厌坐飞机吗？"

"哎，我去不去是一回事，他连话都不提一句，就是他不对，早知道这样，当初生出来的时候还不如淹死算了。"白宣气道。

"胡说。腊月忌尾正月忌头，你别说这些。"左睿道。

白宣也意识到了晦气，"好好，我不说了。原本还想着左问要是回来，给他和晓珍牵牵线的。"白宣嘴里的晓珍就是隔壁的郭晓珍，对左问真是痴心一片，现在都还没有谈恋爱。

至于郭晓珍，因为从念高中的妹妹郭晓玲那儿打听到左问过年不回家，她回家的热情也就淡了，每次回家都会被她妈碎碎念，正月期间就是她的相亲季，想想就烦，索性挨到腊月二十九下午下班，这才慢悠悠地开着小车往家走。

到家已经是晚上七点，冬天黑得早，六点半四周就漆黑一片了，郭晓珍被她妈念了半个小时的经之后，不耐地走到阳台上，望着小区门口发呆。明知道不该有期盼的，可每次看到有车进来，总是忍不住心头一跳。

就在郭晓珍挨够了冷风，准备回屋的时候，却见一辆越野驶进了小区，远远的看不清车的品牌，可看那线条，有八成是路虎。郭晓珍忍住没动，就见那辆车缓缓地开到了她们五栋楼下。

正是初夏时，左问开的那辆车。

郭晓珍紧张得呼吸都屏住了，生怕不是左问，可又有些怕就是左问，她也说不出自己的心理，听到左问离婚的消息之后，她就再也没有相过亲，可是这么大把年纪了，如果又去表白，好像又有些滑稽。再说，她和左问的差距好像已经很大了。

就在郭晓珍还没理清自己是喜是忧之后，就见左问从车里走了出来。

"咦，姐，是左问！"郭晓玲不知何时已经走到了郭晓珍旁边，惊奇地看着楼下。

左问走下车，绕到副驾的位置打开门，俞又暖还在睡，他原本打算把她抱上楼，但刚碰到她，她就醒了。

"到了？"俞又暖半睁开眼睛，四周的光线还让她有些不适应，走下车，被风一吹就打了个寒战，左问赶紧拥住她，"我先送你上楼。"

郭晓玲看着那个穿白羽绒服的身影，完全不敢开口说话，这离婚才多久啊就又找到新人了，有钱的男人果然不愁没女人，看样子还挺宝贝的，都带回来见家长了，自己姐姐肯定是没戏了。

"姐——"郭晓玲试探着开口道。

郭晓珍没说话，双手抱了抱肩膀，"进去吧，冷了。"

爱情就是这样，不会因为你等得久，老天就额外垂怜你。

左问没掏钥匙，怕吓着两个老人，伸手敲了敲门，也是想看老人脸上惊喜的笑容。

"这么晚了谁敲门儿啊？"白宣惊醒地坐直身子，两个老人没什么事做，天又冷，干脆上床窝在被窝里看电视。

"是不是借东西，我去开门吧。"左睿想披了衣服起身，却被白宣拦住。

"我去吧。"白宣披了羽绒服，起身去了客厅。

门一打开，白宣就看到了站在外面的左问，不知怎么的，眼泪一下就流了出来。

左问心里一酸，这也是为何他知道俞又暖身体很不舒服，也还是驾车回来的原因，的确想念两个老人了，"妈。"

"哎。"白宣应了一声，声音还哽咽着，提高了嗓门就冲里高喊道："老左，左问回来了。"

卧室里立即有了响动，很快左睿就披了大衣出来。

"赶快进来啊，傻站着干什么？"白宣的情绪已经恢复了，侧开身让左问进门。

俞又暖这才从左问的身后走了出来，笑着喊了两声："妈，爸。"她刚才其实也觉得鼻子酸，她已经没有爸爸妈妈了，眼前这两位爸妈也是她的亲人。

白宣和左睿都愣愣地看着俞又暖，不知道这又是唱哪一出。不是离婚了吗？不是斩钉截铁地说不可能了吗？

白宣的神色明显一冷，心疼左问又跟俞又暖纠缠上了，这一蹉跎又不知道要哪一年才能逃离苦海。

"进来吧，快坐，我去换身衣服。"还是左睿回神回得快，他和白宣两个人都只穿了秋衣秋裤，披了个外套就出来了，单是左问回来倒是没问题，如今俞又暖也在，就不好衣冠不整了。

两个老人回卧室换衣服，左问亲了亲俞又暖的额头，"我下去拿行李。"

俞又暖好奇地打量起左问从小生活的地方，却没想到会是这样的房子，也难怪他能看上绿园小区了。

"看什么呢，又不是没看过。"白宣打开门走出来，看到俞又暖的样子就心烦，不食烟火的大小姐看到他们这种简陋的房子自然惊奇，可是也不用每次来都表现一番吧？

白宣心想，她不是住不起高档大房子，只是舍不得老邻居和旧回忆而已，这种心态是满脑虚荣的大小姐理解不了的，以为人人都跟她一样穷得只剩钱了？

"妈。"俞又暖有些拘谨地站在屋子里，女人的第六感告诉她，她婆母好像很不喜欢她呀。

"别——"叫我妈，当不起。白宣的话还没出口，左问就提着行李上来了。

两大箱子，跟搬家似的，白宣心里又开始腹诽，到底是大小姐啊，穷乡僻壤的，她是不是连床单都带了？

左问上来看着白老师的脸色，他还能不了解他母亲吗，开口就道："妈，又暖身体不舒服，让她早点儿睡吧。"

白宣瞪了左问两眼，可惜他儿子太过不自觉。刚回来，话都没说呢，居然就要睡觉，这是回家看老人的态度吗？

左睿赶紧打圆场道："你房间的床单昨天就换过了，都是干净的。"儿子虽然不回家，可老人心里还是照样记挂，换了床单还不就是盼着有奇迹出现。

左问笑道："还是家里好。"不过当务之急不是安抚白老师，左问怕俞又暖难受得厉害，她几乎一整天都没吃饭了，就想着先安顿她，再去给白老师赔罪，白老师通情达理肯定能体谅。

俞又暖好奇地打量起左问的房间，"这就是你的房间？"俞又暖拨弄了一下书桌上摆放的傣族姑娘的瓷偶。

"小萌在镇上的高中上学，就住在家里。"左问解释道，"我给你熬一碗粥行不行？你一天没吃饭了。"

俞又暖"嗯"了一声，"我想洗个澡。"

左问打开行李箱，从里面拿出厚厚的绒里浴袍递给俞又暖，"卫生间里没有放衣服的地方，你在这儿先换上。"

俞又暖愣了愣，显然是不能理解为什么卫生间里会没有放衣服的地方，不过她乖巧地没说话，只推了左问出去。光溜溜地裹了浴袍，穿上自己的毛绒拖鞋，俞又暖还不忘戴上帽子，这才走了出去。

"热水已经放出来了。"左问把俞又暖领到浴室门口，低头放了她的凉拖在地上，"你进去之后把浴袍脱了递给我，待会儿洗完澡叫我就行了。"房子小，随便喊一声就能听见。

白宣望着手里抱着浴袍、拿着拖鞋的左问道："你真是比奴才伺候主子还尽心哪。"

任哪个做妈的也受不了一手带大的儿子就这么围着另一个女人转。左问此时两头为难，只能轻笑。

"不是说离婚了吗？"白宣示意左问跟着她进卧室。左问先回房把俞又暖的衣服放下这才走过去。

"到底怎么回事儿啊？你还嫌她折腾得你不够啊？你出事儿住院的时候，她那么狠心，你就不气啊？"白宣见左问进来，立马像机关枪一样开火问。

"又暖两年前出过一次车祸失忆了，她上次才会找到家里来。"左问道。

白宣张了张嘴,困扰她多日的疑惑终于被解开了,"我说她怎么跟吃错药一样。"俞又暖和左问谈婚论嫁那会儿，他们两个老人去城里和亲家见面时，俞又暖可是连一声"爸妈"都不肯叫的，气得白宣连左问的婚礼都没参加就回去了，自此婆媳两个就再也没有见过面，上回俞又暖到家里来，态度又变了那么多，她的确十分诧异。

"三个多月前，刚入冬的时候，又暖又出了一次车祸，差点儿没醒过来，再次失去了记忆。"左问说到这儿的时候顿了顿。

白宣惊讶得嘴都合不拢了，这是拍戏吧？也真够巧的，搁俞又暖身上都出两回车祸，闹出两次失忆了。

"她现在没事吧？我说她怎么在屋里也戴帽子，还以为你们那儿流行呢。"白宣道，敢情是头发还没长出来遮丑的。

"正在恢复。"左恩简短地道，"我现在也想明白了，什么都没关系，只要人好好儿的就行了。"左问顿了顿，慢慢地道："又暖，不知道我们签过离婚协议。"

左问一句话就定音了。

白宣和左睿对视一眼，在对方眼里都看到了同样的想法，显然他们这个儿子就是认准了俞又暖了，跌在坑里不想往外爬了，拽都拽不出来。

白宣恨铁不成钢地骂道："傻子，脑子进水了。"

把事情简单地交代之后，左问就起身回了自己房间，将俞又暖的睡衣取出来放好。

白宣进门的时候，左问正在从箱子里取枕头出来，虽然刚才她是有点儿同情俞又暖，可这会儿脸色还是忍不住一变，"怎么着，连枕头都认啊？"

左问无奈地笑道："妈，你跟她较什么真啊，还不得把你自己气坏了。又暖的脖子也受了伤，这枕头是特制的。"

白宣想想也是，"还缺什么吗？"

"家里有取暖器吗？"左问道，他是不怕冷的，但是俞又暖估计受不了，洗完澡出来穿衣服的时候最容易感冒。

"没有。"白宣干脆地回答，家里人身体都好，也习惯了，根本用不着取暖器，她想左问倒是细心，连这个都考虑到了。这生儿子啊，还真是帮别人养的。"要不要我去隔壁借一个？"白宣假意问了一句。

"行吧。"左问道。

白宣去敲郭家的门的时候，心里想，她怎么就生出这么个见了媳妇就没出息的儿子，刚才居然一点儿犹豫都没有的就指使她出来借东西，也不嫌麻烦别人。她也真的，多嘴问什么，明明就是讽刺地问一句，她那聪明绝顶的儿子就愣是没听出来。

开门的是郭晓珍，见白宣过来，赶紧问道："白阿姨，有什么事儿吗？"

白宣有些不好意思地开口："我想借个取暖器，明天就还过来，不知你们家有没有多的？"

"有，我这就去给你拿。"郭晓珍立即应道。

待白宣走后，郭晓珍又忍不住发呆，白老师来借取暖器肯定是为了那个女人，她倒是想见见那个女的，看看她究竟有什么本事，把左问的前妻都给比下去了。

白宣拿了取暖器回去在房间里没找到左问，她插好电之后按了开关，一阵暖风就吹了出来，这才转身出去在厨房找到左问。

"你没吃饭吗？"白宣问，"都这么晚了还熬粥。"

左问道："嗯，路上塞车。"他不能说是怕俞又暖饿肚子，不然白老师肯定又有话说。

"熬粥需要时间，饿着伤胃，干吗这么麻烦，我给你煮碗面吧？"白宣挽起袖子走过去。

"不用，妈你去休息吧，我自己来就行了。"左问道。

白宣用鼻子哼了一声，她有什么不知道的，肯定是大小姐要喝粥，不然以左问的性子，一碗面肯定能对付过去。"你去休息一会儿吧，坐了飞机，又开了一天的车，我给你煮碗面，粥我也帮你熬着。"白宣在左问出声拒绝之前快速地道。

"妈。"左问是个男人，这时候真不知该怎么表达对白宣的感激和爱，千言万语都只能融在一声呼唤里。

"去吧，去吧，别站在这儿挡路。"白宣状似不耐烦地挥了挥手。

"再炒个青菜吧。"左问又道。

"冰箱里还有中午的剩菜，热一热就行了。"白宣道。

左问被噎了一下，难得有这样说不出话的时候，最后还是道："剩菜里亚硝酸盐多，吃了致癌，跟你说了好多次了，剩下的倒掉就行，怕浪费就少做点儿。"

"呵，其实是俞又暖不吃剩菜吧。"白宣犀利地道，将手里搅着粥的勺子一扔，都什么臭毛病啊？可是儿子难得回来一趟，总不能闹得大家都不开心，白宣叹了口气又捡起勺子，"知道了，你出去吧。"

左问摸了摸鼻子，只好出去，听见俞又暖叫他，又将浴袍抱了过去，让俞又暖裹了浴袍，没让她穿湿漉漉的拖鞋出来，一路把她抱回房间。

"好冷啊。"俞又暖呵了呵手，一出卫生间就打了个寒战。好在房间里有取暖器，比外面暖和多了。

左问把俞又暖放到床上，蹲下替她擦干了脚，才将棉绒家居服递给她，"换上出来喝粥。"

等俞又暖慢吞吞地换好衣服走出门时，粥刚刚熬好。

白宣摆了碗筷，侧头打量了一下俞又暖，一套灰粉色的家居服，上衣长及大腿，脚上穿着粉色的雪地鞋，头上跟着换了顶粉色的绒球帽子，的确漂亮，穿这么没型的衣服都好看，也难怪把她儿子迷得找不到北。

"好香的粥啊，谢谢妈妈。"俞又暖冲白宣灿烂地笑了笑，多少有些做作，但也是一片诚心。

"白粥能有什么香味啊？"马屁都不会拍，白宣心里讽刺，"快吃吧。"白宣本来还要刺两句的，可看见俞又暖头上的帽子就忍了回去，没必要跟个脑子有毛病的姑娘计较。

俞又暖低头尝了一口，抬头对白宣道："真好喝，又稠又黏。"

白宣笑了笑，大小姐什么人物啊，什么粥没喝过，不过她能说出这样的话，白宣也觉得受用。看来，脑子出问题还出好了。"你们吃吧，我睡觉去。碗放着我明天来收拾。"

白宣走后，俞又暖的眼神就扫向左问，明明说要玻璃粥的。

"吃两口吧，养胃。"左问给俞又暖夹了两根青菜。

俞又暖确实是有些饿了，但低头吃了两口也就放下了，为了保持身材她晚上七点之后都不进食的，有些习惯已经刻进了骨子里，失忆也改不掉。

俞又暖将粥碗推到左问的面前，左问接过去几口搞定，"回房间吧，外面冷当心着凉。"

俞又暖回房后，左问将碗筷收拾好了才进去，两个人都累了一天了，直接关灯睡觉。

偏偏俞又暖就跟虫子一样在床上扭来扭去，床又窄，翻身就能碰到彼此。

左问的睡意几乎被她驱赶得七七八八了，伸手轻轻摩挲俞又暖的背安抚她，"怎么了，不习惯吗？"

俞又暖小声道："不是，穿太厚了不习惯。"在俞宅的时候，俞又暖都是穿薄薄的真丝睡衣，今天骤然穿着家居服睡觉格外憋得慌，"我能不能脱掉衣服？"

左问有些懊恼，居然忘记给俞又暖收拾一两件薄睡衣了，本来想着天气冷用不着，"你平时的睡衣没带。"

"哦。"俞又暖轻轻应了一声，翻了个身调整好姿势准备勉强入睡，可旋即又转了过来，低声道："那我能不能不穿？"

有那么一瞬间左问真想将俞又暖扔出去，他努力地平复了一下自己的躁动，才开口应了一声"嗯"。

俞又暖钻到被子里，窸窸窣窣地脱得只剩一条内裤这才嘘了一口气钻出头来，果然轻松舒服了许多。

可左问只觉得手脚都无处安放，所碰到的地方都是瓷滑娇嫩的肌肤。俞又暖身上的香气又开始作怪，左问身上的棉质睡衣根本挡不住反应。

俞又暖低笑出声，左问恼羞成怒地狠心压住俞又暖，"笑什么，欠收拾是不是？"

俞又暖推了推左问，"别，你会更难受的。"

事已至此，左问索性坐起身唰唰两下也脱掉了自己的睡衣，重新压住俞又暖道："反正都是难受，还不如更难受点儿。"

老式房子并不隔音，而且俞又暖的身体状况也不允许，两个人真的是盖着被子纯洁地在睡觉，俞又暖迷迷糊糊快要睡着的时候，左问还在跟他自己的生理反应作斗争，她其实也不知道左问昨晚立了多久，不过次日的精神的确不太好就是了。

早晨，白宣出门买早点的时候，刚下楼就听见背后李大姐喊她："白老师，你也买早饭啊？"

白宣停下来等了李茹两步，两个人并肩往小区外走。

"昨天晚上你们家左问回来了吧？"李茹问，"这下家里过年就热闹了。"

"是啊。"白宣感叹，哪怕在生左问的气，可说到底还是高兴。白宣想起前几日约好去郭家过年的事儿，心下就犯了难。当时以为就他们两老儿过年，怪寂寞的，郭老师和李大姐就邀请了她和左睿去郭家过年，这么多年的街坊邻居的，跟亲人其实也没什么差别。

况且白宣也知道，其实李大姐对自己热情，多少是为了郭晓珍和左问的事情，白老师也就应下了。

可现在左问和俞又暖又和好了，还怎么好意思去郭家过年。

白宣有些不好意思地道："李大姐，你看过年……"

李茹怎么看不出白宣的为难，"别，菜昨天就买好了，你们一家全来也吃不完，你们要是不来，我们就更吃不完了，倒掉了多浪费，咱们又不是外人，左问也是我们看着长大的。"

白宣还想说什么，就听见李茹又道："把左问和他媳妇都叫上，人多才热闹，还能凑一桌麻将，边打边看春晚。"

搞半天原来李茹早就知道左问带了俞又暖回来了，白宣还白担心了一场，她还挣扎着想拒绝，可架不住李茹太热情，只能不再提分开过年的事儿。

两个人刚走到门口，就遇到从河边跑步回来的左问，大冬天的穿着短袖 T 恤还在流汗。

李茹心里暗自叹息一声，她何尝不想郭晓珍心想事成，可当务之急，还是让她女儿彻底死心才对，就算左问离了婚，也没晓珍的事儿。

俞又暖是被左问拽起床的，这人还用刚浸过凉水的手冰她的脸颊，俞又暖气得双腿在空中乱踢，半天才反应过来这是在婆婆家，赶紧起身洗漱，整理好之后白宣已经把早点买了回来，碗筷也摆好了。

照旧是老三样，豆浆、油条、白煮蛋。

俞又暖看着白宣分发给自己的白煮蛋，身体都僵硬了，她连蛋味儿都不想闻，再看油炸的油条，吃这种油炸食品简直就是嫌命长啊。

白宣看向俞又暖道："这儿没有你城里的条件，吃点儿蛋补充营养，你看你瘦得。"脂肪都没几两，怎么怀孩子？

俞又暖只能点头，说不出来为什么，她实在有点儿怵白宣。

"妈，你煮了几个蛋？"左问问道。

"一人一个。"

"那怎么够我吃？"左问说话的时候自己的鸡蛋已经吃掉了，伸手把俞又暖的鸡蛋又拿了过去剥。

白宣还能看不出左问的小伎俩？冷笑一声也不点破，坐下埋头喝豆浆。

俞又暖的难题解决了一个了，她感激地望着左问，又祈求地看着他希望他帮她把另一个难题也解决了。

如果左问帮了俞又暖，那就真是在害她了，绝对是激化婆媳矛盾，左问给俞又暖拿了一根油条，"吃吧，门口老张的油条是白泉镇一绝，在外面也吃不到这么香的油条，有时候我做梦都能梦见这个味道。"

夸张！

俞又暖只能伸手接过油条，试探着小小地咬了一口，别说还真是挺香的，可越是香就越让俞又暖纠结，垃圾食品都有个特点，那就是吃过之后就停不住了。

俞又暖吃完了左问分给她的半根油条，一脸纠结地看着盛油条的盘子，是再吃一根儿呢还是不吃呢？

"再吃半根吧。"左问将油条递给俞又暖，倾身在她耳边道："回去我监督你健身。"

俞又暖欢快地接过油条咬了一口，脸上全是满足的喟叹，眼睛亮得水润润的，好似被洗过一样，眉眼弯弯的样子看了格外叫人高兴。左问很自然地抬手在俞又暖脸上摸了一下。

白宣只觉得伤眼地侧过头，瞪了一眼无辜的左睿。

吃完饭，左问说带俞又暖去街上逛逛，俞又暖松了口大气地迅速地换好了衣服。

除夕这天恰逢白泉镇赶集，有半天的集市，又遇着返程的人流高峰，大街上全是人头，俞又暖拉了左问的手问："我们逛街买东西吗？"不买东西可别在这儿受罪了，一股子味儿。

"嗯。"左问应了声，去家电行买了一个柜式空调和两个挂机，加钱让老板今天就安排工人安装。

以前不买空调，那是白宣和左睿挡着不让，他们早就习惯自然的温度调节了，左问自然也不需要。不过他想着以后每年俞又暖都会过来，她肯定是适应不了这边的冬天的。

虽然买了空调，回家肯定少不了又要被白宣数落，不过有些事情能退让，有些事情还是可以坚持的。

左问另外又买了一个浴霸，照样多加钱让人今天安装。

从家电行出来的时候，斜对面就是一家卖家具的，左问迟疑了一下，房间里的床太小了，换张一米五的大床还是可以安放的，不过床小其实也没坏处，下次回家肯定就能享受床小的好处了。

左问想了想便迈步离开了家具店，侧过头时，俞又暖已经不见踪影。这位大小姐受不了"人味儿"，别人一挤她就只能躲，这么拥挤的人流里，她不走丢简直是不可能的。

左问个子高，不用费力地扫了一圈四周就看到了俞又暖。

俞又暖的手机开的是铃音加震动，看到来电提示的时候，她松了口大气地赶紧接起来，"你在哪儿啊？"

声音娇横偏偏又带着焦急的柔弱，煞是好听，左问开口道："往左看。"

俞又暖转过头就看见了左问，赶紧一把拽住他，可怜兮兮地道："我们还要逛吗？"其实真不是她娇气，而是压根儿没见过这种拥挤的场面，哪怕百货公司搞周年庆也没这么多人的。

"不逛了。"左问拥了俞又暖往回走。

说不得，钱的确能使鬼推磨，左问和俞又暖前脚刚到家，空调机和安装师傅后脚就上门了。

"买空调做什么啊？"白宣一看，脸就拉了下来，傻子才看不出这完全都是为了她那娇贵的儿媳妇。白宣心里多少不是滋味儿，他们两老住了这么久左问也没想着给他们安装空调，果然是给别人养的儿子。

左问还没回答，左睿就一把把白宣拉走了，"钻墙灰大，我们出去走走。"

等下了楼，白宣一把甩开左睿的手，"你拉我做什么？有左问这样做事儿的吗？就她俞又暖是人，其他人都不是人是不是？你说我养这么个儿子做什么啊我？"白宣说着说着眼圈都红了。

"哎。"左睿笑道，"你这是跟又暖吃醋吧？"

白宣两眼跟百瓦灯泡一样瞪向左睿，"你到底是站在哪一边啊？"

左睿道："你自己想想，左问说了多少回要给你装空调，每次都是你自己拒绝了的，说空调不健康，现在你又来吃醋。又暖不是不习惯这里的冬天吗？人和人各有不同，白老师，你这是对她先有了成见，所以看她什么事儿都不对。"

左睿说的话自然有道理，白宣也明白，可明白是一回事，心里不痛快又是另外一回事，"你说人这一辈子有什么意思？"

左睿知道白宣心里这个坎儿还是没过去，他只能叹息，"你不喜欢又暖也没什么，反正一年也没多少见面的日子。大过年的，大家开开心心才好。"左睿顿了顿才道："白老师，你有多少年没看见左问这样高兴的样子了？"

白宣愣了愣，还真被左睿给问着了。左问小时候其实挺活泼可爱的，打小就聪明得不得了，可是不知怎么的慢慢就长歪了，年纪大了后脸上别说笑容，就是表情都少有一个。

念书时得全年级第一的时候脸上没有笑容，拿到高考理科状元脸上也没有笑容，全额奖学金进入美国名校脸上也没有笑容，自己公司上市左问的脸上也没有笑容，白宣问过左问为什么。

左问当时怎么回答的来着？原话白宣记不清了，但是大致的意思还记得。左问那意思就是这些都是他应得的，就好比白宣给学生上课付出了劳动所以每月会领工资一样自然，并不足以让他觉得开心。

所以除了在童年的左问身上，白宣见到过左问今日这样开心的表情外，其他时间她还真没见过。

当妈的哪里拧得过儿子，大过年的确实舍不得闹别扭，但一时抹不下面子，拉着左睿在外面散了一个大圈子的步这才回了屋。

装空调的师傅刚走，俞又暖在温暖的空气里转了个圈，闭上眼睛享受地伸了伸懒腰，"感觉整个人都活过来了。"再也不用僵手僵脚，连筷子都使唤不动了。

可惜俞又暖刚开始感叹，门就被白宣推开了，话自然被自己婆母听到了，俞又暖尴尬地僵在原地，懊恼地扶了扶额，借着手掌的遮蔽拿眼偷偷去瞄左问，给他使眼色让他赶紧救场。

白宣是什么人？专业抓作弊 30 年的行家，俞又暖那点儿眉眼官司哪里能逃得过她的眼睛。现在才活过来，难道以前是死的吗？

"大过年的装什么空调？弄一屋的灰尘！"白宣皱着眉头看向左问，"耽误我做饭的时间，今天中午大家都别吃了。"话虽如此，可白宣还是麻利地系上围裙走进了厨房。

俞又暖赶紧跟着走了进去，也不敢打扰白宣，小心翼翼地拿了盆子装了热水，悄声问左问抹布在哪里。

左问嘴角翘了翘，轻轻在俞又暖的脸上啄了一下，赞她懂事。这种事情如果是左问提出来，只怕他妈心里疙瘩就更深了。

"你慢慢擦，我跟爸下一局棋去。"左问朝俞又暖眨了眨眼睛。

俞又暖呆呆地拿着滴水的抹布看着左问，这人实在太不仗义了。其实倒不是左问不想帮俞又暖，只不过他如果也去擦灰，肯定会让他妈对俞又暖的反感更甚。虽然婆媳俩住在一起的时间不多，但这几天总还是要在一个屋檐下的。

一直到白宣做好午饭，俞又暖都还在擦灰尘，她速度其实不算慢，只是太过讲究，一粒灰尘都不肯放过。抹布每次都要洗到基本洁白，才肯第二次用来擦灰，洗一次抹布至少换五盆热水。

俞又暖不嫌烦，白宣看了可受不了，既心疼水又心疼天然气，不得不吼那坐在窗边聚精会神地下棋的两父子，"左问，你去帮帮又暖，这要擦到什么时候啊？午饭还吃不吃？"

左问闻言立即放下棋子过去帮忙，留下左睿一个人好笑地摇头，一边笑一边收拾棋子装盒，左问从 13 岁之后下棋就再没输给他过，今天却一连输了两次。

有了左问的加入，灰尘嗖嗖两下就被收拾了，倒不是左问做家务有多厉害，只是他格外利落，一张抹布从头擦到尾，以至于被左问擦过的地方，俞又暖都记住了，坚决不坐。后来还是白宣又重新擦了一遍。

俞又暖洗了手，先回房间抹了护手霜，傲娇地将小手像太后一般放入小左子的手里，"揉揉。"

左问替她一根一根手指地揉了揉，又替俞又暖戴上棉质白手套，两个人才应声出去吃饭。

白宣一眼扫向俞又暖的手，"手受伤了？"

俞又暖摇了摇头，默默地摘下手套安静地吃饭，偶尔趁着白宣不注意，抬头看了左问一眼，为什么明天不是初二呢？初二就可以离开了。

左问眼里有厚厚的安抚之意，冲着俞又暖扯了扯嘴角。

晚上六点的时候，对门儿郭家的年夜饭就上桌了，白宣是下午就早早地过去帮忙了，郭晓玲过来敲门叫的左问他们吃饭。

郭家的空调温度开得挺高的，俞又暖跟在左问的身后一进门，就看到了来迎他们的郭晓珍。

郭晓珍穿了一身白色羊毛连衣裙，她个子高，人也瘦，穿起来十分显身段儿，就是臀部有些下垂，一看就是经常坐着的人，不过总体来说，身材算不错的了。

郭晓珍从左问手里接过酒，也扫了俞又暖一眼。墨蓝色的牛仔裤，白色针织毛衣，衣领微敞，小小地露出了右侧肩的一片锁骨，十分家居的打扮，但架不住俞又暖臀翘、腰细，腿更是又长又直，而且气质骄矜，穿什么都有一种维秘的范儿。

两个女人的目光不可避免地在空中相遇，俞又暖敏锐地察觉到了不同，她看了看异常妩媚而香水味儿又异常浓烈的郭晓珍，又看了看左问，才发现原来自己还有个情敌住对门儿。

郭晓玲帮着招呼客人的时候，小声地在郭晓珍耳边道："姐，我也想买一条那样的牛仔裤，好显腿瘦啊，还能提臀。"郭晓玲目不转睛地盯着俞又暖的屁股看，她其实也是第一次知道，女人的臀部可以这么性感迷人的。

郭晓珍甩了郭晓玲一个白眼，扭身去了厨房端菜，其实她也知道自己做的是无用功，可总是按捺不住自己的心思，想在左问眼里找寻一点儿存在感。

饭桌上，郭志国打开红酒开始劝酒，"这是晓珍今年去法国从勃艮第酒庄带回来的红酒，大家尝尝。"郭志国带着小镇上的人特有的热情，即使是红酒，也是斟上满满一杯。

左问微笑着接过酒杯，待到俞又暖的时候，她倒是有心尝尝酒味儿，她还从来没喝过呢，可只能眼睁睁地看着左问的手盖在她的酒杯上，"郭叔，又暖胃不好不能喝酒。"

胃的确不好，脑子也不太健康，酒自然不能碰。

郭晓玲听了，就朝她姐姐瞥了一眼，意思是你看左问护得多厉害，赶紧醒吧。

"俞小姐，是不是还冷啊，我去把空调温度再调高一点儿。"李茹一直盯着俞又暖的帽子看，老人家觉得屋子里戴帽子可不就像是屋里打伞一样奇怪吗？

"没有，温度挺好的。"俞又暖赶紧道，有些不自然地抬手摸了摸自己的帽子。

郭晓珍对俞又暖的观察自然格外仔细，听她妈这样一说，她也盯着俞又暖的帽子看，这一看就看出了问题。俞又暖的帽子下，头发似乎也太短了，上次见面的时候，她的头发明明已经齐下巴了。

郭晓珍的眼光滑向左问，见他正在给碟子里的鱼肉挑刺，挑好了就推给俞又暖，眼里不由就露出怅然的神色，她没想到左问这样的人居然也会给俞又暖挑鱼刺。

郭晓玲也看见了，忍不住侧头在郭晓珍耳边道："姐，看见没有，怪不得上次见她，她连生抽老抽都不知道。"

有些人天生命好，家境好、容貌好，更是可以不费吹灰之力地就得到了左问的爱，郭晓珍一时也有些泄气，心想俞又暖肯定是上辈子拯救了全世界。

郭晓玲说话的时候，李茹也侧头睃了一眼郭晓珍，然后才开口笑道："白老师，我也算是从小看着左问长大的了，没想到他还能这么照顾媳妇。"

李茹这话其实有些得罪人，说得好似左问就是个不解风情的人一般。不过白宣此刻关注的点不在李茹的话上，反而顺着李茹的话看向左问和俞又暖，觉得这两个人也不嫌丢人，秀恩爱都秀到郭家来了。她又埋怨左问，他又不是不知道郭晓珍的心思，居然还这样秀恩爱，弄得她每次看到李茹都满怀愧疚。

左问的确有些故意而为的意思，他也是由衷希望郭晓珍不要再耽误下去，影响两家的邻居之情。至于俞又暖，你不给她夹鱼挑刺，她是断然不会吃鱼的，然而吃鱼补脑子，左问只好帮她动手。

因此对于白宣的眼神，左问只当视而不见，继续帮俞又暖剥虾。

白宣看了只觉得眼睛痛。

到春晚即将开始，饺子端上来的时候，李茹笑道："这饺子里有一个包了蜜枣儿，谁吃到了保准明年万事如意。"

郭志国是北方人，所以郭家的年夜饭向来有吃饺子的习俗，俞又暖失忆之后还没吃过饺子，好奇地夹了一个放到嘴里。

"怎么了？"左问见俞又暖突然停止了咀嚼的动作。

俞又暖张口吐出一枚枣核来，有些抱歉地看着所有人，这种彩头自然是越晚揭晓越好，哪知道被她第一枚就吃到了。

郭晓玲撇撇嘴，有些不高兴。

白宣也瞪向俞又暖，觉得她实在不懂事儿，怎么能第一口就把彩头吃去了呢。其实俞又暖真是冤枉，她哪里知道里面有枣核啊。

左问倒是高兴地在桌下捏了捏俞又暖的手。

李茹也没想到彩头会被俞又暖一筷子就相中了，"哎呀，白老师，明年你肯定能心想事成，一准儿能抱上白白胖胖的孙儿。"

这话可戳中白宣的心肺了，气得发抖。俞又暖结婚十年连个蛋都没下出来，现在还出了车祸，左问拿她当玻璃人对待，生儿子下辈子吧！白宣强扯出一丝僵硬的笑容，谁都看得出她的异样。

郭志国和左睿赶紧出来暖场，吃完饺子就张罗起麻将桌来，打起麻将就没时间想那些鸡毛蒜皮的事情了。

四个老人打麻将，四个年轻人则在沙发上坐着看春晚，郭晓珍和郭晓玲姐妹的手机不停地响起短信提示音，左问的手机也有不少问候短信需要动动手指逐一回复，至于俞又暖，她电话簿上的人五个指头都数得过来，整个晚上一直是漆黑一片。

左问一手搂着俞又暖的腰，一手摆弄手机，郭家姐妹也都埋在手机里，俞又暖坐了片刻，实在受不了，挪开左问的手好奇地走到白宣的身后看她打麻将。麻将声音还挺好听的，俞又暖看了一会儿，也许是潜意识里的技能并不曾忘却，渐渐居然也就看懂了。

过了一会儿，郭晓珍接了个电话出了门，郭晓玲在微博、微信上抢红包抢得不亦乐乎，白宣水喝多了憋得慌，居然找不到一个代打的，"又暖，你会不会打？"

俞又暖早就跃跃欲试了，含蓄地点头道："我可以试试。"

至于为什么白宣不找左问代打，俞又暖就不得而知了。不过如果她知道左问在初三的暑假帮白宣代打，曾经横扫整个教师小区的麻将桌的辉煌战绩后，也许就不会吃惊了。在那个初三之后，白宣一叫左问代打，大家就笑她是不是输不起了叫儿子来翻盘。

俞又暖的速度慢，她极其喜欢摸牌的感觉，其他三个长辈也不催她，李茹打了一个五条，俞又暖险些看漏，"碰。"她坐在李茹的上手，碰了之后又是李茹出牌，李茹不要条，又打了个一条，结果又被俞又暖碰了。

李茹接着打了个二条被俞又暖杠了，杠出一个九条，俞又暖兴奋地叫了一声"又杠。"杠起一个八条，和手上唯一剩下的八条刚好做对。

胡了！清一色大对子双杠加杠上花自摸三家。

白宣从洗手间出来后就看到俞又暖收了一堆钱。

"怪不得别人说新手火旺啊。"左睿笑道。

俞又暖恋恋不舍地从座位上起身，一步三回头地盼望着白宣再去上厕所，所以十分殷勤地帮她添水。

俞又暖刚走到左问身边，就见门从外面打开，郭晓珍一身寒气地从外面进来，后面还跟了一个提着两大盒礼品的男人，大约三十几岁，有点儿小肚腩，前额有些秃顶，系着带 F 家 Logo 的皮带。

陈德庆一进门就喊道："郭老师，我来给你拜年了，白老师也在啊。"

陈德庆是郭晓珍的铁杆追求者，数十年如一日，从没放弃过，不过今年是第一回得以在除夕之夜登堂入室。看到左问夫妻在座时，陈德庆立时就明白自己今日的幸运来自哪里了。

郭志国和李茹起身招呼了一下陈德庆，就又迫不及待地坐回了牌桌。陈德庆和左问其实也是同学，小学同学。两个人彼此点了点头，陈德庆的眼珠子就定在俞又暖身上了。

美女常见，大美人实在少见。不过好在陈德庆在丢丑前就回了神，开始赖在郭晓珍身边奉承，只是眼睛时不时往俞又暖瞥，倒不是见色起意，只是忍不住就想看，也的确好看。

一颦一笑都是漂亮得惊人。

年轻人过年向来都不会守着电视，吃了晚饭就喜欢出去呼朋唤友，陈德庆算得上是地主了，在本镇开了个小企业，混得有头有脸，车开的是奥迪 Q7，"老同学要不要去酒吧坐坐？"这话是对左问说的。

郭晓玲却是第一个举双手双脚赞同的，她过了年就高中毕业了，从没去过酒吧，格外好奇。

"你 18 岁都没有，跟着瞎起什么哄？"郭晓珍斥道。

"姐，你就让我去开开眼界嘛，我不喝酒就是了，电视里演的不是还有卖苏打水吗？"郭晓玲倒是知道不少。

陈德庆为了哄未来的小姨子开心，也帮着劝郭晓珍。

郭晓珍看了俞又暖和左问夫妇一眼，"镇上的酒吧人家坐不惯的。"

这话明摆着左问和俞又暖不去就是不给面子了。

左问看向俞又暖，"你想去吗？"

俞又暖既不想看春晚，又没有麻将打，太早又睡不着，侧头道："要不去看看？"她看得出郭晓珍眼里的挑衅，倒是不介意打击一下对方。青梅竹马又是两对门儿，还一直不婚，又得她婆婆喜欢，俞又暖其实也很不爽的。

"你想去，我们就去。"左问淡淡地道，可俞又暖感觉得出他的不高兴，左问的拇指一直刮着她的侧腰。不过左问本就是个闷性子，让他去酒吧的确有些为难，俞又暖并没太放在心上。

小镇的酒吧业其实已经形成了不小的气候，车程大约 30 分钟，已经接近县城边上了。

酒吧临河，绿灯红光倒映在河水里，夜色遮掩了河水不算清澈的颜色，河对岸的空地上方有时不时升起的大型烟花，一闪即逝的璀璨叫人忍不住也想趁着青春火热一把。

出人意料的是，镇上这酒吧一条街的生意好得不得了，若非陈德庆十分有面子，恐怕连桌位都匀不出来。

"流光"的装潢很有特色，都是原木结构，有点儿像猎户住的屋子，周围的墙上装饰着兽皮，门口挂着一个牛头，据老板说，是他自己杀的牛又自己亲手打磨抛光的。

左问给俞又暖点了一杯不含酒精的鸡尾酒，其实其他鸡尾酒的酒精浓度也不高，可是即使俞又暖提了自己的要求，左问也听而不闻，反问："要不给你来杯牛奶？"

俞又暖立即不说话了。

"这是老婆还是女儿啊？"郭晓玲在一旁低声对着郭晓珍吐槽，"秀恩爱死得快。"

郭晓珍笑了笑，陈德庆在一旁道："晓珍，上去来一首怎么样？"

镇上的酒吧还兼顾 KTV 的功能，中间一个小型舞台，一桌一桌的轮，现在刚好轮到郭晓珍他们这一桌。

郭晓珍从小就是班上的文娱委员，一把嗓子征服过全校，还得过大学的校园歌手比赛二等奖，因此十分有自信。"又暖要不要唱一首？"

这可真是为难人，俞又暖一首歌都不会唱，只好轻轻摇了摇头。

郭晓珍先唱了一首梅艳芳的《女人花》，这歌难度不大，但是要唱出那种磁哑的感觉却是难得。郭晓珍一身白色羊毛裙，在昏暗的灯光里摇曳低唱，还真有"女人花"的 feel。

一曲终了，所有桌子都鼓掌叫好，喊着再来一首。

下一首是张惠妹的《听海》，这首歌十分动人，但少有人能飙出高音，郭晓珍唱得很投入，整个情绪都沉浸在了歌声里，别说声音还真有点儿张惠妹全盛时期的味道。

全场掌声雷动。

俞又暖含着酒杯里的吸管看向左问，他似乎也沉浸在了歌声里，俞又暖的脚在桌下轻轻踢了踢左问，已婚男士就不要跟着人家瞎起哄了。

左问侧过头看向俞又暖，嘴角翘了翘，轻轻捏了捏俞又暖腰侧的嫩肉。

郭晓珍下来的时候已经有两位男士送了两瓶酒到桌上了，她以手为扇，扇了扇，有些气喘地道："哎呀，不行了，好久没唱了。"

郭晓玲给郭晓珍比了一个大拇指，陈德庆则在一旁傻笑。郭晓珍的眼睛含情脉脉地朝左问瞧来，她总算在左问的眼睛里看到了自己的身影。其实郭晓珍也不是想得到什么，就是有些不甘心，想让左问看到自己最美丽最耀眼的面貌，想让他将来回忆过去的时候，能有自己的一幕。

郭晓珍迷倒了全场，陈德庆也不甘示弱，站起来举起那两个男人送的洋酒高声道："老板，给每桌都来一瓶，我请。"

立即又是掌声雷动。

气氛嗨了起来，街上也响起了锣鼓声，不知道的还以为哪家扮古装嫁女儿呢，大家都涌到街上，街道的尽头搭建了一个舞台，背景上写着"舞王争霸赛"五个金光闪闪的大字。

冠军的奖励是一瓶八二年的拉菲，手笔颇大。

"我觉得有点儿像比武招亲。"俞又暖笑道。

酒已经入腹，大部分的人都放开了，比赛的报名十分热烈，街舞、机器舞、爵士舞、钢管舞应有尽有，连踢踏舞都有，真是能人辈出。

郭晓珍倒是也能跳舞，不过看这个架势，民族舞和芭蕾舞上去肯定要被轰下台。

负责伴奏的键盘手弹得十分不错，舞曲的节奏本就让人蠢蠢欲动，下面的人都跟着扭腰摆臀，俞又暖看了看周围晃动的人群，再看左问。

这人真的是定力十足，这样节奏感强的音乐声里他都岿然不动。冬日的灯光映在他脸上，因为五官深刻，格外显出一种清隽冷峻之感，财富的积累和岁月的经历也赋予了左问额外的魅力，让人看了就转不动眼睛。

热闹的街头，俞又暖已经发现了好多簇盯着左问看的视线，现在的女孩子格外大方和火热，大冬天的还穿着露腰的毛衣，让俞又暖倍感威胁。她自问保养也算妖孽级别的了，可是跟货真价实的青春相比，底气就显得不那么足了。

俞又暖侧头看了看左问，侧身偷偷地穿过人群，登上了舞台。

美女的确有特权，负责报名的人直接给俞又暖开了后门，不用排队就登场了。后面排队的是两个穿着嘻哈的小年轻，原本要闹事的，结果一看到俞又暖的脸就笑着问要不要伴舞。

"来一段？"俞又暖抬了抬下巴。

两个年轻人立即即兴来了一段，很有乐感，发挥得不错，俞又暖想了想，"好啊。"

俞又暖其实也不会跳舞，她听着音乐，好像手脚自己有意识一般，跟着音乐就扭了起来。

舞王争霸赛的规矩是即兴表演，曲子由键盘手即兴发挥，舞者强就能引键盘手，舞者弱就只能被动跟着音乐走。

俞又暖借了一个发夹把宽大的针织毛衣在腰上挽了一个结，比腰细她真的不输人。唯一需要顾虑的是帽子不要掉才好。

俞又暖跳的应该算得上是艳舞，一路经常有固定帽子的动作，随着她的舞动的节奏竟然跳出了不一样的性感和妖媚。主要是腰扭得够劲，臀又似安装了电动马达，腿长得超出比例。

黑色的羽绒服被俞又暖扔下台的时候，一群人哄抢，白生生的细腰简直晃瞎了人的眼睛。

可惜的是没穿裙子，否则迷人指数肯定翻倍。不过绒线球球帽，额外增加了一点儿天真的少女风，禁忌味十足，原先本来是她配合乐曲，到后来舞到尽兴，都是电子琴配合她的节奏。

两个小年轻是在俞又暖的动作定格后上台的，两男争一女的舞蹈格外烧人眼球，一个是 Hip-Hop，一个是 Breaking，三个人配合起来居然还天衣无缝，舞技不到一定程度是跳不出这种感觉的。

整条街都沸腾了，陈德庆甩掉烟头，忍不住地吞了口口水，松了松领口。

唯有左问的脸阴沉得滴水，都说狗改不了吃屎，就好像俞又暖初时失忆表现得再乖顺，那也不过是她缺乏安全感时的保护色。一旦给她机会，她就会破土而出，贪心地想要所有人的目光和……

Chapter 8

俞又暖大获全胜，邀请了那两个小年轻共享拉菲，她愉快地飞到左问的面前，笑容满脸地想在左问的眼睛里搜寻一抹惊艳，哪知道左问的脸色却给她当头泼了一盆凉透心的冷水。

左问将自己的外套脱下来给俞又暖裹上，她自己的羽绒服是肯定不能再穿了，不知道被多少男人摸过。

回家的时候，俞又暖忍不住在左问的背后低声抱怨，"老古董。"

晚上睡觉的时候，左问直接背对着俞又暖，弄得俞又暖十分不解，她不过是跳了一支舞，又不是偷人，怎么就跟犯了滔天大罪一般。

俞又暖想了半天，才趴在左问的背上，探头看他，"左问，你该不会是吃醋吧？"

可是这又有什么好吃醋的呢？即使是跳舞，其实她和那两个年轻人也没什么肢体接触的，何况她一路的眼睛都是盯着他看的，舞其实也是为他跳的。

左问有些烦躁地借着关灯的动作避开了俞又暖，"睡吧。"

什么毛病？醋吃得太厉害了吧？俞又暖在要不要"娇惯"左问的选项里徘徊了片刻，然后开始拿头顶蹭左问的背。

可惜暖萌的动作并没有什么作用，反而让左问一下就掀开被子坐起身。

"你去哪里啊？"俞又暖有些委屈地皱起眉头，嘬起嘴巴。

"我去洗手间。"左问头也不回地出了门。

俞又暖在被子里枯坐了半晌，不见左问回来，轻手轻脚地开门出去，就瞥见左问正站在阳台上吸烟。

俞又暖没有上前，又退回了屋子里，凝眉想着今天的事情，她的过去一片空白，但是不代表她察觉不出异样。左问的反应过于强烈，这让俞又暖莫名惊心。可是她即使想用力也不知道该往哪个方向使，大约是跳舞太累，想着想着居然也就睡着了。

就在睡着前，俞又暖的思维还在四处发散，想着跳舞的时候，好些动作都觉得力不从心，可明明又觉得自己可以做的，反正跳得还算带劲儿，就是也称不上太好，所以左问才没有被惊艳到？自己是不是应该去请个专业的舞蹈老师练着玩玩？

左问回到屋里的时候，看到的就是熟睡的俞又暖，有人天生命好，将你磋磨得半生半死，她自己却半点儿负担没有，即使是左问也有嫉恨俞又暖的时候。

清晨一大早俞又暖就醒过来了，其实她也并非没心没肺，至少现在就没有睡懒觉的打算，洗漱完毕就得开始挣表现，标标准准的小媳妇模样。

白宣自然看出了这小两口之间气氛不对，不过她丝毫没有要当和事佬的自觉，恨不能他们分了才好，这样吵吵闹闹大过年都不清净，还不如早了早好。

吃过早饭，白宣和小区里的阿姨们约好了去附近的寺庙烧香，这是当地习俗。俞又暖在被冷待了一个早晨后，忍不住追在左问的身后问道："我们不闹别扭行不行？这可是初一呢，初一闹了别扭，一年都会别扭的。"

左问定定地看着俞又暖，最后伸手一把将她扣在墙上和自己的怀抱间，狠狠地吻了上去。

左问的吻如狼似虎，简直像要将俞又暖这可怜的猎物嚼碎了吞了一般，俞又暖呼吸不了，自己又手软脚软地使不出力气来，晕晕乎乎的一时又忍不住想，她好似并不反感被强迫，心跳得"咚咚咚"的，震耳欲聋。

只是左问这一冷一热的还真让她招架不住，俞又暖心里虽然不承认，但是觉得还真是带劲儿。

两个人吻得如痴如狂的时候，被一声"哎哟"给惊得一抖，白宣推门进来简直没被眼前这一对没羞没臊的年轻人给臊死，夸张地用手挡住脸。

俞又暖手足无措地一把推开左问，躲到左问背后，觉得自己心虚的程度已经直逼浸猪笼的小媳妇了。

这种场面，当事人自然只能装有事各自散开，万幸明日就要离开，俞又暖忍不住抚胸深呼吸。

回到屋里，左问就忍不住轻笑，他是没料到俞又暖还有这种吓得仿佛老鼠见到猫的时候。

"你笑什么？"俞又暖愤愤不平，指着左问道，"你太不典雅了。"

什么怪词儿？左问皱了皱眉头。他那是不懂贵妃娘娘马震后，阿翁就说皇帝行了不典雅之事。

到下午的时候，白宣吃了午饭早早就去占位了，大年初一有牌打，一年都有牌打。左问去厨房切了一盘香瓜，示意俞又暖端去给楼下牌桌上的大婶们吃，在白老师跟前赚点儿表现分。

俞又暖端着盘子走到白宣身边，就挪不动腿了，昨晚她才打了一盘麻将，甚为不过瘾，小小的豆腐块魅力挺大的。

总算是精诚所至金石为开，白宣因为俞又暖的殷勤添水，有些憋不住了，"你帮我先顶着。"

俞又暖卖力地点点头，嘴角忍不住抿笑。

一个下午白宣上了三次厕所，俞又暖就打了三盘，一盘是龙七对儿，一盘是清一色，最差的一盘都是大对子。但白宣手气就不怎么好了，换她上桌有时候连"听牌"的机会都没有，经常赔三家。

最后一回俞又暖顶替白宣的时候，她上厕所回来干脆就站在俞又暖背后看，这一看心脏病都差点儿气翻。

"你怎么打这张牌？你不打就可以听三张牌，你现在就只能胡一张了，而且桌子上都出了三张了，你都不看牌桌的啊？"白宣那个着急啊，觉得俞又暖是脑子彻底碰坏了。

结果一圈过后轮到俞又暖摸牌，拿起来就是卡七条自摸。

这还不算什么，下一把更绝。俞又暖手上有七张万，六张筒，但筒子里有三个三筒。结果白宣眼睁睁看着俞又暖上手就直接把三筒打了，连杠牌的机会都不要。

"你这是什么打法？"白宣眼珠子都掉了。

俞又暖悄声道："我想做清一色啊。"她其实一点儿都不想泄露计划，但是耐不住是自己婆母询问。

这种牌做清一色？白宣真想敲开俞又暖的脑子看看，万一出三筒杠了不是一样有番吗，这样做清一色要做到何年何月？

结果俞又暖轮轮都摸万，很快就凑齐了清一色，还摸到了四个一万和牌。

你能说什么？你能说什么？而且大小姐每一轮不做清一色，就必须做七对儿，没有番的牌绝对不和，别人放炮如果不是最后一张也绝对要等自摸。

一个下午的牌打下来，白宣是黑着一张包公脸进门的。

左睿暗道不好，小心问道："输啦？"白宣性子比较强硬，输钱事儿小，但是"输"这件事本身会令她很不爽。

"赢啦。"白宣将零钱包往桌上一摔。

赢了怎么这样一张脸？左问也放下工作从屋子里出来，用眼神询问俞又暖。

俞又暖觉得冤枉极了，晚上在床上的时候她忍不住向左问抱怨。

自摸三家多舒服啊，辛辛苦苦和三把别人放的炮还不如自摸一把呢。再说了清一色可是四番牌，一把就顶素胡四把，怎么就不能去做清一色呢？而且事实证明，大婶们玩一元起番，她也帮自己婆母赢了将近两百元，据说可是破纪录呢。

左问不能说俞又暖错，每个人的观点的确可以不一样。不过俞又暖的这种打法只能建立在手气好到极致的基础上。而那些打了十几年牌的大婶们今天之所以会输给俞又暖，大概也是因为没习惯她这种奇怪的战术。

六、七组合的牌居然硬要做清一色，连左问都不得不佩服俞小姐的奇葩。

俞又暖平躺在床上回味了一下下午的战绩，深觉有趣儿，难怪全国人民都打麻将，她侧过身看向左问，"明天回去之后还有几天假，我们做什么呢？"

"找个海岛转转？"左问显然已经思考过这个问题了。

俞又暖眨了眨眼睛，侧头看向左问，"你想回去吗？"

本来就难得回家，过年只待三天似乎有些仓促，尽管慧姐的饭菜做得十分美味，但是俞又暖还是细心地发现左问在白老师掌厨的地方饭量明显有所增加。

"你不想走？"左问有些诧异。

当然是想走的，俞又暖怵死白宣了，但是似乎有牌打也不是不能忍受，至于海岛，俞又暖没有任何兴趣，她现在最不需要的就是对着一片湛蓝发呆，她的脑子已经足够空白。

"妈妈今天不高兴，好像也有因为我们明天就走的关系。"俞又暖低声道，语气里有着天然的娇气，让人忍不住就替她觉得委屈，觉得白老师这不高兴也太没道理了。

"嗯。"左问应了一声。

"去海岛的话还不如在这里多陪爸妈几天，是吧？"俞又暖没能等到左问开口，就只好自己先发声。人与人的关系里，谁强势谁就占据了高点，对方若还想继续就只能低头。

左问垂眸看向俞又暖，她皮肤真的很白，好似有光线从体内透出一般，眼睛水灵得仿佛刚在清泉里浸过，剔透得一眼就能望穿。

左问觉得自己的确是胜之不武，持续的低气压让犹如一片白纸的俞又暖如预期中低头。

"你确定？"左问俯身亲了亲俞又暖的唇角。

左问的态度已经表明了他的意思，俞又暖委屈地"嗯"了一声。

"乖孩子。"左问又亲了亲俞又暖的发际。

俞又暖虽然懊恼于左问的就势下坡，但也能理解他的心情，只是一时又觉得做女人太过体贴解语，还真是委屈自己，那么她以前到底是解语还是不解语呢？

次日用早饭的时候，俞又暖已经吃腻了油条，碰也不碰，喝了一小碗豆浆暖胃。

白宣僵着脸问："几点的飞机？"

"不走了，初六再回去。"左问道，也没说是俞又暖提起的，反正白老师绝对不会相信。

白宣立即就高兴了起来，"怎么又不走了？哎，昨天你大伯他们说要过来，因为你们今天要走，我都推了。"

左问道："让他们初五过来吧，今天正好带你们去普南的温泉泡泡。你不是一直说那儿好吗？"

俞又暖觉得左问的脑子里一定装了ABCDE个Plan，人家决定行程都不需要动脑子的。可怜她今天肯定是碰不到麻将了。

普南山离小镇不远，大概两个小时的车程，大冬天的也郁郁葱葱，都得归功于山里的温泉资源。

度假山庄建在山脚下，经常接待省里的领导，所以标准不低。左问订的别墅，两个卧室都附带有带顶棚的温泉池，一东一西不会彼此影响。凹字型的别墅室外还另有一个露天大温泉池。

热气腾腾，白雾缭绕的温泉在冬季对女人的吸引力绝对胜过花美男，俞又暖敦促着正在将她的衣服拿出来挂到衣橱里的左问，"我刚才看到大堂那边有卖泳衣的。"

左问从行李箱中拿出泳衣递给俞又暖，香奈的连体泳衣，除了双C交汇处微微露了一点儿胃部，真称得上十分保守了。

俞又暖心中诧异，左问居然还给她收拾了泳衣带上，他怎么就知道要泡温泉呢？

可是明明说好的初二就回去。俞又暖皱了皱眉头，心想该不会一切早就在左问的意料中了吧？可随即俞又暖又觉得自己想太多，如果是那样，左问又何必拿出泳衣惹她怀疑。

想得脑门儿疼，还不如少操些心。

俞又暖换好泳衣，有些遗憾左问没给她带一件比基尼，她戴上泳帽，照了照镜子，真是天仙戴泳帽都一样难看。

左问已经换好衣服等俞又暖了，见她出来又帮她套上一件白色镂空花的罩衫，裹了浴袍，这才揽了她的腰去别墅的客厅，客厅外面就是温泉大泳池，俞又暖刚才行李都还没放下就闹着要游泳。

"下来我教你。"左问先下的水池，冲着坐在池边双腿泡在水里的俞又暖道。

"我先看你游一游。"俞又暖的脚在水里踢了踢。

左问是自由泳，四肢充满了力量，俞又暖也不知道自己是怎么从水里的左问身上看出豹子的野性魅力的，不过左问的身材是真好。刚才俞又暖看到他沾着水珠的腹部肌肉块儿时，险些挪不动眼睛。

很快，左问就游了一圈回来了，"下来吗？"

俞又暖应了一声，朝左问伸出手，由着他抱着下了水。其实池子也就一米五左右的深度，她坐在岸边轻轻松松就能跳下去，但她就是忍不住要撒娇。

左问给俞又暖讲了几个要点，伸手抬起她的腹部让她漂浮起来，俞又暖扑腾了一两下就欢呼着自己游走了。

脑子虽然失忆了，但是身体却把一切技能都记得很清楚。俞又暖简直就是如鱼得水。

左问没有继续游泳，反而上了岸从岸边的酒柜里拿了一罐啤酒出来，坐在沙滩椅上看俞又暖游泳。

浮在水面上的表意识虽然忘却了，可是掩藏在水面下庞大的潜意识却仍然影响甚至主导着人的行为。左问想，俞又暖不到半个小时就重拾了旧日的泳技，她重拾旧日心性又会花几日呢？

左问想起俞又暖前晚跳舞时的神情，渐渐地和过去的俞又暖重叠在一起，只听得左问手里的啤酒罐发出一声清脆的响声，便凹陷了一半下去。

"我游得好不好？"俞又暖气喘吁吁地双手扒在岸边，抬头仰望左问，眼睛因为高兴而璀璨得耀眼。

大约因为姓俞（鱼），俞又暖在游泳上颇具天赋，长手长脚的姿势优雅又漂亮，泳技是国家队退下来的教练带出来的，大小姐嘛，什么都要最好的。

左问犹记得第一次跟俞又暖一起游泳的时候被她鄙视姿势不规范的情形。并非什么太美好的记忆，左问后来也请了教练纠正自己的泳姿，所耗精力无数，而今俞又暖如鱼得水般的优美泳姿也只是让人徒增烦躁。

左问迟迟不回答她的话，眼神冰凉，可眼底却似乎蕴藏着火山一样的暴烈，好似总有一日要将她烧死一般，俞又暖的身子忍不住往水里沉了沉，声音微颤地道："怎么了？"

左问冰凉的眼神让俞又暖心惊，尽管她已经忽略各种迹象，可是对过去种种的怀疑还是忍不住浮上心头，太美好的事情总是不真实。

"别游太久，热水费力气，泡久了也会脱水。"左问倾身向前，将俞又暖从水里捞出来，先用毛巾给她擦了身上的水，然后裹得严严实实地回了卧房。

俞又暖淋了澡，躺在左问的腿上享受着左问给自己擦头发的待遇，他耐心而轻柔，让俞又暖又觉得这两日左问对自己轻微的排斥似乎只是她的错觉。

次日清晨四点的时候，左问就起了床。普南山除了温泉，最吸引人的就是日出，来这里玩的游客这个点儿大多数都会起床开始登山，到山顶的时候正好能看到日出。

一刻钟之后，白宣不耐烦的声音在门外响起，"左问，你们好了没有？"

而房间内，俞又暖还正在和左问进行被子争夺战，眼睛一直处在关闭状态，嘴里不耐烦地重复念叨，"我要睡觉，我要睡觉。"

凌晨四点挖人起来爬山，实在有些不人道。

左问无奈地低头亲了亲俞又暖的脸蛋，"那你睡吧，等我下山叫你起床用早饭。"

俞又暖听了这话，不到半分钟就又睡死了过去，醒来的时候已经八点半左右，这已经算是这几日里睡得最好的懒觉了，因为左家的早饭开得很早，所以俞又暖的生物钟已经被调整到了早起这个档。

俞又暖洗漱之后去到餐厅用早饭，刚走进去没多久，就听见身后有人叫自己的名字，"又暖。"

俞又暖转过身去，看到的是一张陌生而激动的面孔。俞又暖没说话，失忆很容易让别人钻空子，所以她比较警惕。

林晋梁看着一脸平静而略带茫然的俞又暖，只觉得心都拧成了一团，又低低地叫了一声："又暖。"

俞又暖看着眼前这个气质儒雅的男人，他眼睛里的东西太多，高兴、激动、心疼、忐忑，复杂得让俞又暖不知该如何反应，"我……"

林晋梁上前一步，俞又暖当前的情形他早已知道，"我的名字叫林晋梁。"林晋梁贪婪地看着俞又暖的脸，努力地想从她的神情里找出一丝"恍然大悟"来。

可惜俞又暖对"林晋梁"三个字真是一点儿特殊感应都没有，只淡然而疏离地道："林先生，你好。"

"又暖，我……"

林晋梁的话还没说出口，俞又暖的手机就响了，她抱歉地冲林晋梁点了点头，侧身接起电话。

"你在哪里？"左问的声音从手机里飘出。

"我在餐厅。"俞又暖道。

"不是说好等我回来叫你用早餐的吗？"左问的声音听起来似乎有些气喘。

"我不是饿了嘛。"俞又暖娇气地道。

"不用拿餐了，我点了客房服务。"

"你回来了？"俞又暖惊呼出声，按照时间来算，左问他们最快也得十点以后才能回得来。

"向左看。"

俞又暖转过头就看见左问正站在餐厅入口处。她朝林晋梁又抱歉地笑了笑，"我先生来了。"然后便直接向左问走去。

在俞又暖和林晋梁错身而过时，他一把抓住俞又暖的手腕，"又暖，你听我说。"

"林先生，请你别再纠缠我的妻子。"左问将林晋梁的手从俞又暖的手腕上掰开，然后冷冷地道："想想你的父亲。"

林晋梁只觉得颓然无力，他父亲自然早就警告过他，不然他不会等到现在才出现在俞又暖的面前，挣扎多时，到底意难平，放却又不下，离幸福不过是一步之遥，怎么突然一切就变了？

"你怎么回来得这么早？"现在也不过才刚刚九点钟，俞又暖好奇地看着左问，被他搂着往别墅走去。

"我不是怕你饿吗？"左问道。其真实原因却是因为被林晋梁杀了个措手不及，到底是掉以轻心了，没想到林晋梁会这样执着，居然追到了这里。

"爸妈也回来了？"俞又暖又问。

"他们还想在山上再待一会儿。"左问淡淡地道。

坐下来用早饭的时候，俞又暖小心翼翼地观察了一下左问的神情，这才开口道："那个林先生是谁啊？"

左问对林晋梁的态度让俞又暖有些好奇。

左问这个人讲求喜怒不形于色，而且冷静沉稳得可怕，即使夫妻之间那档子事，明明箭在弦上了，左问的自制力都能让俞又暖怀疑自己的女性魅力，但是今天他面对林晋梁的时候，却好似有些焦躁。别人看不出来，俞又暖却从左问眉梢眼尾的点点细节觉察出来了。而且左问还威胁了林晋梁，这可是没有底气的表现。

左问喝了一口咖啡，才慢条斯理地扫了俞又暖一眼，"你的追求者。"

说得这样淡然？似乎有欲盖弥彰之意。"他是因为我才追到这里来的吗？"这可真有够痴情的，俞又暖心里难免就多了几分"怜香惜玉"之心。

左问再次抛给俞又暖一眼，"你倒是挺有自信的？"

俞又暖有些讪讪，但心里也觉得大过年的要说林晋梁是为了她——一个已婚妇女千里迢迢追到这里来也的确有些牵强，那样的话他置左问于何地啊？要追也该背着别人丈夫才是。

"那个我和他……"俞又暖还是好奇，林晋梁何德何能会让左问忌惮呢？难道她以前和这位林先生牵扯颇深？

"这么好奇，不如你现在去找他问个清楚？"左问冷冷地回了俞又暖一句。

俞又暖嚅嚅嘴，看出了左问的不高兴，可转念一想，又抿嘴一笑，"你这是吃醋吗？"十年夫妻，现在吃醋还吃得这样厉害，就这样喜欢自己？

俞又暖的神情让左问放下餐巾身子往后朝椅背靠去，大小姐似乎一直喜欢看他吃醋。左问并不想回忆过去，理智地告诉自己回忆过去的俞又暖其实于事无益，何况她记忆全失，也就无法为过去负责。

"下次姓林的再纠缠你，可别再求我帮你摆平。"

左问的语气似乎有些不耐，眉梢微挑，就让俞又暖胆战心惊。不过左问短短一句话，就已经解决了俞又暖所有的疑团。

真是看不出来，林晋梁看起来儒雅而内敛，内心却是个"痴汉"，人不可貌相啊，现代人有心理疾病的可不是少数。俞又暖了然地点点头，"真想不出他是那样的人。"

话出口的同时，俞又暖心底也松了一口气，因为刚才那位林先生复杂而欲言又止的表情，害她联想翩翩，以为彼此牵扯颇深，如今知道是林晋梁单方面纠缠她，那就轻松多了。十年婚姻，七年就痒，俞又暖还挺怕那个未知的过去的。

俞又暖再次打量左问，他的眉眼真的十分清隽，只是气质过于沉静而疏冷，可是岁月又赋予了他一种发酵的魅力，好似什么都看过经历过了，淡淡地看着你，就让你有一种整个人生和"人身"被碾压的感觉。

俞又暖喝了一口牛奶，觉得自己99%的可能性是不会七年之痒。一是不愿，二恐怕也是不敢。

左问抽了纸巾替俞又暖将上嘴唇的牛奶白沫擦掉，并没有出现俞又暖预期中的"舌尖舔去她唇上的牛奶沫"的画面。

哎，到底是老夫老妻了，都相当于左手摸右手了，即使有反应，那也是动物本能的需求，水满自溢嘛，什么爱的亲亲，法式深吻都是热恋中情侣的专属。

用过早饭休息片刻，俞又暖又想泡温泉，泳衣虽然换了个牌子，但依然保守，这次外面还有一个小裙子遮挡，穿着去逛街都可以了。

"你都没给我带比基尼吗？"俞又暖忍不住抱怨道。泡温泉的时候布料贴在皮肤上，其实并不那么舒服。

"我不想流鼻血。"左问回答得短而精练，以至于俞又暖片刻后才反应过来，自己是不是被调戏了？本来这几天她对自己的魅力都绝望了，晚上睡觉的时候连蹭带摸，左问居然都可以岿然如山般自在。

用午饭的时候白宣他们才回来，俞又暖在饭厅坐下，"不是说今天中午出去吃吗？"昨晚白宣说附近有一家农家菜做得十分好，还有很多新鲜野菜，中午要带大家去尝尝的。

"我有些累了，不想出去。"左问道，所以午餐也是点的送餐。

"当然累了，你……"跑下山花了一个小时没有？白宣话说了一半，就见左问给她夹了一筷农家腊肉，"妈尝尝，听说是野猪肉腌制的。"

大半辈子从没享受过儿子给夹菜这种待遇的白宣，自然只能把张开的嘴巴又合上。

"事情办妥了？"左睿开口道。

"嗯。"左问应了一声，但显然不想再继续这个话题。

白宣扫了俞又暖一眼，直觉早晨左问的异样肯定跟俞又暖有关。看日出的时候左问接了个电话，当场脸色就变了。白宣和左睿都是第一次在左问脸上看到那样幅度巨大的情绪表达。

左问只说了句有急事要下山就跑了。

俞又暖看向左问，心底有个疑问，左问是为了林晋梁才匆忙下山的吗？

初五的时候，左问家在镇上的亲戚都来了，有左问的大伯和大伯娘，还有白宣的弟弟——左问的小舅舅一家，拖儿带口的，左家小小的五十平方米瞬间就让俞又暖觉得连立足之地都没有了。

大伯娘一看见俞又暖眼睛就亮得仿佛百瓦灯泡，"这么多年可算是见着左问带媳妇儿回家过年了。这多好啊，早就该这么着了，过年才有个样儿，年前听你妈说……"

"大伯娘，果果尿裤子了。"左问打断张玉的话。

果果是左问的侄儿，今年刚两岁。张玉一听，赶紧跑去抱了果果换裤子，左问"新媳妇"的事情自然就被抛之脑后了。

家里热闹极了，闹得俞又暖半边脑子发疼，两个加起来都不到五岁的小地瓜，围着香喷喷的俞又暖转的时候，一人尿了她一把，虽然都是隔着棉裤的，但是大小姐的衣服还是不由自主地变湿热了。

俞又暖僵直得动都不敢动，颤抖着嗓音喊左问。

"哎呀，果果你真是太淘气了，不是教了你尿尿要喊人吗？"大伯娘抬手就去打果果的小屁股，十分抱歉地看向俞又暖，"没关系没关系的，童子尿还能治病，不臭的。"

维维的妈妈，左问的表弟媳妇也赶紧过来道歉。

俞又暖虽然不算太洁癖，但是也受不了一身的童子尿啊，不过她只能强扯出一丝笑容道："没关系的，果果和维维还小。"

俞又暖被左问扶着走回房间，总觉得一动，那尿就大面积地贴在了自己肌肤上，所以一直保持着僵尸一般的僵硬。左问已经快速地给她重新拿了一套衣服过来，"这会儿洗澡不太好，我去给你打盆水来。"

俞又暖委屈地瞪着左问的背影，连洗个澡都没有人权，等左问端了水回来时，俞又暖已经脱得只剩内衣裤站在屋子里了。

大小姐的内衣都是定制，烘托身材的效果是200%，连C cup未满都可以挤出《武则天》的造型。淡雅的绿色提示着人的眼睛节气已经到了立春了。

俞又暖咬着牙看向左问，"你给我擦，流鼻血也是你活该。"

左问笑了笑，拧了毛巾往俞又暖大腿抹去，倒是俞又暖自己先觉得不好意思了，她将擦过身体的帕子扔回给左问，这人不流鼻血就算了，连裤裆处也没有出现传说的小帐篷。俞又暖幽怨地看着左问的背影。

其实倒不是俞又暖一直惦记着那档子事，她甚至都不明白什么叫那档子事，可是当初她百度男人流鼻血的原因时，多少也就知道那可是对女性魅力的极大恭维。

俞又暖拿出随身带的化妆镜照了照，头发依然太短，不过两三厘米的样子，做不出发型来，魅力的确大打折扣。

可是俞又暖自问她不是巨蟹，也没有多少母性，怎么在那两个小地瓜跟前就魅力无穷了呢？果果是男孩儿胆子大一些，伸手就找俞又暖要抱抱。

"哎呀，这孩子最近正认生，除了我们别人休想抱他，今天倒是怪了。"大伯娘啧啧称奇，"又暖，这么得孩子喜欢，赶紧自己生一个咯。"

俞又暖虽然极端不情愿抱果果，可是小地瓜抱着她的双腿不放，抬头笑嘻嘻地看着她，那小眼睛又清又亮，她只能俯身将果果抱起来。

"要嘘嘘吗？"俞又暖大约每隔五分钟就问一次果果。

果果坚定地摇摇头，伸出小肉爪子去抓俞又暖帽子上的小球球，笑得"叽叽咯咯"的。俞又暖身上的饰品被他挨个儿耍了个遍，更过分的是，果果不知道哪里学来的毛病，喜欢把手伸入别人的衣领里，没有章法地乱抓。

据大伯娘说她脖子和胸口的抓伤就没好过。

俞又暖今日穿的一字领毛衣，只能不停地把果果的手从她锁骨处抓出去。但是小孩子坚持不懈的精神真的叫人发毛。

维维年纪小一些，站在沙发上拉扯俞又暖的帽子，俞又暖顾着果果，一个不小心就被维维抓掉了帽子。

"叔叔。"维维的眼睛亮晶晶地看着俞又暖。

俞又暖脸都黑了，长这么大她还是第一次被人看作男人的。客厅里所有的人都笑欢了，连左问都忍不住轻笑出声。

小孩子嘛，打又不能打，骂也不能骂，还好维维的妈妈赶紧把她抱走了。俞又暖刚松了一口气，就听果果大声地叫道："拉粑粑啦——"

俞又暖吓得一个哆嗦，腾地从沙发上站起来，双手放在果果的腋下，把她举起来离开自己一臂之远，两人形成一个 H 形，然后惊惶地左顾右盼，只求来人解救她。

众人又是一场爆笑，大伯娘一边笑一边把果果抱去了卫生间。

等客人都散了之后，俞又暖用力地将自己摔在小床上，拉着左问的手忘乎所以地道："幸亏我们没有孩子。"

半晌没有等到左问的回应，俞又暖睁开眼睛一看，只见左问正坐在床边，一言不发地俯视自己，眼神幽凉深邃。

俞又暖不想跟左问讨论孩子的话题，结婚十年都没有孩子，要么就是不想要，要么就是生不出，反正她知道自己是不想要的，可是从白宣和一众亲戚的言辞间，俞又暖听得出他们很盼望自己和左问生个孩子的。

可是左问的想法呢？俞又暖不想问。左问也不想要自然是最好的，可是若他想，她就难免为难，所以不问才是最好的。

左问看着俞又暖明显心虚的表情，就知道她什么都看明白了，如今只是装傻逃避。左问犹记得当时俞又暖说要给他生孩子的时候，他心里的悸动，可幸亏当时足够理性，并未轻信，如今倒是验证了前时之明。那时候她不过是急于讨好他，可是否也是他自己错过了唯一要孩子的机会？

俞又暖躺着静静地装死，从头到尾左问一句话都没说，末了只提醒她起床洗漱再睡觉。

俞又暖睁开眼睛就看见左问眼底的晦涩，一时有些内疚，却又不知该说什么。但是她有信心自己绝不会是个好母亲。

回城的时候俞又暖和左问几乎没什么交流，到俞宅的时候，按摩技师已经等候在家里了，左问老家那张小床的确委屈了大小姐的腰背。

女人即使没有任何工作，每天的安排也可以满满当当，只嫌24小时太短，俞又暖泡了澡按摩完，又敷了几重面膜，才觉得自己又能正常呼吸了，不过时间也差不多晚上十点了。

俞又暖沾床就睡，左问从书房回房间的时候，俞又暖已经打横了睡在床上了，左问小心翼翼地挪动了一下俞又暖的手脚，仰身躺下。

早晨俞又暖起床时，左问已经去了书房。俞又暖若有所思地喝着牛奶，左问这是打算跟她冷战吗？

呵，真是惯的。

俞又暖可没有先低头的打算，在左问老家的时候，她不得不低头，那是因为强龙不压地头蛇，现如今可换了地儿了。

白日漫长的时光难以打发，俞又暖问慧姐道："慧姐，我过去就没点儿朋友吗？我最经常跟谁来往啊？"

上一次俞又暖失忆之后，左问给她列出了详细的交友名单，这一次可就没这个待遇了。

慧姐道："小姐以前那些朋友都不是真心的，你受伤了他们也没来看望你，不来往也罢，小姐今后还是交往些正经的朋友吧。"

俞又暖摸了摸自己的下巴，她以前的朋友都不正经？俞又暖一下就想起了那日见到的关兆辰，天王级的大明星，应该算正经吧？

想到这儿，俞又暖拍了拍自己的额头，关兆辰还送了她两张电影首映会的票，可惜错过了，初三那天就是所谓的情人节。

俞又暖后知后觉地想起那天左问带她去泡温泉，房间里似乎插了一束红玫瑰，床单上还用红玫瑰花瓣摆了一个心形造型，她当时还以为那是小镇度假山庄的品味来着，原来是因为情人节的缘故，倒是误会了他们。

想起电影，那毕竟是自己投资的，俞又暖不得不感兴趣，"慧姐，让王叔备车，我要出门。"

"出门有事？"左问不知何时走到了俞又暖的身后。

俞又暖"哦"了一声，"我想去看电影。"

左问和慧姐都有些诧异。俞大小姐向来讨厌人多的地方，拿她的话来说那就是"人味儿"太难闻，电影院更是她避之不及的地方，要不然家里也不会设置单独的放映厅。

"怎么想起看电影了？"左问在俞又暖的身边坐下，顺手拿了个面包。

俞又暖看了一眼没吃饱的左问，这人如果吃饱了，是绝对不会吃零食的，"上次在百货大楼遇到关兆辰，他说我投资了一部电影，刚好情人节档期上映，我想着怎么也该去支持一下。"

这件事左问也知道，关于投资的事情也是左问去帮俞又暖查的，"走吧，我陪你去。"

俞又暖的脸上总算露出了满意的笑容，有些兴奋地觉得这应该算得上是她和左问的"第一次"约会了。

只不过电影院的火爆场景实在震惊了俞又暖，这简直比过年的时候左问老家那菜市场还热闹。买票的柜台面前排起了长长的队伍，曲折蜿蜒。

还好是冬天，人味儿不那么重，俞又暖面有难色，却也不肯退缩。

"我去买票，你在旁边逛一逛？"左问捏了捏俞又暖的手心道。

"我和你一起排队。"俞又暖看其他成双成对儿的情侣都是手拉着手一块儿排队的，倒也有"再年轻一把"的兴趣。

左问唇角微翘，看着俞又暖道："好。"

每当左问用这样的眼神看她的时候，俞又暖都有一种老夫老妻还这么缠绵真是好羞人的感觉。

队伍实在太长，俞又暖站了不到五分钟，就开始左脚换右脚地交换重心，"你去边上坐一坐。"左问道。

俞又暖点了点头，乖乖地去了一边。等左问再回过头的时候就见一个大约还在念大学的小男生正站在俞又暖身边，两个人嘀嘀咕咕的不知道在说什么。

左问只扫了一眼就调转了视线，并未上心。只是20分钟之后，当左问的前面只有四五个人了时，俞又暖还在和那个小男生说话，且头贴得越来越近，左问权衡片刻，果断放弃了买电影票的打算，直直地朝俞又暖走去。

俞又暖抬头看向左问，笑道："你买到票啦？"

"没有。"左问淡淡地道。

俞又暖有些诧异，左问神情淡然，可眼睛里却仿佛用墨笔画了一笔，晦涩难懂。

那小男生也看到了左问，面色有些局促，"绑定好信用卡就可以买了，我先走了。"

"谢谢你啊。"俞又暖朝小男生感激地笑了笑，对方红着脸几乎落荒而逃。

俞又暖上前挽住左问的手臂，"没买到也没关系，刚才我看大家都在这边的机子上出票，才知道原来还可以用客户端在线选座，刚才多亏那个男生教我。"

俞又暖的手指灵活地在屏幕上点点划划，再抬起头时一脸求表扬地看着左问，"喏，搞定啦！就是酱紫简单。"俞又暖已经学会了新新人类的表达语言。

可惜左问的态度十分冷淡，连敷衍都懒得。

俞又暖踮脚凑近左问的脸，细细搜寻一番然后娇笑道："你吃醋啦？"

为这种人吃醋，那真是中国南海那样大的醋缸都装不下醋意，"你不考虑那小男生女友的感受吗？"左问的声音不仅冷冽还带着鄙夷。

俞又暖顺着左问的眼睛看去，那小男生果然是和小女友来看电影的，小女友裹在羽绒服里，紧身牛仔裤也拯救不了她粗壮的小腿。听不清对话，但从肢体语言来看，两个人应该是正在吵架。

只不过是助人为乐,什么事儿都没有,怎么现在的小女生连这点儿都受不了啊?俞又暖无所谓地笑道: "他女朋友心宽体胖,吵不了两句的。"

"你就这样喜欢卖弄风情,不顾别人的感受?"左问的声音仿佛一把尖利的刀刺入了俞又暖的骨头里。

俞又暖其实也不是不愧疚的,她的出发点不过是心疼左问的时间都花在了排队上,又拉不下脸来承认自己的错误,可是现在居然被左问骂"卖弄风情",语言实在太过刻薄、恶毒。

俞又暖咬了咬嘴唇,不说话,但眼睛里的水光却闪得人心烦意乱。

"走吧,要吃爆米花吗?"左问不欲再跟俞又暖啰唆。

俞又暖胸口的气还憋得慌,左问居然就转而抛在了脑后,她直了直脖子, "要大杯的。"

左问点了点头,去了爆米花队伍里排队。

俞又暖毫不犹豫地快速转身离开了影院,谁耐烦受气啊,这段时间她都快成受气包了,欺负失忆的人也不是这样欺负的。

左问买好爆米花和可乐之后,四处找不到俞又暖,只能用手指揉了揉眉心。那对吵架的小情侣已经恢复了平静,小男生不见踪影,那小女友独自低头坐在一旁电影院装饰墙的边沿上。

影院等候的椅子不够,此刻装饰墙边沿上突出的平台上坐了不少人。

左问走过去,那小女友虽然没抬头,但已经很有礼貌地往旁边让了让,以为他也想休息。

左问将手里的爆米花桶递给那位小女友,那小姑娘诧异地抬起头,脸上还有泪痕。

"你男朋友人挺好的,要不是他教我太太用软件,我们现在都还买不到票,谢谢你们。"左问脸上带着微微的笑容道。

小女友面对左问时和她小男友一般局促,都有手心冒汗的症状,结结巴巴地道: "不用谢,应该的。"

这自然不是应该的。

"送给你吃,别哭了。"左问轻声道,语气温柔得让人想哭。

这一段小插曲奇异地治愈了小女友的眼泪,谁都有艳遇不是?

俞又暖的艳遇则格外多。冬天的夜晚冷得可怕,她从电影院出去后,心里厌恶人多的地方,又不想被左问找到,就打的去了南湖公园,状似孤魂野鬼一般在湖边游荡了一下午，帽子全被雪打湿了，到晚饭时间才拐入一间酒吧。

不让她喝酒是吧？假惺惺的关怀而已，俞又暖叫了一杯mojito，鸡尾酒的酒精浓度本来不大，但对久未沾酒精的她来说，已足以让她心跳加速，头脑发晕，只能双手趴在吧台上，将头埋在手臂上。

酒吧里喝酒的人见她孤身一个女人，脸虽然没看清楚，但是身材修长窈窕动人遐思，已经有三个男人上前想请她喝酒了。

"走开。"俞又暖头也不抬地挥苍蝇一般挥开第四个上前试探的男人。

到第五个人的时候，她挥手打在对方身上，对方也没有挪动脚步，俞又暖不耐烦地抬起头，"走开。"等彻底睁开眼睛时才发现身边站着的是左问。

这人寻人的本事真是堪比警犬，说教的本事也跟白宣一样，俞又暖接下来都能想象出左问的话：你就这样爱喝酒？也不考虑别人的感受？吧啦吧啦……

然而左问倒是没说话，只是又靠近了一步，手放在俞又暖的后脑勺上，将她的头轻轻地挪到自己的胸口上贴着。

俞又暖不舒服地蹭了蹭。

气闷。

往事在左问的面前闪过，也许从前俞又暖就是这样出门买醉的，那时候他忙于工作，即使有心伺候她的大小姐脾气，也没有那么多精力去顾及，当日若能如现在这般，想必也不至于走至今日地步。

他们这样的结合，于左问来说心态绝不可能平衡，尤其是俞又暖无意间流露的优越感，让左问只想尽早尽快地建立自己的事业，只可惜那时候他还不懂爱情本就是"东风压倒西风"的事情，后来他拜读曹雪芹先生的《红楼梦》，以及《傲慢与偏见》《飘》等名著，倒是受益匪浅。

"我的确是在吃醋，所以才口不择言地骂你，是我错了。"左问的声音低沉而浑厚，说抱歉的话时，格外性感，俞又暖的唇角忍不住就往上翘，她缓缓抬起手环住左问的腰，侧过脸贴在左问的胸膛上，再也不觉气闷。只是也觉得自己好没出息，被左先生那样质疑人品，到头来人家说一句抱歉，她就各种甜蜜了。

一杯mojito不过去了一小半，俞又暖只能算微醺，左问皱了皱眉头，此刻不是说她的时候，只能扶了俞又暖起身，给她披上外套。

俞又暖的矫情还没有过去，脸向着窗外，望着不停倒退的行道树，"我的电影还没看呢。"

"你用手机买电影票。"左问侧头单手扶着方向盘，另一只手抬起替俞又暖理了理歪掉的帽子。

俞又暖抿嘴笑着买了电影票，扬扬得意地在左问面前扬了扬手机，"是不是挺方便的？"

"嗯。"左问点点头。

车忽然靠边停下，俞又暖诧异地望向左问，只见他解了安全带，俯身含住了她的嘴唇，不容拒绝地抵开了她的牙齿，俞又暖晕晕乎乎地被左问亲着，舌尖被吮得几乎麻木，不知这人是发什么疯。

唇舌分离时，俞又暖气喘得厉害，无意识地舔了舔嘴唇，又迎来了新一波的席卷。俞又暖双手抵着左问的胸膛，心跳得厉害，不过最近得益于铺天盖地的"马震"的宣传，她已经知道马震和车震都不是什么好事儿了，况且今日左问开的是跑车，空间太过狭窄。

气儿喘匀之后，俞又暖也不说话，只用眼睛看着左问。左问自然不能告诉俞又暖，她得意的模样过分好看，叫人无端端就燥热。

电影平平淡淡，反响也平平淡淡，虽然颜值水平颇高，但于票房的帮助并不算大，豆瓣评分更是低得可怜。

左问在电影院一觉醒来，就见俞又暖眼巴巴地望着他，"我的投资能收回来吗？"

"还行。"左问道。其实俞又暖这种盲目投资行为实在不值得鼓励，但左问不想跟她过多讨论这件事。

"我以前和那个关兆辰关系很好吗？"电影投资也不是小数目，俞又暖有些好奇自己当初投资的原因。

左问神色晦暗不明，沉默不答。

俞又暖双唇撮圆，心下也算半了然了，不敢再摸左问的虎须。

回到俞宅时，慧姐见他们两人不同于早晨出门时的疏离，这会儿手拉着手从外面进来，心里不知道多高兴。

不过左问的热情似乎都在狭窄的跑车里燃烧光了，晚上睡觉的时候规矩得跟木乃伊一般，俞又暖不由有些悻悻然。

早晨起床俞又暖就闹头疼，虽然有夸张之嫌，但酒精对她的神经的确有些微影响。左问给俞又暖揉了揉太阳穴，虽然没说话，但是俞又暖从他眼里轻易就读出了"活该"两个字，只能撇着嘴指使左问做这做那。

"今天你不用上班吗？"俞又暖问，这都初八了。

"今天带你去医院复诊，若没什么大碍，我们出去度几天假如何？"左问道。

工作狂主动提出去度假，自然是极好的。俞又暖在医院的空中花园喝着柠檬水等左问，也不知道他和李院长怎么会有那么多话聊，只是左问出来的时候，心情瞧着着实不错。他这样的人，一路唇角居然一直翘着，让俞又暖十分惊讶。

"有什么好事吗？"俞又暖好奇地道。

"李院长说你恢复的情况很好。度假的地点你选还是我选？"左问微笑着问。

"你。"俞又暖对度假毫无概念。

"好。"左问看着俞又暖道。

俞又暖被左问盯得都有些脸红了，直觉左问有问题，"你倒是看前面啊，都绿灯了。"

后面车辆烦躁的喇叭声也没能有损左问丝毫的愉悦，俞又暖总觉得左问似乎突然就从冷面冰山的画风转成了笑面虎，后者更为可怕。

"我有点儿事去公司，你要不要跟我一起去，中午一起吃饭，嗯？"左问道。

俞又暖简直受宠若惊，像左问这种工作狂主动邀请你一起去公司，可是了不得的进步，"嗯。"俞又暖的嘴角弯起不小的弧度。

如今左问多在俞氏坐镇，他岳父俞易言死后的那段日子，公司群魔乱舞，他费了很大心血才压了下去，后来虽然表面波清浪静，但和俞又暖离婚的事情传出后，又有人开始蠢蠢欲动，因为一离婚左问的股份就少了，董事局主席这个位子自然有人眼热。

俞氏的大楼已经有些年头了，虽然地段寸土寸金，但在周遭新式大厦的掩映下，就显得有些落伍了。

"这楼就不能重新修一修？"俞又暖挑剔地道。

左问的车停在地面上的，因而拉了俞又暖在旁边转了转，给她指了指，"那幢楼四维刚买下，我想俞氏和四维合建一幢大厦，你觉得如何？"左问又指了一片地给俞又暖看，那也是这十年左问当政做主买下的。

俞又暖笑了笑，"那这块地可不小。"左问的眼光前瞻、气魄宏阔，将来大厦真的建成，恐怕又是一座城市地标。

"嗯。"左问也笑了笑，谁又不想在这座城市拥有一幢自己的地标建筑呢？

到了俞氏大厦的顶层，左问的特助崔明皓就迎了上来，看到俞又暖时微微有些吃惊，当然吃惊的并不止他一人。

俞又暖今日穿了一件红色及膝羊绒大衣，戴了一顶俏皮的毛绒瓜棱帽，一双小腿又细又长，叫人挪不开眼睛。她没有化妆，因为早晨头疼，这会儿脸色还有些苍白，唯独嘴唇自然红润得比别人抹了唇膏还鲜妍，两相映衬下显出一种额外的病弱冷淡美。

总办的几个女人见到俞大小姐，都觉得她又美出了新高度，素颜直接秒杀了美颜相机，彼此对视一眼，又开始偷偷打量面前这一对儿。

"我叫明皓带你去我的办公室。"左问捏了捏俞又暖的掌心。

俞又暖点了点头。

"俞小姐，这边请。"崔明皓领了俞又暖往前走。

进门时，俞又暖看向崔明皓道："为什么不叫我左太太？"

崔明皓微微一愣，笑道："习惯了。"

俞又暖颔首，她做了十年的左太太居然还被人叫作俞小姐，似乎有些不妥。

左问去会议室时，突然想起来，又侧身吩咐总办的柳瑜静，"去买几本时尚杂志给我太太送进去。"

柳瑜静抱着一摞铜版纸的时尚杂志走进左问的办公室，不着痕迹地打量起俞大小姐来。

俞又暖身上的大衣已经脱掉，露出了里面穿的藏蓝色大圆点连衣短裙来，脖子上斜系了一个颇大的蝴蝶结，显得娇娇俏俏。人生得白就是好，穿这样深色的裙子，显得异常年轻漂亮，又高又瘦。

这样的美人，也难怪刚才左先生要重新称呼她为"我太太"了。不过柳瑜静刚才也着实吃了一惊，就算别人不知道，但是柳瑜静在总办工作怎么可能不知道左问和俞又暖离婚的事情。这才过了多久啊，就复婚了？

"俞小姐，左先生让我给你送杂志来，你看看若有什么缺的，我再去买。"柳瑜静道。

"谢谢。"俞又暖放下手里的茶杯，看着那一摞十来本的杂志道："不用了。"

经过几个月的康复过程，俞又暖如今正常听说已经基本不成问题，但是识字是个缓慢的过程，所以她依然习惯看图片。

时尚杂志翻来覆去都是那几个奢侈品广告，看多了就了无趣味，俞又暖不得不赞叹柳瑜静的细心，她还买了几本街边的小周刊，属于俞又暖平日接触不到的类别。

俞又暖看得津津有味，最上面的一本给她了不小的惊喜，里面的一个专题里居然有左问的照片，但是一看就知道不是近照，也不知道是从哪年的访谈里扒拉出来的，没有如今左问眼底的深沉和韵味，不得不说男人30以后的年纪真是越老越勾人。

专题的名字是本城排名前十的钻石王老五，字很常见所以俞又暖也勉强认得，就是"王老五"是个什么意思还有点儿理不清楚。

俞又暖扫了一下左问的桌子，上面有台电脑，不过需要密码，她试着输了"俞又暖"三个字的拼音，居然一次就猜对了，心底的得意自然不少，也多亏何小姐教她拼音时，一再提示说如今网络时代，不会拼音打字艰难。

百度百科里说"王老五是民间俗语，特指没有家室之男士"。

俞又暖第一个反应是晒笑，这些小周刊还真是没素质，连别人的婚姻状况都没弄明白，就敢拿出来卖钱。

可转念一想，好歹也是本城大型报业集团旗下的周刊，这等错误犯得未免低级，左问怎么会没有家室呢？难道他们是隐婚？

但俞又暖觉着又不像是隐婚，后来想着她和左问都不是明星，小周刊要寻找卖销量的噱头，拉左问充数也不是不可能，毕竟左先生的颜值的确可以撑起一半的销量。

一摞杂志都翻完了，俞又暖看了看腕表，差不多已到午饭时间，左问还不见踪影，她拿了大衣走出门，柳瑜静赶紧迎了上来，"俞小姐，有什么需要的吗？"

"左问还没开完会吗？"俞又暖问。

"左先生有事出去了。"柳瑜静道。

"哦。"俞又暖又看了看表，"我出去走走，半个小时以后回来。"

俞又暖走进电梯后，上楼来串门的夏慧这才从角落走出来，碰了碰柳瑜静，"不是说离婚了吗？"

"老板的事你操那么多心做什么，就是离了也没咱们什么事儿。"柳瑜静深知左问不喜人八卦他的私事，所以也不敢在公司讨论。

"那可不一定。"夏慧抿嘴一笑，意有所指，"山珍海味吃过了，说不定就喜欢吃腌小黄瓜。"

俞又暖散步到楼下，打算沿着左问规划的未来的俞氏大楼走一圈，可刚走到大楼背后的小路上，就见一个女人正扑入左问的怀里。

左问没有推开那个女人，抬起的手犹豫良久，终于落下安慰地拍了拍那女人的背，然后握着她的肩膀将人推开。

Chapter 9

俞又暖的高跟鞋敲击在人行道的地砖上，发出"嗒嗒嗒"的清脆声响，正彼此"执手相看泪眼"的男女同时侧过了头。

左问的神情十分平静，丝毫没有被"捉奸"的慌张，反而对着俞又暖皱了皱眉头，似乎在责备她不该出现。

这真是当贼的比捉贼的还嚣张。

俞又暖斜眼扫向那小野花，矮墩墩的一个冬瓜样儿，就胜在肤色不错，红润健康。如果此时大小姐没有失忆的话，就会知道眼前这小野花就是当初她在餐厅里见到的那位和左问一同用餐行为颇为亲密的女友。

俞又暖此刻自然不知，只觉得左问这野食打得未免也太饥不择食，她的眼神再次狐疑地流连在小野花的身上，难道是所谓的天赋异禀？

那小野花明显也认出了俞又暖，满脸泪痕的脸上布满了错愕，可这错愕里又带着点儿"我早就该知道"的认命。

俞小姐可不能被人当着面欺负，她在左问和小野花之间，果断选择了好欺负的后者，以冷艳高贵的腔调碾压小野花道："你不知道他有妻子吗？"

"你们不是……"小野花的声音有些颤抖。

左问出声打断了小野花的话，看着俞又暖道："你回公司等我。"

小野花没想到左问会选择留下自己，一时眼泪磅礴，肩膀又开始抽搐。

但是俞又暖可没弄明白这局面，凭什么让她走啊？左问竟然一句不肯解释，开口就让她走。在情敌面前，如此失范儿，俞小姐坚决不接受。

"我不。"俞又暖定定地看着左问。

"你先回去。"左问再次出声，声音的调子凉了至少三分。

俞又暖的脸红了又白，白了又青，最后深呼吸一口，算了，当街撕逼的确不应该是她俞大小姐的做派，俞又暖双手插在大衣口袋里愤怒地跺着脚转身离开，高跟鞋被她跺得"嘚嘚嘚"地响，以表示她很不满。

左问给崔明皓打了个电话，让他下楼去接俞又暖，并吩咐他务必要让俞大小姐准时吃午饭。

叶鸢此时已经收起了眼泪看向左问，原来人和人的待遇真的不一样，她初时以为他是性格天生那般冷清，可今天才知道是自己天真了，叶鸢哽咽道："你这么久不联系我，就是和你前妻在一起？"

俞又暖车祸之后，左问就没再见过叶鸢，初时是忘得一干二净，后来则是顾不上，再想联系时已经过了时效，自以为应该是彼此都默认分手了。今天却没想到叶鸢追到了公司来。

"我以为你当初和我交往是认真的。"叶鸢流着泪道。任何一个女人都有矫情的时候，初时不联系，她以为是左问工作忙，彼此本就维持在一周见一到两次面的频率上，后来则是抱着你不联系我、我也不能联系你的矜持心态，再到后来的死心，如今不过是不甘心来求一个解释。

可是今日再见面时，不知为何，叶鸢只觉不舍，感情当然是一个不可或缺的理由，但不想放过这样的男人也是心态之一。

"对不起，我可以补偿你。"左问面对叶鸢的确愧疚，当初的确是认真交往，离开俞又暖之后，左问只想要一个简单的女人，不强求感情，彼此陪伴，生个一儿半女，黄昏归家有她做的香喷喷的饭菜便足以安慰。

只是谁也预料不到命运的安排，他过去想要的东西，真的送到他面前时，他才发现原来他也不过是叶公好龙。

"我不要你的补偿。"叶鸢用手背擦了擦眼泪，"是我看错了你，你和那些花花公子没什么两样，都是一样的玩弄人的感情。"

叶鸢哭着跑开，左问揉了揉眉心，原本早已吊死在一棵树上，可非要不甘心地挣扎，这就是害人又害己的后果。

俞又暖本来是要直接走人的，奈何崔明皓下楼的速度太快，她不想在下属面前给左问难堪，只能强颜欢笑地跟着崔明皓去了公司餐厅，听见他们盛赞公司的餐厅味美后，俞又暖用手里的叉子戳着盘中面目全非的牛排想，看来将来得让他们享享老板娘的福，以免猪食都当美食赞。

左问回来得很快，在俞又暖身边坐下时，直接拿过了她的餐盘，替她将惨不忍睹的牛排吃掉。俞氏的餐厅是自助餐制，标准堪比五星酒店，但对浪费粮食的惩罚也格外严苛。左问这个老板自然不能带坏头。

在对面看到这一幕的崔明皓和柳瑜静都默默地低下了头，他们大 Boss 虽然向来不浪费，但高冷惯了，如今骤然看他面不改色地主动吃老婆碗里那已经看不出原本模样的剩饭剩菜，此画风太过惊人，以至于他们都不敢直视。

"我已经让慧姐给你重新做午饭了。"左问拉了俞又暖的手往大楼外走，他早料到大小姐可能吃不惯食堂。

俞又暖想抽回手，奈何左问握得太紧，只能冷着脸道："你觉得我现在吃得进午饭？"气都气饱了。

左问侧头瞅了俞又暖一眼，将她塞进车里，俯身替她系上安全带，"吃了饭，我跟你解释。"

俞又暖现在正在气头上，并不是解释的良好时机。人的脾气不可能一直维持在高峰，过一会儿就会消减很多，左问深谙其道。

到了俞宅，饭桌上都是俞又暖爱吃的菜色，左问替她拉了椅子，"吃吧，就当是吃我的肉好了。"

俞又暖的确是想一直生气的，可此时闻言也忍不住觉得好笑，"人肉是酸的，我稀罕吃啊？"不过等嚼完了"左问的肉"，俞小姐爆炭般的脾气的确又消失了一些。

两个人一前一后上了楼，俞又暖走到卧室的露台上，眺望远处的湖水，湖面开阔，也有让人心胸开阔的意境，但她此刻只觉碍眼，转身双手抱在胸前将左问当作敌人一般地瞪着。

左问神色淡然地双手撑在露台的栏杆上，极目远眺，然后才缓缓道："我们的婚姻有过一段不算愉快的时光，彼此闹得很厉害。"

"所以你就出轨了？"俞又暖理所当然地接了一句。

这话噎得左问的眉头都快打结了。出轨的名声他自然不想顶，但"离婚"两个字当下却实在不愿意提。

牵出萝卜拔出泥，离婚的原因是什么，那说来话就长了。可以想象俞又暖后面还有很多问题等着他，又要将所有伤口上的腐肉都翻出来再晒一遍，再牵扯出无数男人，左问自问没有那么强的心理承受能力，于他而言，甚至更希望自己也能失忆。

左问沉默不语，俞又暖心里已经有了大致的猜测，闹得有多厉害？都到了出轨的地步。原来书上说的"七年之痒"真的存在，她俞又暖的丈夫居然也有出轨的一天。

简直，太打击人的自信心了。

至于离婚俞又暖是没想过的，她和左问之间有很多经济牵绊，真是闹到要离婚的地步，那绝对是无可挽回的，可是看左问现在的态度，说明他们以前的感情应该还是不错的。

"是为什么原因闹得厉害呢？"俞又暖追问道。

左问沉默不语地看着俞又暖，先前俞又暖还能顶住他的目光，可后来就有些心虚了，难不成是她的原因？倒也不是不可能。

俞又暖理智地暂时放过这个问题，反正都是过去的事情了。只是她还是忍不住嘲讽道："你打野食未免也太饥不择食了，那么爱吃肉，怎么不养头猪呢？"小野花模样和身材都很一般，唯有胸前那四两肉的确比一般人宏伟，当然屁股也比别人大，标准的好生养身材。

左问闻言只能无奈。

"你和她该做的都做了吧？"俞又暖忽然就放缓了语气，骤然见左问居然默认出轨，她指尖都气得发抖，心底深处升起一股尖锐的又酸又痛的感觉，逼得眼泪都要出来了。但此刻特地放柔声音，就是想让左问放低警戒。

只是这种预设的陷阱左先生自然不会跳，何况他也没什么可跳的，"只是牵过手。"

"这么说还挺纯洁啊？"俞又暖的声音渐渐尖锐，思想出轨比身体出轨更可恶，后者还可以说是动物本能，可前者那就是蓄意的。

左问叹息，伸手去捉俞又暖的手。

俞又暖将手背到身后，躲开左问，"她有什么好的？你是故意找这样一个什么都不如我的来羞辱我吗？"

这倒的确没有。叶鸾虽然平凡到无趣，但她非常会照顾人，很贴心和安静，跟她在一起很舒服。

"她很会照顾人。"左问直言道。

左问此情此景居然还在赞美"小三儿"当然绝不是脑子进水了，他不过完全是看人下菜。俞大小姐的脾气左问特别清楚，出轨这件事若要暂时解决只能将她的关注重点导向她魅力不如人上。

"会照顾人？你这是谈恋爱，还是找保姆呢？"俞又暖充分展现了她的尖刻。

左问有一丝无奈，不过被俞又暖这么一说，他还真不能说她错了，男人对保姆的要求自然不能太高。

俞又暖看着左问的眼睛，依然深邃而沉静，里面哪怕有一丝的内疚和自责俞又暖也不至于气成现在这个模样。虽然据说他们圈子里有二房的男人已经成了常态，但这里面绝对不能包括左问。

俞又暖深吸一口气，"是车祸前的那段时间吗？"

气极了的人自然不讲逻辑，左问点了点头，明白俞又暖问的是他们闹得厉害的时间。

"这么说，你是见我出了车祸，突然醒悟，原来最爱的还是我，这才痛改前非的？"俞又暖不无讽刺地道。

左问看着俞又暖不说话，事情大约的确如她所料，可如今被她这张嘴说出来，左问自己也觉得这事儿滑稽可笑，他这是智商低到了什么程度，才会同样的错误犯了两次，依然死不悔改，还乐此不疲。

此刻的俞又暖有些歇斯底里，左问的脑海里不由将她和从前的俞又暖重叠，多疑而多妒，那时候他工作很累，并没有多余的时间去宽慰大小姐莫名其妙的脾气，只觉得冤枉和烦躁，他到底是做了什么才让她误以为他是不忠之人？即便是她于生活上诸多刁难和推卸，他自认自己自制自克已经逼近了圣人的界限。

俞又暖见左问不说话，只当他是沉默的抗议，她又不是小孩子了，自然也知道这么大年纪还痴缠着"爱与不爱"实在滑稽，因而又道："又或者，左先生如今不过是同情我脑子有毛病，经不起刺激？"俞又暖指着自己的脑袋怒视左问，"所以明修栈道暗度陈仓，也不怕委屈了你那朵小野花？"

难怪当时急着撵自己走，着急安慰他那小情儿吧？俞又暖越想越觉得有道理。

说实话，左问在俞又暖身上没找到半点儿值得人同情的地方，她去同情别人还差不多，不过见俞又暖这样胡搅蛮缠，他又忍不住觉得好笑，"你这想象力未免也太丰富了。"

自己气得要死，对方却还无所谓地在笑，简直就是火上浇油，俞又暖都恨不能扑上去咬死左问，"你少糊弄我，难怪你在老家的时候，就由着你妈欺负我。"

这就是翻旧账了。

在老家的时候，左问不否认有故意无视之嫌，一来是心底邪恶，看俞小姐吃瘪他略觉得愉悦，二来嘛——

"你若是有儿子，将来就会知道，那时候我若是帮你，只会让我妈更变本加厉。"左问解释道。

俞又暖闻言脸色微微一白，瞬间似乎就抓住了某个重点。

她和左问究竟是为了什么会闹到他出轨的地步？这种事情，男人自然有责任，可难道自己就没有任何错？虽然俞又暖重新认识左问的时间并不算太长，但她心底是十分清楚的，左问不是那种出轨的男人，他若心底有了别人，定然会不惜离婚的。

那么答案自然而然就呈现在了俞又暖的面前。

关于孩子的问题，即使现在俞又暖也不想讨论，她打从心底排斥孩子的问题。她可以不要孩子，临老了潇洒一把，把产业都捐给慈善机构，但是左问呢？

"是不是冷了？"左问见俞又暖脸色突然一变，搂了她的肩，半推半抱地让她回了内室。

俞又暖颓丧地环住自己的肩膀，脑袋耷拉着，也不再说话。

左问将俞又暖搂到自己怀里坐下，轻叹一声，"我和叶鸾之间不过是吃了两次饭，并没有你所谓的暗度陈仓。我承认，那段时间的确感到有些疲惫。"以为可以彻底斩断以前的一切，可最后才发现，有些事真的是无能为力，而有些感情怎么也无法控制。

"那现在呢？"俞又暖抬起头。

"现在自然是像打了鸡血一样。"左问无奈地玩笑。

俞又暖忍不住笑了起来，眉眼弯弯，叫人看了什么都肯双手奉上。

左问低头去亲俞又暖，俞又暖躲了躲，她可还没那么快原谅他，但下一秒她的头就被左问单手扣住，俞又暖躲也躲不掉。

左问的唇炽热而灼人，手臂的肌肤也滚烫如火炭，他的手第一次探入她的衣服了，俞又暖莫名就想退缩，嘴里鬼使神差地冒出一句："别拿你的脏手碰我。"

左问的唇瞬间离开了俞又暖，彼此近距离地对视，俞又暖只觉压迫。

而左问的眼里则更多的是愕然，似乎没有反应过来"脏"的意思，再下一刻俞又暖只觉得嘴上一疼。

呵，这还有天理没有，出轨的男人，被人骂一声"脏"字，反而还敢咬她。俞又暖的嘴唇痛得厉害，直觉已经出血，她伸手去推左问，但男人每日坚持锻炼出来的肌肉可不是吃素的，不动如山，俞又暖只能承受。

后来左问虽然极尽温柔，但许久没有经历过夫妻生活的俞又暖到底还是没被取悦，冷着脸由着左问替她擦拭身体。

左问扣上衬衣上的最后一粒扣子，俯身亲了亲俞又暖的额头，"晚上有个应酬，我会尽早回来，你休息一下。"

俞又暖转了个身，只拿后脑勺面对左问。

左问走后，又休息了半天，俞又暖这才趿拉着拖鞋进了浴室。浴室镜里的她满身都是红痕，俞又暖的手指摸上锁骨附近的一枚红印，心想原来夫妻之间这档子事也没什么了不起的嘛，亏她还以为是什么了不得的事情，其实并没有什么意思，就是累人，而且痛，不明白为何会有人热衷于此。

俞又暖懒洋洋地泡了个澡，皱着的眉头还是没有舒展，她不喜左问罔顾她的意愿，他们可还在吵架呢，且吵架的内容事关原则，不能大事化了，但左问却并没有耐心再听她发飙，他倒是舒服了，只是俞又暖也不知道为何左问今天就像变了一个人似的，这样子交公粮，难道是急于证明他的清白？

晚上左问回来时已经十点，身上带着酒意，有些微醺，刚好碰到慧姐拿着托盘从楼上下来。

"又暖呢？"左问松了松领口。

"小姐身体不舒服，没吃晚饭，我刚给她热了一杯牛奶送上去。"慧姐道，"先生喝酒了？我给你拿解酒药。"

"不用。"左问快步上楼。

俞又暖穿着一身白色镂空花纹的长睡衣，单腿屈膝斜靠在榻上发呆，见左问进来也不过是动了动腿，侧身背对他。

左问将领结扔到一边，坐到俞又暖旁边，摸了摸她的额头，"慧姐说你不舒服，我带你去看医生。"

俞又暖拍开左问的手，"不要你管。"

左问没生气，反而轻笑地靠近俞又暖的脸，"哪里不舒服，我给你检查检查？"

酒气喷在俞又暖的脸上，让她忍不住皱眉，"别碰我，以后都不许你碰我。"

之后半天俞又暖都没能等到左问的下一个动作或言语，她忍不住侧头看了看，只见左问正定定地看着她，眼神幽晦难测。

历史总是惊人的相似，哪怕从前的事情全部忘记了，可人还是那个人。于床事，俞又暖从来都是能推则推，不能推就躲的。

以前左问由着俞又暖，惯出她一身的臭毛病，但如今一切都要从头开始的话，有些事就不能妥协。他为她吃过的那些苦，丢过的那些人，总要连本带利地收回来，才能心平气和地对她。

"发什么脾气？"左问伸手将俞又暖拉起来靠近他。

俞又暖争不过左问，皱着眉道："我没发脾气，我就是身体不舒服。"

"才一次就不舒服？"左问挑眉，他自问当时已经百般克制，处处顾忌俞又暖的感受，见她轻皱眉头都不由自主地放轻动作。

"就是不舒服，我不喜欢。"俞又暖胆子颇大，什么都能直接说。除了身体不舒服，还有怀孕的事情也让她避之唯恐不及。

俞又暖下午在网上查了许久避孕的各种手段，不认识的字还抱了一本字典来翻，最后确认什么事后药、避孕药，对女人都有影响，最好的就是让男人做措施，可是以左问下午的态度来看，俞又暖觉得他恐怕压根儿就没想过做措施，这是打算逼她怀孕吗？

左问看着俞又暖，心底一阵冰凉，他们的婚姻就像被推到高山上的石磨，不停地往低谷滚落，即使第二次再努力地将石磨推到山顶，好像也还是阻止不了它将再次滚落。

"可是我喜欢。"左问环住俞又暖的腰，鼻尖已经碰到了她的鼻尖，而俞又暖的腰已经向后弯成了半圆。

这件事，一个人喜欢，一个人不喜欢，究竟该听谁的？

酒气熏人，俞又暖伸手去推左问，左问却觉得今日退了，他日想收复失地那几乎等于不可能，因而热烈地啄着俞又暖的唇。

俞又暖拿腿去踢左问，就听见布料撕裂的声音，"左问，你这混蛋！"俞又暖急赤白脸地开始骂人。

而被骂之人总要对得起"混蛋"的骂名才行。

俞又暖好容易才找到一个空隙，从左问的身下钻出去，才跑出半步，就被他大力地拽了回去摔在床上，后背发疼。

"左问，你这是婚内强……"俞又暖尖叫道，又使力去挠着左问的背，果然是山里出来的野人，一身的蛮力。小镇虽然群山环绕，但非要说别人是山里出来的野人，也着实过了点儿。

俞又暖第二回被拽回去暴力镇压的时候，她和左问两个人都忍不住一僵。

俞又暖停止了所有的挣扎，只拿双手捂住自己的脸，真是要了老命了！刚才是谁说"不喜欢"的？

半个小时之后，俞又暖侧身蜷着腿躺在床上，越想越觉得气恼，伸腿往后一蹬，踢在左问的小腿骨上。

左问低头在俞又暖的肩膀上落下一吻，并不说话，慵懒得像餍足后的狮王。

俞又暖没好气地道："你现在高兴了吧？是不是还想点一支事后烟啊？"

左问搂住俞又暖的腰，探身低头看向她的眼睛，"可以吗？"

"左问，你这混蛋！"俞又暖抽出自己的枕头就去打左问。

左问由着俞又暖发泄了一通，这才道："我去给你放水泡澡。"

俞又暖看着左问起身，真是呵呵，仗着有了亲密关系，现在连衣服都不穿了？俞又暖的确是不想看的，可是眼皮就是管不住。男人裸露的背影，其性感程度一点儿也不输女性。

等洗澡水放好，俞又暖洗了澡出来，背对着左问躺上去，但是没过多久，两个人就都不由自主地坐了起来。

床单润湿冰凉，若只是一点半点，倒也无妨，但是大面积湿润，在冬天不是什么让人愉快的事情。

"应该在对面再布置一间卧室，这样以后这边不能睡了，就去那边睡。"左问实话实说地道。

俞又暖的脸红了又红，"那现在怎么办啊？"

左问想了想，起身去俞又暖的梳妆间找了两把吹风机来，大半夜的两个人相对着坐在床上吹床垫。

此情此景，片刻后两个人都忍不住笑了出来。

俞又暖低着头低声道："我是不是应该去看心理医生？"

"不必，我很喜欢。"左问低声在俞又暖耳边道，还含了含她的耳垂。

俞又暖忍不住抖了抖，扔下手里的吹风道："你吹，我要睡觉了。"说罢就转身背对左问躺了下去，也不管床垫还湿不湿。

左问吹干了床垫后，搂着俞又暖也躺了下去，在她耳边轻声道："你不必觉得心里有负担，全世界 90% 的女人都没你这种福气。"

俞又暖捂着耳朵开始喊："不许说。"

左问拉下俞又暖的手道："我看你就是欠收拾。"

不过不管欠不欠收拾，反正今天俞大小姐的确是累坏了。

左问轻轻拍着俞又暖的背哄她入眠，自己却思绪万千。俞又暖这种状态自然是不正常的，但是他舍不得她为了这种事去看心理医生。其间的种种难堪左问都经历过。

初时左问以为他和俞又暖在这件事上不谐是自己的问题，私底下也找过专家，只可惜所谓的专家都是纸上谈兵，徒增你的心理负担而已。下午俞又暖的冷淡，他也不是没看出来，心里打定主意这一次要逼着她一起面对，否则婚姻如何为继？所以无论是需要做婚姻咨询，还是看心理医生，这一次他都会陪着她，而她也必须陪着他，夫妻共同面对，开诚布公。

只是没料到晚上会有这样意外的惊喜，却是太出乎左问的意料。

直到早晨吃饭的时候，俞又暖的尴尬还没有过去，冷着一张脸坐在餐桌面前不说话。

慧姐不明所以地看向左问，左问倒是很自在淡然地道："慧姐，我想在现在的卧室对面再布置一间卧房，这两天我会找设计师过来，你领着他看一看。"

为什么好好的又要分房睡？慧姐转头看向俞又暖。

俞又暖在桌子下踹了左问一脚，恨他哪壶不开提哪壶，脸上却也依旧冷淡，"我看这餐厅也得重新设计，这什么乱七八糟的桌子啊？"俞又暖皱眉看向面前的这张小桌子，也不知道是谁的品位，在偌大的餐厅里显得不伦不类。

俞大小姐自然不知道这就是她以前的杰作。

"也好，餐厅也重新装修一下吧。"左问很上道地附和，顺便问了一句，"你刚才踢我做什么？"

俞又暖脸一红，瞪着左问道："吃你的饭吧，话多！"

这还是左问第一次被人骂话多，他颇为无奈，但慧姐总算是放下了一颗心，还以为他们夫妻俩又吵架了，她真是操碎了心，这两个人就没有个消停的时候。

用过早饭，左问挪到偏厅看报纸，俞又暖看着悠闲的左老板，忍不住问道："你不用去公司吗？"

"今天没什么事。"左问道。

"可是你平时不是挺忙的吗？"俞又暖又问。

左问从报纸里抬起头扫了俞又暖一眼，"钱总是赚不完的。"

俞又暖眼见左问没有出门的打算，心里开始烦躁起来，真是怕什么来什么，她记得那个紧急避孕药需要在 24 小时内服用，这可没剩下几小时了。

"你有什么事吗？"左问收起报纸问正在无意识地咬大拇指指甲的俞又暖。

俞又暖心虚地避开左问的眼睛，"没有啊。"说完拿起旁边花瓶里刚送过来的玫瑰，无聊地掰起花瓣来。

到十点左右，左问接了个电话起身，"突然有点儿事，我出门一趟，下午回来。"左问低头亲了亲俞又暖的额头。

俞又暖殷勤体贴地替左问拿了大衣和围巾，一路将他送到门口，"早点儿回来。"

"跟我一起去？"左问拉住俞又暖的手。

"天气冷，不爱出门。"俞又暖撒了个谎，终于在热吻之后送走了左问，感觉经历负距离亲密行为之后，左先生的肢体语言肉麻得真够可以的。

"小姐刚才不是说不出门吗？"慧姐听见俞又暖吩咐老王备车时，忍不住道。

"慧姐，你这样光明正大地听壁脚真的好吗？"俞又暖无奈地看了一眼慧姐。

山脚下就有一家药店，俞又暖戴上墨镜和口罩，这才走进去。

"买什么药？"穿着白大褂的店员起身问俞又暖。

"紧急避孕药。"俞又暖低声含糊地道，都不看店员的眼睛，亏得店员耳朵尖，对"避孕药"三个字格外敏感。

大冬天的戴着墨镜出来买这种药的人，在早就习以为常的年代店员还是头一次见，既然敢做又何必不敢认，人家站街的都大大方方来买。眼前这位瞧年纪又不是不够 18 岁，但似乎格外不好意思，拿了药之后跟做小偷似的，心虚得连确认都不确认就塞进了大衣口袋里，连找的钱都不要就匆匆出了门。

俞又暖一把拉开车门坐进去，这才松了口气，她其实也不知道自己在不好意思什么。俞又暖从大衣口袋里翻出药来，"毓"字不认识，但是看形状跟网上查到的汉字好似差不多，她又重新将药放好，无意间的一个转头，却见左问就坐在自己旁边，吓得她蹦起来"咚"的一声撞到了车顶。

哪怕左问眼疾手快都没能护住俞又暖的头顶，"痛不痛，有没有哪里不舒服？"

俞又暖痛得泪汪汪地没说话。

"你就不能爱惜点儿你的脑子吗？"左问的语气颇重。

"你怎么会在这儿？"俞又暖首先关心的是这个问题，她升起挡板，看到司机的位子上坐的已经不是老王，再仔细看了看内饰，才发现原来这不是她出门时坐的那辆车。

俞又暖拍了拍自己的额头，重新放下挡板，冷眼看向左问，"你是故意的。"

"的确。"左问淡淡地来了一句。

俞又暖正视前方开始生闷气。

"买什么了？"左问似乎对俞又暖的气闷毫无察觉。

俞又暖不说话。

左问伸手来翻她的大衣口袋，俞又暖恼怒地捂住口袋，"你干什么？"

可惜此时左问的食指和中指已经将药盒夹了出来，"你一个早晨魂不守舍就是为了出来买这个？"

左问这种不以为然的态度再次灼痛了俞又暖的心肺，"要你管！"

"又暖，别耍小孩子脾气。"左问的拇指摩挲了一下俞又暖耳侧的肌肤，俞又暖一个哆嗦，这是昨天晚上被左问新鲜发掘出的敏感点，此时此刻做来真是让人又气又哆嗦。

俞又暖咬着嘴唇，不说话。

"你一大早又是咬手指又是撕花瓣，问你有什么心事，你又不说，我才不得不出此下策的。"左问握住俞又暖的手，不许她抽回去。

眼神这么毒，怎么不去当侦探啊？俞又暖心想。

"那你也不能这样啊，我躲着你不就是不想让你知道吗？"俞又暖道，"我还有没有人权啊？"

"你自然有。"左问轻笑，这一笑险些晃瞎了俞又暖的眼睛，春风荡人心大约也就是这种程度了。

"不过你脑子不好用，昨晚又刚受了刺激，我怕你想不开……"

左问的激将法对俞又暖非常有效，"谁想不开了？"那么点儿破事儿，难道她还能去跳湖不成？

左问没吱声，手里把玩着那盒药，"认识这字吗？"左问指了指药盒上的"毓"字，念"yu"。

俞又暖知道左问这是拿自己寻开心，索性不再说话，但见左问拆了盒子，抽出里面的说明书，落下车窗，干净利落地将药盒扔进了路边的垃圾桶。耍帅到了连垃圾桶的位置都这么配合，俞又暖也是醉了。

接下来的时间，左问字正腔圆地以晚间新闻播音腔给俞又暖念了那药的副作用，"别吃了，经期会紊乱的。昨天是你的安全期，以后我会做安全措施的。"

"你连安全期都会算？"俞又暖也是昨天才听说这个名词的，但是百度百科里那长篇大论的字看得她头疼，索性放弃。

"你记得我的经期？"俞又暖再次追问，她自己都不太记得清上个月的具体日子。

左问揉了揉眉心，跟脑子不好使的人沟通的确需要耐心。"这样简单的事情，为什么不能对我直言？"

俞又暖心里翻了个白眼，那不是怕刺激你想起不愉快的过去吗？

"以你目前的身体状况并不适合生孩子，我也不会没经过你的允许就强迫你要孩子。"左问重新拉起俞又暖的手，摩挲她的手背，郑重承诺。

俞又暖主动抱住左问的手臂，眼睛亮晶晶地感动地看向他，轻声道："你不想要孩子吗？"

孩子吗？左问不由又想到那个没有缘分的孩子。他自然是想要孩子的，面对空荡荡的屋子的时候，曾经想得发疯。

左问眼底的忧伤和怅惘，俞又暖不是看不懂，她能觉察到左问的退让，心底松了口气，却又没觉得开心多少，她将下巴靠在左问的肩上，"白老师知道了肯定不高兴。"

"那你就多让让她。"左问捏了捏俞又暖的下巴。

俞又暖看着左问的眼睛，内疚感突增，不假思索地道："我就是还没准备好，不一定是不要孩子的。"

左问沉默了半晌，捏起俞又暖的手，在她掌心印下一吻，又捏了捏她的下巴，在她耳侧亲了亲，"嗯，我知道了。"其实有这句话就足够了，于左问而言，俞又暖何尝又不像他自己养的孩子。

俞又暖挺高兴的，曾经闹得极厉害的问题，如今两个人各退一步很平静地就解决了。俞又暖仰头承受着左问的亲吻，心想难不成还真是在自己车祸之后，左问就幡然醒悟了？

要知道左问不在的时候，慧姐可没少添油加醋地说她醒不过来的那段日子，左问是如何痛苦煎熬，如何坐在她病榻旁边彻夜不眠的。

左问的吻越来越炙热，到俞又暖觉得不对劲的时候，万事都来不及了。直到很久之后，才发现车已经停了下来，司机不知去向。

接下来的事情尽管俞又暖十分邪恶地觉得刺激，但羞耻心还是占了上风。停车场好歹也是公共场合。

但左问似乎心肠都被狗吃了，简直就是没心没肺、没羞没臊，任她如何挣扎、求饶也都无用。

俞又暖软绵绵地瘫在座椅上，一动不动地看着左问重新系好皮带，顺便整理了一下袖口。俞又暖累得说不出话，这种事情因为她特殊的心理，搞得跟打仗一般疲倦，真佩服左先生的能征善战，不愧是山里人，拿起枪就能当土匪。

左问低头看向俞大小姐，可怜兮兮地蜷缩着，白得跟鸡蛋白一般晃眼，眼睛红通通的别提多可怜，左问拿纸替俞又暖清理了一下，搂着她的腰帮她穿上小裤和内衣，"毛衣好像弄脏了，你直接穿大衣吧。"

好在俞又暖这件黑色大衣有腰带，紧紧地系起来完全看不出内里风光无限。俞又暖跟着左问下了车，腿软得还有些打战，"我们不回家吗？"急需热水澡和休息的人实在伤不起。

"本来只想和你吃顿中午饭的，你倒是先把我喂饱了。"左问笑着捏了捏俞又暖的脸，在座椅上枕久了，这会儿颊边还有红痕。

俞又暖真想让白老师把他儿子拎回去重新教育一番，和谐社会懂不懂？

车子停在南湖一片浓荫里面，仅此一辆车，四周竹绕树遮，想来先才的震动应该没有入第二人之眼，俞又暖脸上的热气终于弱了一点儿。

绕过竹篱，一湖烟雨带着初春的清愁，蒙蒙袅袅，南湖会所安静地掩映在林木里，显出一丝禅意来。

俞又暖啜了口热茶，一手握住温热的茶杯，一手放在左问的衣服里取暖，"我喜欢这里。"俞又暖点了好几次头，看起来的确是喜欢得厉害。

"你第一次到这边时，就说希望将来可以在这里用餐。"左问淡笑道。那时候这里还没有南湖会所。

这是左问第一次提及她的过往，俞又暖侧目惊讶地看着左问，"看来即使失忆了，我喜欢的东西依然不会变呢。"

左问的淡笑渐渐地淡去，将俞又暖的手从衣服里拿了出去，她的手冬天很凉，凉透了他的心。

"不要。"俞又暖不愿意把手拿出来，干脆两只手都摸入了左问薄薄的羊毛衫中。

上菜还需要一段时间，两夫妻都只是静静地坐着望着窗外，俞又暖的手依然在左问温暖的皮肤上取暖，她静静地坐着不过是因为累，懒得说话，如果能允许她蜷缩在沙发上的话，情况会更好。

至于左问，则是静静地看着湖面，上面仿佛有过去的影子飘过，良久才问出一句："你怎么不继续追究叶鸾的事情了？"

叶鸾就是俞又暖嘴里的小野花。左问虽然不是女人，但是他身为男人都如此介意对方的胡来，以己推人，像俞小姐这种人更不应该表现得如此淡然，自当日吵闹后，居然一字不提。

是因为不在乎，所以才不提？

俞又暖愣了愣，大概是没想到左问会提出这样的问题。她打起精神打量左问，确定他很在意这个问题，虽然装作很不经意，但是俞小姐的手就摸在左问的皮肤上，明显地感觉到了紧绷。

所以俞又暖斟酌片刻之后，严肃而认真地道："因为我没觉得是什么大事儿。"

左问的脸色一沉，阴沉得仿佛冬日暴雪来的前夕。

而俞又暖大约也察觉到了自己的表达方式有问题，因而继续道："我不知道该怎么表达，但是我就是觉得没什么事儿。"手掌下左先生的肌肤已经硬得像石头了，俞又暖敲了敲自己的脑袋，揪住左问腰上的肉道："你明白我的意思吧？"

左问冷淡地扫了俞又暖一眼，刚才若还会有所误会，但现在可以说没有了，于是冷哼一声，"你未免太有自信了吧？"高傲的俞小姐。

俞又暖脸微烫，当然自信是一回事，尽管男人偶尔会被清粥小菜所吸引，可是生活水平并不会就此而选择降低，但是最大的原因并不是这个，"不是啦，是我对你有信心。"

左问看向俞又暖，示意她继续。

"其实我知道，你不是那样的人。"俞又暖看着左问的眼睛道。

"真感谢你这么信任我。"左问都不知道该高兴还是无奈了，原来在俞小姐的眼里，自始至终他都是那个不会离开的人。

而女人的矫情做作，所针对的也只是那个她潜意识里知道会无限包容她的人。

"呃，好吧。"俞又暖又开始犯困了，说话就不再经过大脑，"那你下回想让我有危机感，应该找个更漂亮点儿的女人，或者更有气质的。"

谢谢指教。"那你如何解释我和她牵手的事情？"左问继续追问，简直就是打破砂锅问到底啊。

俞又暖在心里翻了个白眼，心想：左先生你这样追着问妻子对你出轨的看法，不觉得有些违和吗？小瞧她智商啊？

"我不是说了吗？下次想让我产生危机感从而开始珍视你，你应该选个更漂亮的，比如某人。"俞又暖说了个女星的名字，柔媚而迷人。的确在俞又暖看来，左问默认的那桩出轨，实在不值一提，因为自始至终她就没有危机感。

左问启唇欲言，但最终还是作罢，俞小姐还是小瞧他了，需要靠嫉妒来刺激她？当然此刻反驳，绝非明智，难道他要说，当初他是认真想放手？即使说了，估计俞小姐只会大笑三声，看看如今的结果，到底他永远还是赢不了她的。

此时话不投机半句多，左问轻轻捏了捏俞又暖的手臂，将她不规矩的手拿出来，"菜来了。"

南湖会所的装修风格十分清幽，但越是清幽雅致，花的钱就越多，这种地方一看就是土豆丝都能卖出天价的地方，端上来的菜却十分家常。

俞又暖早就饿了，尝了一块椒盐南瓜，偏头道："这个味道好熟悉啊，怎么那么像白老师做的啊？"

"你再尝尝这个。"左问给俞又暖夹了一筷子的宫保鸡丁。

"这个有点儿左爸爸的味道。"俞又暖品评道，她怀疑自己是不是受虐太多，居然开始怀念两个老人家的做饭手艺了。

"你舌头是真厉害，两道菜都是我教这里的大厨的。"左问道。

俞又暖将信将疑。

"试试？"左问站起身，朝俞又暖伸出手。

俞又暖被左问拉到了厨房，大师傅将围裙和高高的厨师帽子拿给左问，俞又暖好整以暇地斜靠在一旁的架子上，看左问施展颠勺的技术。

俞又暖看着十分家常的左问，脑海里忍不住幻想出她和左问在小公寓生活的场景，若是每天能吃到左先生下厨做的菜，想必一定是件值得炫耀的事情。俞又暖几乎可以想见其他人惊讶得掉下下巴的表情。

摆菜入盘的时候，俞又暖忍不住走过去从后面环住左问的腰，将头埋在他背脊上。

"感动了？"左问反手摸了摸俞又暖的头。

大言不惭！不过的确是有一丝感动，俞又暖看向转过身来的左问，"不如我们买个公寓住住？"

"嗯。"左问随口应了一声，将菜端到俞又暖的面前，"试试！"

俞又暖用手指夹了一块鸡丁，酸甜爽口，但是的确赶不上左爸爸，也赶不上大师傅，只是左问那一脸"求表扬求认同"的表情让俞又暖尖刻的话又说不出来。

左问笑容变淡，让人将两盘菜端到前面去，他自己伸手解了围裙，取了帽子。

俞又暖赶紧道："味道挺不错的。"

"不必敷衍。"左问拉了俞又暖的手，"术业有专攻。"左问回头冲大师傅点了点头，拉了俞又暖走出厨房。

俞又暖看不出坐在自己对面的左问的喜怒，但绝不敢将筷子伸到大师傅做的椒盐南瓜上，其实左问做的菜真不难吃，就是俞小姐挑剔了一点儿。

俞又暖以手撑着下巴看着埋头专心用餐的左问，"我想，我当年之所以会答应嫁给你，一定是被你挥舞锅铲的帅气动作给迷住了。"左先生做饭的色相，比他做出的菜的色相可迷人多了。

"你记起从前的事情了？"

对面的左问抬起头，眼睛里有愕然、慌乱还有失落，但就是没有惊喜。可惜眼神虽然是灵魂之窗，但能准确解读的人却没两个，所以俞小姐并未看出左先生眼里的复杂。

俞又暖摇了摇头，"没有啊，我只是突发感想而已。这么说，当初你真是用做饭来哄得我芳心相许的？"俞又暖向左问倾了倾身。

芳心相许自然是不能，但是的确可以谓之"哄"。当时俞又暖太年轻，即使她父亲逼她结婚，大小姐又怎么肯就范。

而左问追求俞又暖的手段又太过守旧，还带着书生气。如今他自己回忆起来都想自拍脑门，汗颜。

那时候左问所知道的约会方式不过就是看电影、逛街，最多还有去 KTV，看电影大小姐嫌弃人味儿重，唱 K 左问有些走调，逛街实在是对男人最大的磨难，更可怕的是自己的荷包还无法为大小姐的战利品埋单，所以左问追求俞又暖的方式，就是带她回绿园小区的公寓，给她做饭。一来是企图通过抓住女人的胃来抓住女人的心，二来是因为他的确厌倦了吃外面的饭菜，在自己家里哪怕一碗白面吃起来也舒服。

其实到那个时间段，左问对能娶俞又暖这件事已经基本绝望，可莫名其妙地在他那天做了宫保鸡丁和椒盐南瓜之后，俞又暖突然就松口了。

左问有些意外。

俞又暖的脸色倒是很平静，嘴角微翘带着嘲笑之意，"我又不是傻子，爸爸生病了，我知道他是放不下我，才想让我嫁给你的，我虽然不明白他究竟看中了你什么，不过爸爸不会害我的，所以，我同意嫁给你。"

往事历历在目，但回忆突然终结。

"是不是啊？"俞又暖摇了摇左问放在桌子上的手，打断了他的回忆。

"或许吧。"左问笑了笑，"我又不是你肚子里的蛔虫。"而左问实在不觉得俞大小姐会因为他给她做了一顿菜就打动了她的心。

回俞宅的路上，俞又暖问左问道："南湖会所的老板是你吧？"

"唔。"左问漫不经心地应了一声。

俞又暖抱住左问的手臂，上翘的嘴巴就是用铁锤砸也砸不平，想不到左先生也有这样的时候，今天居然带她出来大秀以前的恩爱。

晚上，俞又暖问慧姐："慧姐，你知道吗？左问居然会做菜，而且还不难吃。"

"那当然了，你也不看看是谁的徒弟。"慧姐笑道，又是一番大爆料，俞又暖才知道当初左问为了迎娶她，又不委屈她的胃，特地跟慧姐学过做菜，想必也特地跟她公婆学过做菜。

俞又暖躺在床上，侧头看向左问，他的鼻峰十分秀气和挺拔，侧颜已经叫人心醉，让俞又暖忍不住就看呆了。

其实初时醒来时，懵懵懂懂，对着左问更多的是雏鸟情结，因为他是自己的丈夫所以倍加依赖，可究竟是一种什么情感，俞又暖却从没有去理清，直到今日忽然就有了一种原来他不仅仅只是她的丈夫的感觉，还是她喜欢的人。

三月中的时候俞又暖和左问去了斐济度假，畅玩了半个月才回国，精神极好，回到俞宅时抱着慧姐又香又亲，可见旅途十分愉快。

"头发长长了，这个发型好看。"慧姐道，"是那个什么赫本头吧？"

俞又暖欢喜地摸了摸自己的头发，"嗯，好看吧？多亏左问不知哪儿找来的生发产品，不然还不知道要戴多久的帽子呢。"俞又暖的头发如今虽然依然很短，但好歹可以称之为有发型了，不再是"平头小哥哥"了。

"俞小姐去斐济好像一点儿也没晒黑。"俞又暖回国，何凝姝也回到了俞宅开始工作。

俞又暖的脸微微一红，因为泰半时间都关在卧室里，所以当然晒不黑啊，不过其间他们飞到德国去看《五十度灰》。这自然不能告诉其他任何人。

左问上班之后，俞又暖给范丽君去了电话，想去拜访。俞又暖自觉如今同人交往已经完全可以胜任，她也该恢复她的社交圈了。

范丽君看着越活越年轻的俞又暖，心下不无感慨，若非照顾得极好，又暖应该不会有今日的精神状态，比上一次失忆之前还活泼了不少，她好似又看到了20岁以前的俞又暖。

只是范丽君的心底又不无焦虑，又暖她到底知不知道她嫁了个什么人？看人向来极准的俞易言当初到底看清楚他选定的女婿是什么样的人没有？范丽君叹息一声，可是不管她有什么焦虑，过去的事情也绝不能由她说给俞又暖听。范丽君的面前不由又浮现出左问前段时间约谈她时的暗示。

"丽君阿姨。"俞又暖出声唤醒了微微走神的范丽君。

"哎，最近太忙了，有些精神不济，又暖，你还能不能回来帮我打理基金会？"范丽君道。

俞又暖想了想，"我得和左问商量一下。"

"你想去吗？"左问反过来问俞又暖。

俞又暖自然是想去的，在家里待着感觉无所事事，会闷成傻瓜的。

"那就去吧。"左问道。

俞又暖略微惊诧地看向左问，"我还以为你不会同意。"

"哦？"左问微微挑眉。

因为在俞又暖的心里，左问一直都是不喜欢她出门的，更不喜欢别的男人看她，最不喜欢的是她看别的男人。真的是很会吃醋的老男人。

在海边玩儿的时候，别人都是比基尼，趴在沙滩上晒皮肤的时候，还会解开比基尼上衣的带子。

俞小姐自然不愿意当另类，她的身材又不是拿不出手，可惜左问打击她，"你既然要脱了衣服晒太阳，每天晚上又何必把脸敷得跟鬼似的。"

"那是海藻泥面膜，消炎祛皱的。"俞又暖反驳。

左问沉默了片刻又道："虽然你很白，但是白种人是怎么晒都会白回来，你确定你今后能白回去？"

俞又暖不说话。

"不过也无所谓了，反正你怎么美白都比不上白人那么白，晒晒也无妨，晒黑了还可以掩饰自己的底色。"左问貌似妥协了，不再反对俞小姐解开比基尼的带子。

然而最终俞大小姐自然没能脱光衣服晒太阳，不过她晾了左问一个晚上，连正眼都不想看那个男人。

晚上左问给俞又暖放了一个 BBC 的纪录片，讲述人衰老的秘密，其中最重要的一个原因就是太阳晒太多。

"现在知道为什么老外 20 岁看起来都像 30 岁，"左问道，"而你 30 岁都看起来像 20 岁了吧？"

俞又暖并没有被左问恭维到，冷笑道："你把我的年龄记得倒是挺清楚的啊？"

以左先生的智商在恭维女人年轻这件事上居然也只能败走麦城。

当然整体上度假的过程都是极度愉悦身心的。

但既然回城了，俞小姐也不再甘于窝在家中发霉。

"我以为你不喜欢我出去工作。"俞又暖直言道，老婆太漂亮了，很多男人都会有左问这样的心理，俞又暖表示理解。

"你真的是肥皂小说看多了。何小姐那边我会叮嘱，今后只给你读世界名著。"左问捏了捏俞又暖微微长肉的脸，越看越顺眼，太瘦的脸容易显得尖刻，他实在不明白现在为何"锥子脸"大行其道。

俞又暖对于左问没有黑着脸阻止她出去工作这件事，其实某种程度上还挺失望的，"可是我什么都不懂，恐怕不能胜任呢。"俞又暖信心不足。

"你以前在基金会做得很好。你过去助理的电话我还有，我试试能不能重新帮你聘回来。"左问道。

俞又暖小鸡啄米似的点点头，连自己卫生棉的牌子和型号都了如指掌的左先生，知道她过去助理的电话实在算不得什么事儿。

俞又暖去基金会上班后，在家的时间便不太多了，何凝姝的事情却还得安排一下，其实俞又暖这一次失忆之后的生活能力恢复得又快又好，如今何凝姝所能做的已经不多。

何凝姝听了俞又暖的话之后，沉默片刻才鼓起勇气看向俞又暖，"俞小姐，我还能帮你继续做事儿吗？"

俞又暖看了看何凝姝，并不惊奇于她的要求。何凝姝这个人耐心细心，有点儿能力又不缺野心，俞又暖也很感激她多日的陪护。

何况何凝姝这个人很识时务，虽然对左问有点儿小心思，但是还算管得住自己，俞又暖想了想，"也好，我安排你先跟着周小姐做事如何？"

左问给俞又暖请回来的助理周清颜其实更像是她的生活保姆，杂事颇多，也的确需要个帮手。

何凝姝点了点头，谢过俞又暖，临走前回过头去望了一眼俞又暖，她肌肤带着淡淡的自然的珠光色，很漂亮，如果不是过得很快乐，不会有这样的光泽。她看见俞又暖接起电话，唇角自然上翘，神情语态都夹杂着娇嗔，想来肯定是左问来的电话。

何凝姝走出俞又暖的书房轻轻带上门，她其实也不是管得住自己的心，不过是绝望死心了而已。女人没有爱情，就再也不能失去事业，何凝姝不愿意一辈子都只做陪护的工作，俞又暖能给她一个机会，她很感激。

书房里的俞又暖此时正握着电话道："我还以为你没时间陪我去呢。"

不知道电话那头左问说了什么，让俞小姐挂了电话后翩翩然如蝴蝶般回卧室换了衣服，然后出门。

四维是租用的办公楼，大楼很新，但外部景致却不如俞氏大楼所在的那一片，俞又暖踩着高跟鞋走进大厅时，瞬间就吸引了大厅里所有人的目光。

"左太太。"前台的 Alice 笑容灿烂地跟俞又暖打了招呼，立即拨通了 Andy 的电话，"Andy，左太太到了。"

俞又暖在大厅稍立，Alice 已经将她一身的行头都铭记于心了，黑色雪纺长裙，上面印着大朵灰白水墨笔调的花纹，估值在五万左右，黑色高腰小皮衣，价格不要太贵哦。至于古董手包和戴在手腕上的钻石首饰，真是赚一辈子都买不起。

Alice 在心中默默地给女神点了个赞，这样的搭配穿在俞又暖身上格外的合适，既温柔又俏皮，身材好、气质佳，真是穿什么都有范儿。

俞又暖很喜欢 Alice 称呼她"左太太"，对着她微微一笑，简直令 Alice 受宠若惊，说好的高贵冷艳呢，俞小姐？

左问很快就出现在了大厅里，搂了俞又暖的腰往办公室去，"怎么来这么早？"

Alice 目瞪口呆之后，立即在公司的微信群里爆料，"妈呀，有生之年居然能在 Boss 脸上看到那么温柔的表情，难道是我幻视了吗？"

"腰好细。"有人默默地回了一句。

"这是剧组在拍偶像时装剧吧？"

说起时装，俞又暖的精心打扮的确引得了左先生的侧目。俞又暖在左问的视线停留于她胸口十秒之后，也扛不住地拉了拉皮衣，略微遮掩，但她还是下意识很自豪地挺了挺胸。

"平时没注意，今天才发现原来你的胸挺平的。"左问慢三拍地道。

俞又暖狠狠地抓住皮衣的领口，彻底遮掩了所有的事业线，讽刺道："自然不像你们前台胸那么挺，招聘条件上一定要求过三围吧？"

同时俞又暖不由又想起小野花那四两肉，冷笑一声补充道："你的小野花似乎也颇为壮观，左先生是小时候母乳没喝够吧？"

左问捏了捏俞又暖的脸蛋，"你嘴巴够毒的啊。"

Cathy默默地在微信群里加了一句："看到Boss大人捏老板娘的脸，萌了我一脸血。"

到了左问的办公室，俞又暖被左问强逼着给口腔消了毒，这才气喘吁吁地被放过，跑到左问的休息室里补了口红才重新踩着高跟鞋，气场全开冷艳高贵地出现在众人面前。连左问要拉她的手，都被无情地拒绝了。

坐到车上时，俞又暖从观后镜里留意到自己锁骨边上的那枚红印，刚才涂口红时思绪纷杂根本就没注意。

俞又暖无力地用手捂住脸，亏她刚才等左问收拾好东西一起走出办公室时，还努力摆出一副冷艳模样走到电梯口，这根本就是"此地无银三百两"呀。她不要被人以为在左问办公室里鬼混！

左问唇角翘起的弧度就没落下过，空出一只手拉了俞又暖的手道："这没什么。"

的确不算什么，但是俞大小姐还是自觉以后在左问的员工面前会很难摆出高冷姿态了。

"你刚才看见了为什么不告诉我？"俞又暖抱怨道。

"我刚才想帮你拉上皮衣拉链来着。"左问道。

好吧，当时俞又暖以为左问又想占她便宜，被她一巴掌打开了。如今后悔已经来不及。

俞又暖掏出粉盒，在锁骨处抹了很多粉，才算是遮住了不和谐的证据，下车挽着左问的手走进了某珠宝品牌的展厅。

俞又暖随意地浏览着展示柜里的珠宝，这一次还有古董珠宝出展，价格想来不菲。

"我出去接个电话。"左问在俞又暖耳边轻声道。

俞又暖点了点头，驻足在展柜前懒得挪步。

"这么巧，我们又看上同一款了。"

俞又暖转过身，看向旁边出声的人，长得很漂亮，气质是一种美式的洋气。

向颖看着俞又暖道："听说你又失忆了，看来还真是。"

"不好意思，你是……"俞又暖微表歉意，虽然不认识，但心里直觉自己和眼前之人恐怕并不相善。

"从幼儿园咱们就一路同学，大学也在一个学校。"向颖道，"你忘了我，我可有些伤心。"

"抱歉。"俞又暖礼貌地道。

向颖还想说话，却看到了正从门口走进来的左问，语气顿了顿，接着又道："见到你和左先生能重归于好真让人替你高兴，你做的那些事儿他都原谅了？"

俞又暖微微眯了眯眼睛。

"向小姐，这么巧？"左问走到俞又暖的身边，搂住她的腰。

"左先生。"向颖侧向左问微微一笑，"你们感情真好，我还有事，就不打扰贤伉俪了。"

"她说什么让你不高兴了？"左问低头看向俞又暖。

俞又暖张了张嘴巴，话到嘴边却又觉得说不出口，那个女人的话里信息量太大，俞又暖一时间很难消化。什么叫"又失忆"，什么又叫她做过的那些事儿？

可是不管是当初的关兆辰，还是后来的林晋梁，他们对她说过的话，俞又暖都可以直言告知左问，偏偏今日她有了自己的秘密，沉甸甸的秘密。

这世上总有人讲"彼此说清楚不就好了"。其实那只是因为旁观者清，旁观者的心里了无挂碍，得失似乎都可以淡然接受，但是局中人在看不清结局的时候，总是习惯性地隐瞒一些他们觉得有危险的事情，只为了"不失去"。

俞又暖觉得她和左问现在的关系很好，相处也自在，并不想多生事端。

最重要的是，不管左问做得多好，在他没有意识到的地方，俞又暖却早已察觉，左问似乎从来不提她的过去。

"她叫什么？说是我从小到大的同学，似乎很亲密的样子。"

"她叫向颖，的确是你同学。"左问道。

"我和她关系应该不怎么样吧？我住院的时候她连个果篮都没送。"俞又暖道。

那时候俞又暖什么都记不得，任何的信息对她都是过去的联系，所以闲来无事她经常拿着花篮、果篮中的卡片看，确信其中没有一个是来自"向颖"这个名字的。

"的确不怎么样，算是攀比关系吧。"左问总结道。

碍于左问不愿意亲自解释，接下来的时间，俞又暖只好自己在手机上搜索"攀比"的词义。

攀比是指"不顾自己的具体情况和条件，盲目与高标准相比。在消费等方面一味比高，不甘人后"。

很快俞又暖就亲自经历了一下这种心理。展览厅的后面就是拍卖大厅，拍卖的是别人收藏的该品牌百年前的古董首饰。

这种稀有而具有历史感的首饰似乎更受名媛的追捧，现在各大品牌的新款大多被小情人或者戏子戴在了身上，同她们撞款颇令某些人撇嘴。

俞又暖早在拍卖手册里相中了一个钻石手镯，并不算特别珍贵，难得的是很合眼缘。

只是俞又暖每一次举牌，向颖总要压她一头并微笑示意，平白将价格哄抬到了离谱的地步，俞又暖侧头看了看左问，左问脸上只是微笑，"你喜欢就好，又是古董首饰，可遇不可求。"

真是太贴心了，不仅应承付款，还主动为俞小姐的挥霍无度找了借口，俞又暖底气十足地又举了手牌。

价格已经堪称天价，俞又暖正在犹豫，却见左问轻轻压住她的手牌，她果断收手，在看到向颖脸上那种有苦难言的表情时，顿觉如饮醴泉。有些人似乎天生磁场就互相排斥。

"你怎么知道她不会再跟拍了？"俞又暖贴近左问的耳边问。

"由她父亲的资产估算的。"左问道。虽然手镯的价格对向氏不算什么，但向伯举给他女儿准备的信托基金却还是有限的。

俞又暖扬起下巴，在左问的脸颊轻轻印下一吻，"你真狡猾。"

虽然心里高兴，但整个拍卖会也就那个手镯合了俞又暖的眼缘，半路杀出这么个"同学"，其实也是遗憾的。

晚宴俞又暖没有兴趣参加，而下午左问也早就说好要带她去一个地方的，语气颇为神秘。

电梯在眼前缓缓打开，俞又暖第一眼就喜欢上了这套房子，装潢充满了艺术气质，临海一侧的落地窗边摆着一架三脚钢琴，俞又暖主修的乐器。

楼上是卧室和书房，外面有一个空中花园，中间一个古意木廊，摆着巨大的露天按摩浴缸，顶上有可以遥控的透明折叠顶棚，下雨的时候洗着热热的泡泡浴，看着外面的雨帘，光幻想就十分文艺和惬意。

书房不是那种厚重的图书馆装饰风格，三面都是落地窗，白色窗纱，零散的做旧白色木板书架，真是不要太文艺小清新。

"你效率也太高了吧？"俞又暖惊喜万分，离上次她说买公寓的时候，还不到一个月的时间。想来不是现装，但是这种装修风格她太喜欢了，恐怕比她自己装修还更为满意。

坐回车上的时候，俞又暖的思绪已经沉淀下来，此时正将手肘搁在窗沿上撑着脸，思忖着天底下有如此巧合的事情？这间豪宅地段和景观都十分稀缺，仓促间能买到实属稀罕，而且装修十分精致和用心，户主能还没入住就售出？

"这楼不能是近一个月买的吧？"俞又暖问。

左问掌着方向盘，头也没回地道："以前看着不错就买了。"

这样精心的布置明显就是要自住，"是我们闹得厉害的时候买的吗？"俞又暖又问。

左问侧头扫了俞又暖一眼，脸上带着似笑非笑的神情，"嗯。"

都是聪明人，知道再问下去就不好收场了。

"打算金屋藏野花的？"俞又暖也学起左问的皮笑肉不笑。

"怎么突然介意起她来了？你不是说她的魅力就跟菜市场卖菜的中年大婶一样吗？毫无威胁力。"左问很懂得如何叫俞小姐闭嘴，你跟她善说，她只会得寸进尺地无理取闹。

俞又暖果然不再说话，高傲地将下巴调向窗外。

"这里离公司近，你不是想试试二人世界的生活吗？明天若是有空，下班后我去接你买些日用品如何？"左问似乎没有发觉俞小姐在默默地生气。

"没空。"

"不喜欢这里的装修风格，嗯？"左问看向俞又暖。

俞又暖刚想嘴硬地承认，就听左问道："找的是你最喜欢的室内设计师布置的，你真不喜欢？"

俞又暖瞬间转怒为喜，"哦，怎么选的她？"前段时间重新布置俞宅的次卧和餐厅时，俞又暖亲自挑的设计师，效果令她十分满意。

左问冷笑两声，没接话头。这楼的确是他决意离婚后入手的，只是为什么地段选在俞氏附近，设计师风格又选的是大小姐喜欢的，当时左问不愿去想，不愿承认，今日倒是庆幸万分。

下车后，俞又暖主动搂住左问的手臂，"明天我让清颜把我下午的时间都空出来。"

左问不置可否。

晚上回到家，左问去书房时，俞又暖终于得了机会，叫了慧姐坐下。她忍了一下午，这会儿还是忍不住凝眉问道："慧姐，我以前还失忆过一次吗？"

慧姐微微愕然，随后就点了点头。

"你和左问，你们怎么从来都不提？"俞又暖追问。

"一来是没有谈到过这事儿，二来又觉得是给你增加心理负担，所以就没想着要提。"慧姐解释道。

"能有什么心理负担？"对于失忆的人来说，失忆一次和两次并无分别，"上次我是怎么失忆的？我怎么就这么多灾多难啊？"俞又暖抱怨。

说起这个，慧姐就有无数的抱怨话，"上次也是车祸，小姐自己驾车，车速太快，若非车的安全性好……"俞又暖只怕早就见阎王去了。

俞又暖挑眉了然，难怪她看到车的方向盘时，从来没有去碰一碰的欲望，车速一快，没来由的心就慌。俞又暖无意再提车祸的事情，只是忍不住算了算时间，左问居然忍心跟她一个失忆的人大闹，还弄得差点儿身体出轨，真是有些过分。

再忆及新公寓那间装修得满满都是爱心的儿童房，俞又暖才发现自己又被左问给忽悠了。自己是丝毫没有要孩子的心的，前几日做梦梦见自己大着肚子被推进产房还吓得哭醒，总不能以前是打算要孩子的吧？

"慧姐，以前的我喜欢孩子吗？"俞又暖不确定地问。

"小姐一直都叫小孩儿为小魔鬼，其实小孩子不难带的，真的非常可爱，小姐是不是回心转意想……"慧姐立马高兴了起来。

看来自己以前也是不喜欢孩子的。那左问新公寓的儿童房是装给谁的？俞又暖摸了摸下巴。

呵呵，可别搞出什么私生子才好，总不能那才是其貌不扬的小野花上位的关键所在？这倒也不是不可能，左问在孩子一事上那么容易就退让的确令人起疑。至于审美什么的，据说男人喝醉了酒，女人和母猪都区别不出来的。

俞又暖心里火烧火燎，想找人调查，又怕被左问察觉，她不愿轻易破坏现在的平静，据婚恋杂志说夫妻之间的彼此信任非常重要。

俞又暖默默地做了一下心理建设，最坏的结果不外乎就是左问有个私生子，若是他承诺不将那孩子带入左家，一点点赡养费俞又暖也是不介意的。

左问从书房出来的时候，就见俞又暖的脸色一会儿阴沉一会儿焦躁地交替，"怎么了？"

"你在外面是不是有私生子？"俞又暖的心事脱口而出。

左问一时没反应过来这一茬儿是打哪儿冒出来的，但很快就想到了原因，"还没有。"

"什么叫'还'啊？"俞又暖霍地站起身。

左问处之泰然地看了俞又暖一眼，似乎并没有解释的意愿，也没有要打消俞小姐怒气的意思，半晌之后俞又暖才见他伸出手来拉自己。

俞又暖想转身就走的，但到底忍了下来，这画风要是继续走下去，她都快委屈成菠菜汁了。

"若是有私生子能否权作我们领养的孩子？"左问问道。理论上讲，与其领养毫无血缘关系的孩子，还真不如左问去弄出个私生子来。

俞小姐的眼珠子都快要瞪落了，她的心理建设全盘崩坏，落在左问手心里的手指已经握成了拳头。

"抑或者我们可以找代孕？"左问拉了俞又暖的手坐下。

"代孕"是什么？俞又暖赶紧搜索了一下，可以体外受精，双方甚至不必见面，一手交钱一手交货，事后也无后顾之忧，倒不失为个好办法。

但是俞小姐的心里依然膈应得要死，哪怕左先生的子孙其实都浪费在了小小的塑胶套里而进入了垃圾站，她也不愿意将"垃圾"送给别人回收利用。

"无妨，这件事并不急。"左问很体贴地拍了拍俞又暖的手背，"我去洗澡。"

俞又暖心里充满了挫败感，她可真是哪壶不开提哪壶，再面对左问时难免就添了几丝"自己太不懂事"的内疚，任其予取予求。

等左问将她的双手从绑着粉色丝带的床柱上解放出来时，俞又暖在心里咒骂，她和左问到底是谁心理更变态啊？

大半夜的左问自己套了睡袍，将白得跟煮鸡蛋一样的俞又暖抱到了对面的次卧，搂着她沉沉睡去。

　　下午在百货公司的家居馆逛时，俞又暖听得有人叫左问的名字，侧过头去就见一个"十分丰满"的女人拉着一个小男孩儿的手站在不远处。

　　这女人胸前那两坨似乎很符合左先生的审美，小男孩儿胖得看不出五官像谁，俞又暖的心里"咯噔"一下，下意识地抱紧了左问的手臂，该不会是真的来私生子吧？

　　"思淼。"左问的语气颇为熟稔。

　　贾思淼看向左问身边的俞又暖，其实上回在宾市见面时，贾思淼觉得俞又暖挺好相处的，结果过几天当她听闻收垃圾的阿姨在垃圾堆里翻出一个名牌新包，转手卖出几千块时，对这位俞小姐就有了些新的认识。

　　"俞小姐。"贾思淼颇为疏离地跟俞又暖打了个招呼。

　　俞又暖默不作声，等着左问跟她介绍，不过她身材高挑，又踩着三寸红底高跟鞋，俯视贾思淼时，怎么看都带着点儿倨傲。

　　贾思淼是教师子女，虽然为人亲和，但骨子里必然带着知识分子的小清高，既然这位俞小姐一脸不认识的态度，她也没必要笑脸相迎。

　　俞又暖看着那正吃着某快餐连锁蛋筒冰淇淋的小男孩，再看着那白色的奶液因为融化而往下滴在小男孩的手上，心里想着她一分赡养费都不会付的，也不允许左问付。

　　"又暖，这是我高中同学，贾思淼，也是我高中班主任贾老师的女儿，上次我带你去看望过贾老师的。"左问替俞又暖介绍得很详细。

　　原来并非外面的小三儿带着儿子找上门，警报解除，俞又暖微笑着看向贾思淼，"你好。"

　　贾思淼诧异地看向左问。

　　"我太太前段时间出了车祸，不记得以前的事了。"左问向贾思淼解释。

　　早说嘛，贾思淼的神情也顿时为之一变，"原来是这样，刚才是我误会了，又暖你别介意。"贾思淼拉了拉身边小男孩的手，"帅帅叫叔叔、阿姨。"

　　帅帅小朋友只顾着吃冰淇淋，根本不抬头。

　　俞又暖看着胖嘟嘟的小男孩，下意识就要建议贾思淼别给小朋友吃冰淇淋，注意节食减肥，却被左问打断了思绪。

　　"有空吃个晚饭吗？"左问问贾思淼，高中异地求学，多亏贾老师帮助，蹭了他们家不少饭吃，又害得贾思淼体重飙升，于情于理他都该尽地主之谊。

　　贾思淼点了点头。

"帅帅想吃什么？"左问弯下腰问贾帅帅。

帅帅指定要吃某家比萨，一行人只好坐进某廉价而著名的连锁比萨店中，俞又暖晚上对任何淀粉食物都不感兴趣，又因为自己的意愿被左问直接略过，只能闷闷地，默默地在心里为帅帅的头顶画了两个魔鬼角。

算了，成熟的女性不跟小孩子计较。

用饭的过程中，俞又暖了解到，贾思淼和帅帅的爸爸离婚了，到本城来是因为工作变动，左问主动提出帮她解决公寓的问题，令贾思淼感激不尽。

"其实我们还有很多高中同学都在这儿，有空不如大家聚聚。"贾思淼笑着看了一眼俞又暖，"他们都很想见见你太太。"

周末贾思淼来电话告知左问聚餐的具体时间和地点时，俞又暖正没力气地躺在左问的腿上大口大口喝着水，左问喂了她一身的水，又低头来抢她嘴里的。

"约的什么时候啊？你对贾思淼的事情倒是挺上心的。"俞又暖问。

一周不到的时间左问就已经帮贾思淼把公寓安排好了，昨天下班的时候还亲自去给帅帅挑了一个遥控飞机的礼物。

左问轻笑出声，替俞又暖拨开她被汗水黏在额头的头发，她的眼睛里还带着没有退去的水色，嘴唇红肿，可惜不能再咬，不然就没法见人了，肌肤因为热气未退还泛着粉色的珠光，上面残留着纯净水的水滴，左问扫了一眼墙上的钟，重新低下头，"还有时间。"

真是不得不叫"救命"了，可惜还是只能承受，因为左先生根本不听人哀求，将强盗流氓演了个十足的像。

以至于赴约下车时，俞又暖全身一半的重量都压在了左问的手臂上。她今晚穿了件深绿印花挂脖长裙，设计感凸显在挂脖的系带先在胸前交叉之后再环绕到脖子上系在颈后，她锁骨异常漂亮，后背的蝴蝶骨也极美，这样的露背装其实极挑剔身材的细节，但俞小姐完全可以驾驭。

餐厅的灯光打在俞又暖的裙子上，仿佛有波光从她肌肤上涌出，把绿色的裙子映出了翡翠的水色。

左问的眉头几不可见地皱了皱，"你有必要穿成这样吗？"

俞又暖心中冷笑，同学会这种事情，还是小心为妙，指不定就跑出个旧日暗恋的女神来，俞小姐妩媚而笑，"就是普通的裙子啊，只是长了一点儿罢了。"俞又暖微微提起裙摆，把脚踝上那圈抹了药但是还没退的红痕露到左问的眼皮下，"呶。"

左问撇开眼，沉默地搂了俞又暖的腰走进包间。

在座已经有七八个男男女女，贾思淼站起身热情地朝左问和俞又暖打招呼，"左问，你们怎么才来啊？等不了你们，我们都吃上喝上了。"

"抱歉，是我们来晚了。"左问托着俞又暖的腰，将她带到座位上，"我自罚一杯。"

倒不是左问豪爽，而是他们迟到的时间的确太久。

俞又暖脸上也带着抱歉的微笑，让人等了一个小时，实在失礼。究其原因，还是因为左先生低估了俞小姐的魅力值，又高估了他自己的自制力，所以时间其实并不像他预计的那样充沛。

再加上俞小姐严于律己，出门前打扮的时间略微长了一点儿。其间左问催了三次，都被俞又暖给噎了回去，"你刚才收拾我的时候怎么不急？"

左问只能摸摸鼻子。

"我太太，俞又暖。"左问向众人介绍道。

彼此打了招呼，红着一张关公脸的马斯林一点儿也不见外地上来就捶了捶左问的肩膀，"武让人嫉妒了，兄弟。"他和左问以前是一个宿舍的，关系自然比别人亲近一层。

俞又暖和左问落座之后，才知道了这几个人分别是谁。马斯林如今自己开了一家小公司，另外在座的两位男同学但德天是公务员，李立在学校当老师。

但德天和李立都已经结婚，今晚也带了老婆过来，马斯林却还单着。

"还记得咱班白女神吧？"贾思淼笑着问左问。

左问朝白素点了点头，白素微微一笑作答。

"左问肯定记得啊，当初我们都以为他毕业后肯定会和白素来一段的。"马斯林在一旁出声道，"哎，要不是当时贾老师管得紧，他们肯定早成了。"

"胡说什么呢，马司令。"贾思淼打了马斯林的肩膀一拳，司令是他的绰号，"人左问老婆还在呢。"

"明知道是同学会，还带什么老婆来啊。"马斯林在一旁怪腔怪调地笑。

至于马斯林嘴里说的白素，其实俞又暖一进门就注意到了，她应该和左问差不多年纪，但是看起来也不过二十八九的样子，长得非常漂亮，但这种漂亮并非惊艳，是一种颇耐人寻味的漂亮，气质优雅里带着沉静，笑起来有点儿那种民国才女的味道。

白素今晚穿的是一件旗袍，她身材很不错，凹凸有致，穿出了旗袍里的中国古韵，让人忍不住就想多看两眼，白素是那种让人一见就想娶回家的女人，温柔贤淑，不必深交，也知道判断不会出错。

马斯林久混社会，脖子上一根小指头粗的金链子，尽显江湖气，玩笑开得肆无忌惮，"同学会，同学会，拆散一对是一对嘛。"

"哎，我说马司令你……"贾思淼有些尴尬起来，有些玩笑开一句就行了，但是马斯林明显喝得上了头，偏离了分寸。

白素也微微皱了皱眉头。

马斯林站了起来，朝左问和俞又暖端起酒杯，"小俞，你别介意，我只是开个玩笑，活跃活跃气氛。"

俞又暖没起身，只是抬起眼皮扫了对面的白素一眼，眼波这才玩味地流转到马斯林的身上，嘴角微微一翘，她还是第一次被人叫"小俞"，颇为新鲜。

哪怕马斯林心中一直住着女神，看着俞又暖的眼睛时脊椎还是忍不住酥了一下，"别听我瞎说，有你这样漂亮的人当老婆，肯定怎么拆都拆不散的。"

俞又暖不语。

马斯林在俞又暖的眼波中居然就认了怂，"我自罚三杯行不行？"马斯林举了举杯，仰头一口就干掉了杯中的白酒。

俞又暖端起酒杯缓缓站起身，和马斯林递过来的酒杯轻轻碰了碰，微笑道："谢谢夸奖。"

马斯林自然又是先干为敬，而俞又暖的酒杯则被左问盖住了，"她不会喝酒，我替她喝。"

"真没想到咱们左学神这么会疼媳妇儿啊。"坐在白素旁边的烫着大妈卷的已婚女同学周红莲笑道。

"这你们就不知道了，当年左问可是我们宿舍公推的绝世好男人。"马斯林又出来调笑。

在场所有认识左问的女同学都"扑哧"笑了起来，尤其是贾思淼，笑得肉波乱颤，显然大家都是不信的。

"嘿，你们别不信啊。那会儿白素有一回不是打开水的时候，水瓶胆炸了被烫伤吗，在床上躺了一个多礼拜，记得不记得？"马斯林问。

一说起这个事儿，大家还都有点儿印象。白素也点了点头。

"你们女生那时候喜欢早自习之前把水瓶提到开水房放下，吃了午饭顺路打水回宿舍是不是？"马斯林又问。

众人都点头，那时候开水房离女生宿舍实在有点儿远。

"白素烫伤那个学期，你们宿舍的水瓶是不是被人承包了，等你们吃了饭，天天有人给你们打好了提到宿舍楼门口，是不是有这事儿？"

白素和周红莲都点了点头。

马斯林看了左问一眼，"就是左问干的。"

"不可能，那时候我们专门还去跟踪过，不是他提的。"贾思淼肯定地道。

马斯林嘿嘿一笑，"那是因为那个学期，我们整个宿舍的课后辅导和作业题全被左学神义务承包了。"所以也算是集体活动了。

原来如此啊。

"快看，白素的脸都红了。"周红莲叫道。

毕业多年以后，调戏班上的男神女神那是大家共同的爱好，其实并没什么大不了，大家只是在回忆那段青春时光而已。

"不可能吧！没想到啊，我爸日防夜防居然没防到这茬儿。"贾思淼也在惊叫，她是的确没想到，居然还跟俞又暖说左问从没追过女神。

原来当初学神追女神是那样低调，低调得女神自己都不知道。

"哎，人家左问那是觉悟高，不想影响白素同学的学习，所以我们才以为他们俩毕业后肯定要在一起的。"马斯林不无感叹，当然心里不由又补了一句，幸亏没在一起，不然他就更没有机会了。

"那怎么后来又没在一起啊？"周红莲大感好奇地问左问。

俞又暖其实也很好奇地抬头看向身边的左问，只不过脑子里闪过当初"稚嫩"的左问双手提四个水瓶的画面，真是怎么想怎么就想笑，当然心里酸酸的滋味肯定是有的，但现在绝不是展现醋意便宜情敌的时候。

左问垂眸看着俞又暖扑闪扑闪的满是好奇的大眼睛笑了笑，"马司令要是不提这事儿，我都记不起当年还有这样青葱的岁月了。"

这话是对大家说的，但很大程度上其实是对俞又暖说的。

白素的眼里闪过一丝失落，居然就那样不知不觉地错过了，她原本以为左问对她没有任何意思的。

其他人都长长地怪怪地"哦"了一声，表示明白，人家左问的老婆还在座呢。

左问也没解释，只是淡淡地笑了笑，他其实真记不得这件事了，不过被马斯林一提，印象肯定是有的。

十几年后再回忆这件事，只觉当初太好笑了，这种"闷声做好人"的追女孩子的方式实在够蠢。至于后来为何没有继续追人，原因不外乎是"不够喜欢"而已。

毕业填的志愿不在一个城市，维持一段异地恋无论是消耗的精力还是金钱都不属于理性投资，自然不被左问列入考虑范围。所幸并未对别人造成困扰，因而就此放手。

今日再回忆，没有了当初的那份感觉，自然也就不再忌讳被人揭出底来。

听这些人聊着他们过去的事情，俞又暖虽然觉得挺有趣，但局外人的感觉肯定少不了，而她自己的过去，她的高中在她的脑子里却什么也没有。

"怎么了？"左问感觉身边的俞又暖动了动，侧过头问她。

"我想去洗手间。"俞又暖在左问耳边低声道。

"我陪你去。"说着左问就站起身，替俞又暖拉开椅子。

"不是吧，这么缠绵？连上个洗手间都要一块儿？"马斯林又开始怪腔怪调地调笑。先前饭桌上，马斯林说了好几个带颜色的笑话了，开起玩笑来更是荤素不忌。

俞又暖的脸在众人的眼神里忍不住发烫，"我自己去就行了。"俞又暖坚决不肯让左问陪。她转身出去，在回头拉上包间的门的时候，听着里面的人谈笑风生，连左问一贯淡然的脸上都一直有笑容，心里忽然就有些惆怅。

洗过手，俞又暖从洗手间走出门，不大愿意回包间，穿过饭店的走廊，走到外面的露台上吹风。

"又暖。"

林晋梁刚才就站在不远处的花台边吸烟，此刻正在按熄手中的烟头。

"林先生？"灯光有些暗，俞又暖不太确定看到的是不是只有过一面之缘的林晋梁。

虽然左问暗示这位林先生的追求对她造成过困扰，但是俞又暖对林晋梁生不出恶感来，大约是他的眼神太过忧郁痴情了吧。

林晋梁贪婪地看着俞又暖的脸。在遇到俞又暖之前他的生活一直很平静，像一潭死水，也相过几次亲，其中也有可以共建家庭的优秀女性。

但直到遇到俞又暖，她就像星星一样落入了他平静的心湖里，溅起了巨大的水花，林晋梁才知道原来生活可以那样的诗情画意。

如果不是后来发生的那些事情，他现在一定是这世上最幸福的男人，林晋梁的手微微发抖。全是他的错，如果当时他不是那样着急，着急送又暖去民政局，怕那个男人借口工作忙又推迟办理离婚证，就不会发生车祸。

林晋梁每天都恨不能醒过来时一切都是一场噩梦，他依旧在和俞又暖筹备他们的婚礼。

"林先生？"俞又暖再次出声。

林晋梁看着俞又暖眼里的陌生，还有警惕，忍不住苦笑，她什么都不记得了。他知道她现在过得很好，私人侦探送过来的照片里，她笑得很甜蜜。

这原本都是他的！林晋梁握紧了垂在身边的手。他醒过来之后知道又暖还在昏迷，不要命地冲去看她，那时候被左问拒之门外，他还以为左问只是单纯的生气。

等他养好伤上门，一次又一次被拒之门外时，林晋梁才惊觉自己是太天真了，他父亲对他和俞又暖的事情也从以前的支持变成了反对，到后来他们闹得不可开交，他父亲甚至不惜软禁他。

林晋梁找过左问当面对质，被左问问得哑口无言。

"比起她的命，你更在乎她能不能离婚这件事？"

"你知不知道，她可能一辈子都醒不过来？"

"你还有什么资格保证将来？"

其实这些话都阻止不了林晋梁，他并不在乎他父亲的金钱，哪怕断绝父子关系他也不在乎，但是当他在温泉山庄里，看到俞又暖陌生的眼神时，从前的种种就再也说不出口。

他于她来说，从此就是个陌生人。

俞又暖久久等不到答复，刚要再次出声，就看到了出来找她的左问。

左问不知道是没看见林晋梁，还是直接无视了林晋梁，上前替俞又暖理了理被风吹乱的头发，"觉得闷？"

俞又暖点了点头，由左问搂着往里走，却还是忍不住回头看了林晋梁一眼，不知为何总觉得他的神情让自己没来由地心酸，过去的事情记不起来还真是让人烦躁。

饭后，左问的一众老同学嚷着要去唱歌，俞又暖精神不济，左问就推辞了。

"回俞宅。"俞又暖吩咐左问的司机。

左问微诧地看了俞又暖一眼，没有反对，直到两个人毫无交谈地一前一后走进卧室，左问才上前两步拉住俞又暖的手肘，"怎么了？那个人说了什么让你如此闷闷不乐？"

"他什么也没说。"俞又暖道，正是什么也没说，才让俞又暖烦躁，这该死的记忆缺失。

"你今晚去次卧睡好吗？"俞又暖扶了扶额头。

左问放开俞又暖的手肘，神情晦涩不明地道："又暖，他究竟跟你说了什么？"

俞又暖不知为何，突然就觉得烦躁异常，忍不住高声道："他什么也没说，想必是有苦难言。是我自己什么也记不起来。"俞又暖捶了捶自己的脑袋，"你就不能让我静一静吗？"

空气仿佛为之一冷，左问没说话，转身出了门，拿出手机打了个电话，一个小时后就有人将刚才餐厅摄像头拍摄的视频给左问带了过来，里面俞又暖和林晋梁并未交谈，左问揉了揉眉心，缓缓地吐出一口气。

而俞又暖则颓丧地走到露台上的椅子上坐下，今晚她的确有些不对头，莫名其妙地迁怒了左问。只是看着他和他的同学回忆以前、调笑戏谑，她心里就觉得自己好像是个不完整的残缺的人，抑或是嫉妒吧。

左问的过去有个求而不得的白素，还有其他在他生命里扮演过重要角色的人吗？那么她自己呢，林晋梁和她又究竟是怎么回事？俞又暖的生活里充斥着无数的谜团，但除了她自己，却无人能帮她解答。

所以她才忍不住烦躁异常。

夜深人静，更深露重，俞又暖抹了抹自己的眼泪，她连她爸爸的样子都记不起来呢，还有她的妈妈。

而有些难受，是相爱的人就算在身边也无法缓解的。他虽然难受，却也无法代替自己难受。

左问在落地窗后静静地立着，看着俞又暖的肩膀抽搐，抬了抬手，最终还是没走出去，任她把不好的情绪都发泄掉。

良久后，等俞又暖的肩膀不再抽搐，左问才拿了一条毛巾走过去给俞又暖披上。

俞又暖眼睛红肿地倒入左问的怀里，伸手环住他的腰，肩膀再次开始抽搐，眼泪把左问的胸膛打湿了一大片。

左问轻轻抚摸着她的背脊，低头在她额头亲了亲，两个人都不说话。

最后俞又暖才捉住左问的衣襟，"你给我找个催眠师好不好，我听说人催眠之后能看到过去的事情。"

"好。"左问轻声应了，"进去睡觉好不好？"

左问跟伺候孩子一样帮俞又暖脱了衣服，给她洗澡吹头发，然后抱她上床。这个人早前哭得太累，沾床就睡着了，唯有左问睁着眼睛仰躺着，过了半晌，侧身转向俞又暖，在黑暗里轻轻地吻上她的肩膀，像膜拜自己心中的神一样，虔诚地吻着她的身体的每一寸。

一大早俞又暖在阳光里醒过来，头疼得厉害，伸手想拿药，还没碰到就被人搂入了怀里，感觉太阳穴附近有一个温柔的力道在轻轻按摩。

半晌俞又暖重新睁开眼睛，拉过左问的手，嗓音沙哑地道："真没想到这双手还帮女同学的整个宿舍提过水瓶呢。"

左问轻笑出声，喂了俞又暖一口温盐水，"你昨晚就为这个迁怒我？"

俞又暖有些讪讪，左问和白素那都是过去的事情，顶多算恋爱未遂，吃醋未免显得太过小气，但心里的确憋屈，俞又暖翻身骑到左问的腰上，抱住他的脖子道："那你坦白，你以前是怎么追我的？"

"不是说过了吗？我给你做了一顿饭，你就答应嫁给我了。"左问拉下俞又暖的手，"起床吃早饭吧。"

"我以前有那么单蠢白吗？"俞又暖不信。

左问只是轻笑，抱了她去浴室梳洗。

俞又暖轻叹一声，坐在洗漱台上晃悠着一双大长腿，"哎，我真想想起当初我们谈恋爱时的情形。"俞又暖抬头望着天花板畅想着，"嗯，你应该没帮我提过水瓶。"她猜想自己上学的学校大约是不需要打开水的。

左问将挤好牙膏的牙刷递给俞又暖，揉了揉她的头发，"等会儿记得把眼屎洗干净。"

一句话就把俞又暖畅想的泡泡给戳破了，她伸腿去踢左问，口齿不清地吐出一个"滚"字。

老夫老妻就是讨厌，什么丑态就见过了，不像初恋，还是心中的白月光。

但是昨晚俞又暖也没为这事儿跟左问闹。都是过去的事情了，左问也表现得坦荡荡，再说了俞小姐也不是对自己没自信的人。

只是左问过去的同学未免素质太低，居然在自己的面前就说左问以前暗恋白素的事儿，那什么马司令和他脖子上的粗链子还真相配。

下午不到三点，左问就到了俞宅，他昨晚睡觉时间不足两小时，加上身体有些不适，所以提前回家。

"慧姐，又暖呢？"左问记得俞又暖今日并没有出门的安排。

"小姐在偏厅。"慧姐道。

左问走到门边时，俞又暖正举着双手由裁缝量体，"这是做什么？"

"想做几身旗袍。"俞又暖答道。

左问聪明地没有再问下去，揉了揉眉头坐到一旁的沙发上看俞又暖折腾。等老裁缝带着学徒量好数据走后，俞又暖才走到左问的身后，抱住他的脖子道："你觉不觉得女人穿旗袍挺有韵味儿的？"

左问略作沉思，"似乎有点儿显老。"

俞又暖抿嘴一笑，"我看你们那个女同学穿着挺好看的。"

"哦，是吗？没注意。"左问道。

俞又暖掐住左问的脖子，笑怒道："左问，你还能更敷衍点儿吗？你都帮人家打开水了，还能没注意人家好看不好看？"

"这事儿你就放不过我是吧？"左问捉起俞又暖的手，咬了咬她的手指。

俞又暖抽回手，她其实真是觉得白素穿旗袍好看，这才起了自己也做两件穿穿的打算的。

"催眠师，你帮我联系了吗？"俞又暖绕到前面坐到左问的身边，示意她已经放了左问。

"这样着急？"左问替俞又暖理了理头发，"我已经叫明皓去联系了，还需要对方确定时间。"左问伸手搂住俞又暖，又揉了揉自己的眉头。

"你是不是身体不舒服？先上楼休息吧。"俞又暖这时才发现左问的神色有些疲惫。

左问点头起身，"嗯，吃晚饭的时候再叫我。"

俞又暖上楼叫左问吃饭的时候，见他睡得正熟，眉头却皱得厉害，她低头本想吻醒他，却觉得他额头的温度异样的高，再摸他手心，才确定左问生病了。

"吃饭了吗？"左问已经睁开眼睛，嗓音有些沙哑。

"你病了。"俞又暖阻止了左问起身的打算，"我去给贺医生打电话。"

只是有点儿小感冒，并无大问题，左问靠坐在床头，任俞又暖拿湿毛巾给自己敷头，弄得他都快以为自己病得不轻了。大小姐总有小题大做的毛病。

"我让慧姐单独给你熬的蔬菜粥。"俞又暖吹了吹白瓷勺子里的粥，喂到左问的嘴边。

左问无法忽视俞又暖嘴角那抹持续的笑意，"我怎么觉得我生病你挺高兴的？"

"怎么会？我很担心的！"俞又暖加重了语气，放下粥碗替左问掖了掖被子。

左问眯了眯眼睛，但是这种过家家、妈妈照顾小宝宝的即视感是哪里来的？"我有点儿发烧，需要散热。"

俞又暖"哦"了一声，又赶紧扒掉左问的被子，并且在左问沉默的压迫里不得不承认，"好吧，我承认我的确有点儿开心。一直以来都是你照顾我，我觉得今天这样反过来，感觉挺好的，特别是看到你这样柔弱地躺在床上。"

左问默默地看着俞又暖。

"我不是不担心你，只是又不是大毛病，你肯定会好的。"俞又暖急切地开始解释自己的奇葩思维。

左问却想起上次他生病，早晨起来看到俞又暖在厨房里跳舞的情形，那时他心里很难受，身体也难受，和她的高兴形成了巨大的反差，他那时以为俞又暖没心没肺到了如斯地步，却没想过她只是很高兴有机会照顾他而已。

左问低叹一声，揉了揉自己的眉心，他当时究竟是入了什么魔，跟俞又暖计较个什么劲儿，大小姐若是懂得体贴关心人，那才是见了鬼了。其实当时她已经做得极好了。

左问的手轻轻摸上俞又暖的头发，轻易就能感觉到她头顶的伤痕。如果没有那么多计较，她也不会吃这么多苦头，心下自咀自嚼，苦涩难咽。

俞又暖扭了扭脖子，避开左问的手，嗔道："痒。"

"我想吃你熬的白米粥。"左问道。

俞又暖瞠目结舌，"你指望我会煮饭，还不如指望母猪爬树。"

左问笑出声来，又伸手摸了摸俞又暖的耳垂。再下一刻俞又暖就被某人强行按入了怀里，喘不过气来。

良久俞又暖才挣脱开左问的禁锢，抬头看向左问的眼睛，他的眼睛温柔似水，却又像藏了一张电网一般，轻轻松松就捕获了她，还刺激得她在渔网里不停弹跳。责备的言语也就忘到天边去了。

"你还病着。"俞又暖身体后仰，一只手指戳在左问的胸口，不让他靠近。

"出一身汗病容易好。"左问倾身向前。

"你不要把病毒传染给我。"俞又暖摇头。

"夫妻就该同甘共苦。"左问的语气里危险度剧增。

当然如今不管大小姐同意不同意，左先生和左太太的床事上，谁力气大谁就有发言权。半晌过后，俞又暖无力地被左问从湿漉漉的床单上捞起抱进浴室。

俞又暖无力地趴在浴室的墙上喘气，热水淋在肩头，疼痛刺得她身子一抖，肩膀上肯定是被某人咬出血印了，"你是狗变的吗？"俞又暖忍不住怒道，她都骂过左问无数次这句话了。

左问抹沐浴乳的手正停在某人的蝴蝶骨上，闻言道："谁让你长一根狗骨头模样。"不说瘦骨嶙峋，但也勉强称得上身无二两肥肉了。

俞又暖不知想到什么，冷笑一声，"这么喜欢肉，我让慧姐买上四两猪胸肉，天天让你摸如何？"

左问没有回答，伸手替俞又暖的胸口抹了沐浴乳，"话说，你考虑过去隆胸没有？"

绝对的会心一击。

俞又暖气得拿额头撞墙，被左问拿手快速地挡在额前，听他笑道："你这样会越撞越扁平的。"

"闭嘴。"俞又暖果断决定不再搭理左某人。

直到次日早晨，俞又暖也没扫左问一眼，只在慧姐问左问的病情时，才微微抬了抬眼皮，其人精神抖擞，恢复得可真够快的。出汗的疗效果然好。

三天之中俞又暖都没给左问好脸色看，直到左问给她电话说："催眠师约到了。"

俞又暖走进齐子魏的办公室时，微带着小兴奋，不知道自己会看到怎样的过去，她配合得极好，入睡得极快，但是等她醒过来时，却不过只是睡了一场好觉，过去的画面一丁点儿也没捕捉到。

"抱歉，左太太，不过你也别灰心，人体有自我修复的功能，也许过几年你就能想起一些以前的片段了。"齐子魏将俞又暖送出门。

俞又暖颔首，左问走过去搂住她的肩膀，同齐子魏握了握手，"谢谢你，齐医生。"

左问摩挲了一下俞又暖的手臂算是安慰，她其实对此趟恢复记忆之旅也并未抱太大期望，但失望依然少不了。

"没关系，过几年我们再来做催眠治疗。"左问轻声道，"我送你回俞宅？"

俞又暖摇了摇头，"基金会最近有个慈善拍卖会要筹备。"

因为忙碌，俞又暖倒是也没太多的时间悲春伤秋。

何凝姝根据周清颜的指示，去时装管理库将俞又暖过去的晚礼服取了几件出来备选，她才知道原来俞宅那百货公司大小的衣帽间还没能存下俞小姐的衣服。

时装管理库有最先进的空气清洁过滤系统和温度控制系统，专门替有钱人存储衣物。

俞又暖穿着昨日新送到的浅碧大花旗袍下楼时，左问正在鉴赏她十年前穿过的晚礼服，"原来我每月还得为你这些不穿的衣服支付十万人民币？"

俞又暖看了一眼那衣服道："这是当初 C 小姐刚跳槽到该品牌设计的第一季的礼服，如今拍卖到 20 万不成问题。"原来女人即使失去了记忆，但是对这些衣服却还依旧能如数家珍。

两个人同车进城，可惜俞小姐的新旗袍以及束高的胸脯并未能赢得左先生的侧目，他一路都在接听电话。

俞又暖冷着脸下车，却见左问摇下车窗，"下班我来接你用晚饭，回锦天行吗？"锦天就是左问买的新楼所在。

俞又暖不置可否地踩着复古平底鞋离开。

下班时分，俞小姐走出大楼时，路边停靠的古董车缓缓驶到身边，车窗落下露出左问的脸来。

"这车什么时候买的？"俞又暖坐进车内。

"上次见你做旗袍，想着依你的臭毛病，什么都要搭配，偶见拍卖会画册上有，就让人拍下了。"左问道。

俞又暖微微一笑，彼此不再说话，左问依旧忙于同手机讲话。

车到车库，俞又暖的手腕被左问握住，一路拽到电梯内，然后再被大力地掼到沙发上，身后的人欺上来，俞又暖只听到裂帛之音。

旗袍因为左右开衩，十分有利于撕裂。

新做的旗袍，虽然也不会再穿第二次，但是此刻破烂而零碎地挂在身上，着实叫人惋惜。

俞又暖神情颓靡，眼神涣散地趴在沙发上，脸颊还有残余的泪滴，待余韵过去后，更是无力动弹。开放式厨房里油烟机的抽风声突然响起，不久之后就有食物上桌，有人伸手将濒死的鱼儿从干涸的沙发上捞起，"饿不饿，吃点儿面吧。"

俞又暖僵直着身体，感觉有液体顺着腿根流下，这混蛋居然连事后清理也不做。

面前的白水面，什么作料也无，连盐似乎都吝啬。

再看对方的面，红的西红柿、绿的豆腐菜、白的冬笋丁、金黄的煎蛋、粉红的火腿，区别也太大。

"还在生气？这难道不是我对你穿旗袍的最高赞美？"左问吃了一口面条。

"不敢，客官能赏奴家一碗面吃，已经感激不尽。"俞又暖戳了戳面前白得令人毫无胃口的面条，面无表情地看着左问将她那一小碗面倒入他自己的碗里，再转身从微波炉里拿出刚热好的牛奶递给她。

左先生显然是饿极了，他吃面的速度和先前的穷凶极恶还真是"相得益彰"，"待会儿带你出去吃夜宵。"

时间才不过七点，何至于要等到吃消夜的时间。再后来，又暖才知道，左先生不给她清理，打的算盘可谓精之又精，正好省了润滑的前戏。

男人都是禽兽，平日里不管多紧张你的胃，可一旦狭路相逢，他就只记得他的愉悦了。俞又暖被左问拖起床，又灌了一瓶牛奶，再被他打包上车。

"若非大小姐你不吃外卖，我们也不用这样半夜折腾起床。"左问不耐地回应俞小姐的质疑。

这就是男人，下了床对你就各种不耐烦，俞又暖撇撇嘴。

"你再撇嘴试试。"左先生脾气不佳，握着方向盘的手青筋暴露，任由谁被一脚踹下床，伤了重点部位，想来也不会太高兴。

俞又暖没敢捋虎须，乖乖地吃过消夜后上床补眠。

一大早，左问手机响起的时候，俞又暖皱了皱眉头，将头埋入枕头更深，半梦半醒之中，听见左问说过会儿去机场接人，半晌才睁开眼睛，"接谁啊？"如今能让左先生亲赴机场接机的人可没多少。

"我表妹结婚，爸妈过来吃喜酒。"左问道。

俞又暖瞬间就坐了起来，不敢置信地道："白老师要过来？！"

之后就是一通忙碌，左问悠闲地打着领带，时不时将俞小姐需要的小裤、内衣、耳钉、手镯、手表递过去。

时值盛夏想要遮住全身的痕迹谈何容易，俞又暖只得又挑了一件白色新式旗袍穿上，急匆匆地从俞宅召唤了小珍过来给她梳头。

小珍和左问青梅竹马的名字同音，但她的名字也是父母取的，俞小姐就算能掐会算也算不出自己丈夫的青梅竹马也会叫这个名字。

"爸妈是住俞宅吗？"俞又暖一边依着柜门弯腰穿鞋，一边问左问。

想来以白老师的自尊肯定不愿，左问道："让他们住这里吧。"

俞又暖僵了僵，"那打扫的大婶今天会来吗？"客厅、餐厅一片凌乱，如何能够面见公婆。

左问愣了愣，轻揉眉头，另一处公寓也未打扫，"我让 Andy 处理，先接他们去用午饭。"

到机场时，白宣他们刚下飞机，俞又暖和左问站在到达大厅的门外等候，"你怎么不提前告诉我爸妈要来啊？"

"我也是今早才知道的，他们这是突击检查。"左问道。

"检查什么？"俞又暖一时没反应过来，但其实答案已经不需左问告知。

白宣和左睿推着行李出来时，远远地就看到了左问和俞又暖，他们这一对永远是鹤立鸡群，想不注意都不行。

待到走近，白宣见俞又暖已经不再戴帽子，留了短发显得越发年轻，比上一次见面似乎显得更漂亮些了，心里忍不住撇嘴，她怎么就生了个只看脸的儿子。

左问接过左睿手上的行李车，领着他们往停车场去。

到了饭店门口，白宣问道："不先回家吗？"

"已经到了饭点儿，来不及做饭，吃了再回去吧。"左问下了车替白宣打开车门。

白宣打量了一下装潢雅致而颇具风格的包间，心知肯定不便宜，虽然知道左问不在乎这点儿饭钱，但是她并不习惯浪费，因而道："我来点吧。"

左问只能将菜单递给白宣。果不其然白宣按照自己的喜好和左家人的口味点了四菜一汤，服务员点好菜就要收菜单走时，左问道："拿过来让我再看看。"

俞又暖昨天晚上因为吃太晚所以并没用多少东西，早晨又得知公婆要来，胃都痛了食物更是难以下咽，这一顿再无法将就。左问添了一道松鼠鱼和鱼翅捞饭，待想再点，却被白宣出声阻止，"我们四个人哪里吃得了那么多，不要浪费。"

"吃不完可以打包。"左问道。

"饭菜留到第二顿，亚硝酸盐会增加很多，致癌的。钱再多又怎么样，还不是争不过命。"白老师又启动了说教模式。

左问只好合上餐牌。

俞又暖倒是不在意饭菜，面对白老师，她再好的胃口都吃不下饭，权当减肥了。

"妈，是哪个表妹结婚啊？"左问道。

从白宣的回答里，俞又暖才知道不过是个远方表妹，心想小镇人民这亲戚走得可够远的。对于这位将终极大 Boss 召唤出来的表妹，俞又暖没见面就已经心生恶感。

用过午饭俞又暖借口基金会有事儿抬腿就走了，到晚饭时间犹豫着不知道该回俞宅还是去锦天，但她心知肚明如果回俞宅肯定要被慧姐数落，对于左问而言，他父母一到自己又肯定退居三线了。既然没有任何盟友可言，俞又暖就只能拖拉着步子准备回锦天了。

刚到楼下，左问的电话就到了，"下班了吗？我在你办公室楼下。"

俞又暖缓缓踱到车门前，左问嗤笑一声，按着她的头将她塞进车内，"你见着我妈，怎么跟老鼠见了猫似的？你丢人不丢人？"

对不起，学渣俞又暖同学打骨子里就对老师这种生物有一种说不清道不明的害怕，尽管她如今记忆全失，但对上白老师，还是忍不住想逃跑。

左问俯身替明显走神的俞又暖系上安全带，"骆绫的婚礼就在周末，周一爸妈就回去了。"

"为什么不把爸妈接到本城来生活呢？"俞又暖出声问道。

"你若是生了孩子，他们自然就会搬过来。"左问抛出一句，似乎丝毫没有察觉其杀伤力。

俞小姐果断闭嘴，幸亏她压根儿没想过生孩子这回事。

回到家中俞小姐身为"卑微的小媳妇"，自然要主动帮忙摆碗筷和盛饭。

"又暖，你应该多吃点儿，人体脂肪存储量不够会不易受孕的。"白宣看着俞又暖那小猫一样的食量就忍不住皱眉。

"哦。"俞又暖又给自己添了半碗米饭。

本来就撑得慌，饭后再听见白宣说要和她单独谈谈，俞又暖只觉得整个胃都扭曲了，她求救般地看向左问，对方真是白瞎了那么好看的一双眼睛，视力为零吗？

俞又暖双手搁在膝上交握，正襟危坐地面向白宣。

白宣看了一眼自己这万分不喜的儿媳妇，"又暖，你和左问打算要孩子了吗？"

果然是一刀毙命。俞又暖道："我都听左问的。"

白宣"呵"了一声，"我这个儿子是极有主意的一个人，但是到了你面前就成了一点儿主意也没有的人。"

俞又暖的脸不自觉地红了，她没想到会从白宣嘴里听到左问对自己的感情，心里不知怎么的有种甜蜜蜜的安全感。就好似吃下的有机果蔬，本来只是将信将疑，但忽然被权威组织认证了，顿时觉得果然没有农药添加剂的果蔬就是甜美许多。

"所以你也别糊弄我。我知道你们现在这些女孩儿的顾虑，怕身材走样，又怕老公孕期出轨是吧？"

俞又暖眨巴眨巴眼睛，居然无言以对。

"现在产后恢复的机构那么多，我看那些女明星产后都恢复得很好，这一重顾虑你不必有。至于出轨的事情，左问绝对做不出，他的道德观我还是有把握的。生了孩子你若是嫌烦，可以扔给我们老两口，我能养出左问来，相信也不会养差孙子。"白宣扫了俞又暖一眼，"你怎么说？"

俞又暖能怎么说，后顾之忧都被白宣说完了。

"若是怀不上，你们也不妨试试试管婴儿，我来之前也上网查了一下，这里有很好的医疗机构，成功率达到了60%以上。"白宣道。

连退路都已经封死。

"左问挺喜欢孩子的，你知道吗？"白宣的语气忽然转柔。

俞又暖沉默不语，过年时在老家她已看出左问对果果和维维的耐心与喜爱，若是换成自己孩子，想必更甚。

"又暖，也不是我这个做婆婆的思想封建，但现在国家已经步入老龄化阶段，政府也已放开二胎，你和左问的基因都十分之好，即使不考虑自己，也该为国家出一份力。"白宣一下就将生孩子这事儿给提到了政治高度。

俞又暖实在说不过每日看晚间新闻、政治觉悟十分高的白老师，只有唯唯诺诺。

终于被白老师恩准可以上楼休息时，俞又暖首先去翻了药盒寻了消食片。左问从身后抱住她，她耍脾气地用力甩开他的手。

"又暖，日子是我们两个人在过，即使她是我妈，也无法干预，她的意见你不一定要听。"左问在俞又暖的身边坐下，在她腰上上下摩挲安抚。

"那你知道她跟我说什么了吗？"俞又暖侧身趴在床上，将头挪到左问腿上，"你很喜欢小孩子吗？"

左问再一次沉默，手指轻轻梳理着俞又暖的头发。

俞又暖的良心又开始备受谴责，良久才听见左问道："比不上你。"

Chapter 10

　　俞又暖将这四个字在心头哑摸了半日，真是甜蜜的负荷，不知道算不算左问变相的表白，但她本来极坚定的决心却开始动摇，俞又暖抱住左问的腰，心想等她再多了解一些过去的事情，其实孩子也不是不可以生的。

　　黑夜里，这种主动的确容易造成对方的误解，更何况对方本就是一个随时随地都能发情的动物，虽然白日里左先生总是一脸高冷无欲。

　　俞又暖拍开左问摸入她睡衣衣摆的手，"不行。"

　　通常俞小姐的拒绝只是邀请的幌子而已，左问的手越发肆无忌惮。俞又暖忍无可忍，喊了一句"开灯"。

　　这是他们之间的安全用语。左问喘息着停下动作，嗓音低哑暗沉地问："怎么了？"

　　"爸妈在楼下呢。"俞又暖拉好薄被掩住身体。

　　"房间隔音做得很好，你不必担心。"

　　"但我总觉得白老师在看着我。"俞又暖把脸半埋入被子里。

　　左问俯身不甘心地压住俞又暖，"你可真知道怎么破坏气氛。"

　　俞又暖轻笑出声。

　　其实白老师并没有没事找碴儿，但俞又暖见了她就发怵。左问不下班，俞又暖绝不会提前回锦天。

　　"我手里还有点儿工作，你到我四维的办公室来，待会儿一起走。"左问利落地挂掉俞又暖的电话。

俞小姐望着手机瞪眼，她办公室离锦天近，此刻驱车去四维，再同左问一起回去，简直就是多此一举。但闲着也是闲着，只当兜风了。

四维的女员工倒是极高兴看到老板娘，美人本就是一道风景，极其养眼，也算是员工福利了。

俞又暖今日穿的西服套装，外套搭在手上，露出米色丝质衬衣和剪裁合体的西服裙，小腿纤细修长，她这样打扮的时间很少，骤然一看十分新鲜。

俞又暖在左问不加掩饰的视线里放下手包，"你还要多久？"

"那要看你怎么表现。"左问在俞又暖反应过来之前将办公室落锁，按下了窗帘开关。

纽扣落在地板上发出清脆的响声，俞又暖压抑住声音道："没衣服我待会儿怎么出门？"

"早晨出门时，我顺手帮你拿了一件。"左问咬着俞又暖的肩头哧哧笑道。

这可真顺手，原来是包藏祸心，早有预谋。

"你这样穿有点儿像女秘书。"左问的鼻息落在俞又暖的耳畔，让她忍不住瑟缩。

俞又暖双手撑在办公桌沿上，"快放开我，不然我告你骚扰员工。"

"给你加薪可好？"呼吸越发粗重。

"我只想好好工作。"俞又暖开始啜泣，"左先生，你放过我吧。"

简直就是火上浇油，又是一场艰苦的鏖战。

俞又暖在左问休息室的浴室里洗过澡，将他的衬衣胡乱穿在身上，纽扣都扣错，就那样瘫在左问的老板椅上，修长的腿不甚优雅地搭在办公桌上，等左问洗澡出来，半眯着眼看他，"我的衣服呢？"

衣服自然是没有的，身上衬衣的纽扣又崩落一地，俞又暖像失了水的鱼一般在沙发上胡乱摆着尾巴，偶尔被人啪一口水，维持奄奄一息的生命。

等两人驱车出了停车场时，外面的世界已经华灯璀璨，左问和俞又暖的手机上分别有好几通未接来电，俞又暖酸软地靠在椅背上闭目养神，听见左问对白老师说"公司有点儿事"，"回家吃饭"。

左问这语气淡然得令俞又暖这个当事人都觉得十分可信，他日若这一招用来对付她自己，俞又暖估计自己也判断不出真伪来，说起来左先生其实也曾经有出轨的苗头呢。

"你以前跟小野花出去吃饭的时候，是不是也这样跟我讲电话？"俞又暖忽然出声。

"当时你并不关心。"左问回了俞又暖一句。

俞又暖讪讪闭嘴，翻旧账似乎理亏的不仅仅是左先生，既然前尘尽忘，倒不妨真的重新开始。

左问那远方表妹骆绫的婚礼定在周六，地址是远离城市的一座山庄，偏偏基金会筹备的慈善拍卖晚宴也是周六，俞又暖身为主人杂事缠身，还有诸多事情需要协调，并不能随公婆和左问去恭贺新人。

"又暖，晚宴筹办得很成功。"关兆辰悄无声息地出现在俞又暖的身后，今晚俞又暖那套 C 小姐的旧作就是关兆辰拍走的。

俞又暖朝正在寒暄的客人点了点头，转而应酬关兆辰，"还得多谢你这样的慈善人士多多捧场。"他脸上带着迷人的笑容，只不过脸颊比上回见时瘦了一些，以至于多了一丝阴沉。

"抱歉，上次的电影没能给你带来多少回报。"关兆辰似乎很愧疚。

"这是我自己应该负责的事情。"俞又暖对所谓的收益没什么概念，她出事后这些事情都是左问在处理。

"左问今晚怎么没陪你过来？"关兆辰随意地聊着。

"他有点儿事情。"俞又暖并不想对外人多说。

关兆辰的手机似乎传来一声提示音，他眉头一挑，掏出手机，唇畔噙起一丝笑意，"我就说她们肯定要拿这个说事儿。"

俞又暖不解，探头过去，见关兆辰朋友圈里有人说："左今晚没来，左、俞该不会又婚变了吧？"下面有人回复说："又婚变？每次都说离婚，到底离了没有？"

这下面还有一条回复："不会是某人装失忆，想挽回左吧？也不想想她以前都做了什么事儿。"

俞又暖的脸色在灯光的流彩里变了几变，最终又恢复了平静，嘴角抿着一丝笑容，将关兆辰的窥探都隔绝在了面具之外。

"这些人不知内情，以为谁都跟她们一样。"关兆辰似乎对这几条留言都不以为然，收了手机看着俞又暖。

关兆辰的眼睛偏于狭长，所谓的桃花眼是也，专注地看你时浓情蜜意似乎都藏在了眼底，"又暖，即使你不记得以前的事情，可我始终站在你身后，若你有什么事情都尽可找我。”

"我们以前很亲近吗？"俞又暖问得有些艰难，她和关兆辰之间若说有友谊，她自己也不相信，交朋友断然不会碰娱乐圈的人，并非他们自身有什么不好，只是一旦跟他们沾边，所有隐私便全无，俞又暖觉得过去的自己不会是那样蠢的人。

关兆辰无奈地笑了笑，似乎有些受伤，"你最喜欢的餐厅是南湖会所，吃的东西不能有姜葱蒜，最喜欢的歌是 Emma Bunton 的《Perhaps》……"

这些习惯俞又暖至今依然保留，那首《Perhaps》她第一次听就入了迷，车里也经常播放。

俞又暖思绪飘忽，眼前唯见关兆辰的脸，忽然发现，他的长相一直是她欣赏的那类男人的长相。

俞又暖握着酒杯的手指紧了紧，但是在无凭无据的情况下，她拒绝任何猜测。

"又暖，你没事吧？"关兆辰的声音再度响起。

俞又暖笑了笑，朝对面的范丽君抬了抬手，"不好意思，丽君阿姨找我，失陪了。"

半路为向颖所截，她为此次的晚宴捐了不菲的衣物，又慷慨解囊拍下不少东西，于情于理俞又暖都必须应酬。"向小姐。"

"又暖，什么时候我们这么疏远了？"向颖转了转杯中酒，笑意盈盈地看着俞又暖，"你和关兆辰还有来往？"

"真是没想到你这么长情，跟他纠缠了这么多年，还没腻味啊？听说他最近上的那部片子也是你投的钱？"向颖拍了拍俞又暖的肩膀，"虽然床技的确不错，又会说话哄女人，但说白了就是个吃软饭的小白脸。技术试过了，也就那样。"

俞又暖不太理解向颖这话的重点。转而又听向颖道："左问今天怎么没来？"

似乎每个人都很关心左问来没来的问题，他不来说明了很多重要的事情吗？但其实今天左问本可以不必须参加那远得不得了的表妹的婚礼的，但他对参加晚宴一事毫无表示。以往的这种场合总是有左问相陪，牛鬼蛇神都近不了身，他一离开，好像就有无数的旧人靠近。

俞又暖微笑以对，再次重复"左问今晚有事"的话。

不想继续应酬向颖，恰逢手机有微信提示，顺带看到贾思淼发的朋友圈——她快乐的自拍照，左问和那位学习委员白素点亮了整个背景。

俞又暖按黑手机，抬起头继续应酬众人。

"俞小姐。"一个满身精英气息的短发丽人在俞又暖旁边笑了笑。

"王小姐。"晚宴邀请的客人都是俞又暖确定的，这位王小姐的资料她自然看过，出身富贵自身了得，但此外也别无出奇之处，唯一让人稍微留意的是她在国外念书的学校和左问是一所，并且在校时间还有重叠，也不知道彼此是否认识。

王雪晴啜了一口香槟，眼睛虽然看着面前的人群，但话却是针对俞又暖的，"俞小姐真是了得，两次都用失忆这种把戏挽回左问，你也不怕真把脑子撞坏了？"

看来又是知情的故人。但对方眼中敌意太过明显，俞又暖不欲与之深谈，以免被误导。

晚宴举办得很成功，募集的善款已超过七位数许多，俞又暖疲惫地走进锦天的住所。

白老师正坐在电视机前看她钟爱的某综艺节目，见俞又暖回来，盛装而略显疲惫，晚礼服将她烘托成了另一个世界的人，婆媳俩彼此都是淡淡的。

走上楼，卧室一片漆黑，俞又暖看了看手机，没有左问的只言片语，她将手机随意一扔，进了浴室。

俞又暖按开浴缸顶上的天棚，淡淡的星光从天空中洒下来，她将头枕在浴缸边沿，四周寂寂，城市的灯光在远处璀璨，不知不觉中就将大拇指放到了嘴边轻咬。

一个晚上的信息量实在太多，头绪纷杂，俞又暖一时还真不知道从何处入手。都说是她在挽回左问，又都说他闹了许久离婚，想来已算是众所周知了。

离婚不是什么光彩的事情，更忌招摇过市，除非是已成定局，彼此各有新欢，否则社交场合谁会没眼色地询问对方婚姻状况。

但也不排除是被媒体爆料，总之天下没有不漏风的墙。

原来他们曾经真的闹到离婚的地步了，俞又暖有些感叹。那么她失忆后，左问表现出来的热恋状态又是为了什么？

世人碌碌，所为不过三样——钱、权、色。这世上谁也不会嫌钱多，俞又暖从心底排斥"左问是为了俞氏股份和俞氏的执掌大权"的念头。至于色，十年夫妻，再美的人也早已失去鲜妍了。

往事纠葛，其实事实已经展露眼前，只是记不得当初的心情了，难免有些怅惘。

俞又暖叹息一声，双手捧起水往自己脸上浇。当初醒来时总觉得一切太美好而不踏实，今天过去的碎片渐渐收拢拼凑，原来他们和圈子里的普通夫妻并无两样，俞又暖反而松了一口气。

俞又暖虽然重回这个圈子不过数月，但圈子里的常态已经熟知，她自己就数次见到某位先生或某位太太公然带着非婚伴侣出席一些不重要的场合。自然正式场合，还是要扮演恩爱夫妻出席。

面子是个奇妙的东西，虽然大家都知道面子之下早已经是物是人非，但薄薄的面子却还要伪装鲜妍。就像女人的身体一样，明明已经肥胖走形，令人一目了然，但总以为一件光鲜的裙子就能遮住所有的丑陋一般。

两个人彼此各玩各的，她有新欢，他亦另有所爱，难怪当初她指责左问出轨时，他的表情那样奇怪，好似她说了什么笑话似的，他什么情绪都有就是没有内疚、惭愧。

俞又暖说不出自己心里是个什么滋味，惆怅、酸涩、苦郁皆有，但都淡淡的。左问于她，虽然床事和谐，经济上也没有纠葛，生活习惯也还能彼此容忍，可总觉彼此隔着千山万水，有时他看她的眼神是那样疏远，而今想来都是难以掩饰的习惯而已。他没有汇报行踪的习惯，忙碌起来几日不见踪影，电话全无，现在想来都是蛛丝马迹，她妄图自欺，但终究要面对现实。

虽然记忆全失，但俞又暖的确已经是30出头的女性，为了爱要死要活似乎太过滑稽，也没有那种心情，生活才是主要节奏。她亦觉得左问的选择没有错，与其重提旧事再度闹开，倒不妨将她安抚，彼此将就共存一纸婚姻。他不会失去俞氏董事会的控制权，而她也无须为财务而操劳费心。

何况，俞又暖是真的不排斥左问当她的丈夫。

洗过澡，昏昏沉沉地睡去，迷蒙中感觉床的另一侧沉了沉，俞又暖又再度陷入沉睡。

早晨用饭时，俞又暖才知道白老师和左睿订了中午的机票，这片高档住宅里没有广场舞和太极拳，两位老人不太习惯，归心似箭。

"爸妈再多留几日吧，我替二老约了全面身体检查。这边若是住不惯，左问还有一处产业，那边比较生活化。"俞又暖挽留得很诚恳，这段时间若公婆留下反而可以缓合夫妻关系。

"我们身体很好，每年都做身体检查。"白老师婉言谢绝，没有临到老了反而看媳妇脸色的道理。其实俞又暖只是性情冷淡了一些，礼数是一点儿也没亏的。

中午，俞又暖和左问一起送了两位老人去机场。

"去哪儿？我送你。"左问目送白老师他们进关后侧头看俞又暖。

"去基金会吧。"俞又暖道。

"昨天的晚宴如何？"

"挺成功的，筹得了不少善款，有几个项目都可以运作了。"俞又暖回问道："婚宴如何？"

"还好。"左问简短地道。

似乎没什么话可聊，车内又归于寂静。车速很平缓，即使在机场高速上，左问也平平地保持 80 码的速度，以至于被无数小车超过，也有不少人从后视镜回看，真是有钱骚得慌，千把万的车，在高速上只开 80 码，遛狗呢？

俞又暖倒是一点儿也不觉得慢，再快她就该心慌气短了，沉默良久终于还是忍不住问道："昨晚不是去婚宴吗，怎么我看贾思淼朋友圈 po 的照片上还有你？"

左问回看俞又暖一眼，嘴角浮起一丝笑意，"原来白素是男方家的亲戚，贾思淼和我那位表妹又是大学同学。"

世界真的很小，转来转去关系都绕成了一团。

"怎么，不放心我？"左问调笑一句。

俞又暖恍然大悟，原来她不放心左问，但他对她却已经放心，放心到将她推出来独自面对这个称不上善良的世界了。最近几周心理医生出的报告显示她已经逐渐适应失忆后的生活，安全感也逐渐恢复，难怪左问不再将她放在羽翼下保护了。

忽而想起当初在温泉山庄时的情形，左问急匆匆下山，就为了阻止林晋梁和她说话，现在却已十分放心。

"是啊。"俞又暖淡笑着回了一句。

"昨日她依旧穿的旗袍，不及你十一。"

左问突然的不吝赞美，令俞又暖有所失神，但很快就置之一笑，左问维持这段婚姻的努力不会白费，她其实也无可抱怨。

"谢谢。"

此情此景难道不该打情骂俏？"谢谢"两个字实在太过疏远与客气。

回到俞宅，俞又暖开了电脑玩儿，偶然又想起林晋梁，便在搜索引擎里键入"林晋梁"三个字，他的简历跳了出来。本城高校的教授，留学的学校排名不亚于左问的学校，长江学者，后面一溜的俞又暖连名字都看不懂的论文。证件照上的他斯文而儒雅，做科研的人必须理智，实在不像是会死缠烂打女性的人。

关于过去，总是近乡情怯，怕那是一个潘多拉的盒子打开了就再也逃不开，俞又暖很少主动去打听，只等着他们在不经意的时间自己蹦出来。

俞又暖的心理医生建议她顺其自然，既然她下意识里不愿去碰触过去的事情，那忘记也许本就是她自我治疗、自我修复的一种机能。

所以这一次俞又暖犹豫再三，还是没有去找林晋梁的联系方式。

下午刚游了泳上岸，就见小珍拿着电话过来，俞又暖一边擦着头发一边接听。

"晚上有个应酬，能陪我出席吗？"左问的声音在耳边响起。

俞又暖有心拒绝，但转瞬又改变了主意，决意扮演好妻子的角色，"好。"

要打扮得美美的出席晚宴，实在是个费时间的事情，俞又暖拿着手包下楼，左问在楼下抬头看着她。

冰蓝色的斜肩裙，手工钉钻，行走间裙摆仿佛水银泻地，不得不承认，有的人真是无论何时都极美，"审美疲劳"一词似乎对她免疫。

俞又暖挽着左问的手臂，看他优雅得体，偶尔幽默地寒暄应酬，见地不凡地聊着时事、经济、政事，在各色精英齐聚的宴会中依然是最出色的存在，身上丝毫找不见"小镇"的影子，俞又暖垂眸勾唇，心想左问真是不可思议的存在，其间所费心血只怕倍于常人。

"是不是累了？"左问握住俞又暖的手，"脚痛？"左问将俞又暖领到花园坐下，单脚跪地将俞又暖的脚从鞋里取出看了看，并未破皮，又替她揉了揉。

俞又暖低头看着左问，她没喊停，他居然一直揉着。

"还在为昨天的事生气？"左问眼里含笑地看着俞又暖。

俞又暖脸上一阵发烧，淡淡地道："没有，昨天发生什么了我要生气？"

"昨天打算离开的时候白素的男友说要请我们这些白素的老同学喝酒，庆祝他求婚成功，后来还叫了许多同学来。"左问道。

俞又暖抬眼看向左问，这是有兴趣继续听的表现。"为何专请老同学？"

左问勾唇一笑，仿佛想到了极好笑的事情，"宣布所有权。"

俞又暖顿时了然，白素这男友也挺有意思的，看来也是对那些暗恋白素的同学烦不胜烦了，"难怪人家非要请你。"

左问替俞又暖穿好鞋子，亲了亲她的唇角，"过几天我们一起请他们吃饭。"

"我干吗要请他们吃饭？"俞又暖故作不喜。

"好让他知晓，那天晚上完全没必要非死拉活拽要请我喝酒。"左问道。

俞又暖眼珠一转，"扑哧"笑道："你真幼稚。"但不管如何，左问的话的确是奉承到了她，昨夜的种种不快竟然倏尔就烟消云散了。她伸手搂住左问的脖子，倾身过去附耳说了几句。

只见左问微微摇头，"你确定要？这花园不够隐蔽，如今微博和朋友圈都是个祸害，若是被人拍照留念……"说话间左问已经开始松他的领结。

俞又暖赶紧握住左问的手，"我开玩笑的。"

"你这是叶公好龙。"左问咬了咬俞又暖的嘴唇，送了她一个新成语，以至于她又得手机搜索意思。

重新进入宴会厅，左问去给俞又暖取食物，上回见过的那位王雪晴再度现身，"王小姐。"俞又暖心情颇好，教养使然，首先微笑寒暄。

"这么着急今天就出来秀恩爱？未免有此地无银之感啊。"王雪晴微笑。

俞又暖的词汇量已经颇丰富，简单的书籍如今可以通畅阅读，听着王雪晴的话，只是淡笑，并不言语。转头左问已经端着餐盘走近，王雪晴嘴角带着讽刺的笑容，但眼神却脉脉而幽怨地看着左问。

"不知可否请左先生帮我也取一些食物？你还记得我的口味吗？"王雪晴眼波流转，明艳不可方物。

左问笑了笑，"我太太是个醋坛子，雪晴你知道她的厉害的。"左问意有所指，恰有侍者经过，左问让她去替王雪晴取了食物。

王雪晴走后，俞又暖侧头看向左问，"是你前任？"

"初恋女友，后来因为回国就分开了。你曾经扇过她一巴掌。"左问道。

真是言简意赅，但信息量庞大，前因后果居然都解释清楚了，再不必追问左问为何说自己厉害了。

王雪晴的身家俞又暖知道，她是王家独女，看她现在依旧一副念念不忘的模样，想必当初提分手的不会是她。如此，当初左问选择追求自己倒不一定是为钱财了，自然她的颜值也的确远远甩了王雪晴几条街。

还算左问有眼光。

"扇她一巴掌还算便宜她的。"俞又暖嘟囔一句，她倒是希望王雪晴再激进一点儿，她不介意扇她第二巴掌的。

左问笑着从背后轻拥着俞又暖，"快点儿吃东西吧。"

晚宴还没结束，左氏夫妻就提前离开了宴会，俞又暖在花园的提议被左问在车里实现了，末了她只瘫在左问的身上听他说："秋天我带你去草原骑马怎么样？"

一点儿也不怎么样。

左问花样百出，俞又暖的弱点自从被他捉住以后，在他手下就再无反击之力，简直是砧板上的肉，想怎么摆弄就怎么摆弄。

"带几件方便撕的衣服？"左问亲吻着俞又暖光裸的肩头问。

俞又暖推开左问，起身穿好衣服，拿出随身的小镜子整理头发，却见脸上一片红痕，那是左问用力捂她嘴巴时留下的印迹，真是好狠心。

几天之后左问为公事飞加拿大，俞又暖忙碌于基金会的慈善项目，晚上左问算着时差打电话回来，彼此除了生活关怀居然再无话可说，早已经过了煲电话粥的时间和年龄。

渐至左问连电话也省略了，只每晚发送短信，祝晚安。

左问一去就是半个月，晚上俞又暖在露台吹着凉风，看着手机上左问八点发来的"晚安"二字，撇撇嘴。这男人实在有些无聊，电话三部曲固定不变是"按时吃饭了吗？头疼吗？有事给我电话。"短信就更是简略。

电话铃声在寂静的晚风里响起，不认识的号码，俞又暖接起来却是关兆辰的声音，"又暖，城中新开了一家酒吧，有没有兴趣去坐坐？"

本来是可去可不去，但是再看那寡淡的"晚安"二字，近日左问连电话都省了，俞又暖改变主意换了一件金色贴片的背心，穿了黑色皮裤，霎时就换了种风格。

这家酒吧的名字叫"醉明月"，一听就觉得古风扑面，装潢也极具古旧的艺术感，开在湖边倒映月色，很得俞又暖的心。

关兆辰和俞又暖进去时，老板亲自过来接待，似乎十分熟稔。

"他找我投资这家酒吧时，我一看设计蓝图就知道你会喜欢。"关兆辰笑道，将牛奶递给俞又暖，"你别喝酒，否则晚上肯定难受。"

"但是也不用给我牛奶啊。"俞又暖心想，怎么跟左问一样。

"你睡眠不好，以前都要我唱歌哄你入眠，牛奶有安神的作用。"关兆辰不经意地就透露了他们的过去。

俞又暖的心猛地一跳，本该问个究竟，但不知缘何，她的嘴唇就像被胶水黏住了一般张不开。下意识里仿佛自己不问，就可以当以前的事情不存在一般。

"对不起，我不该再提以前的事情。"关兆辰轻叹一声。

俞又暖站起身，"我该回去了。"她无意与关兆辰再续前缘，哪怕是暧昧也不该存在，她此刻有些后悔自己的"不耐寂寞"。

关兆辰的嘴唇一张一翕，最终还是没说其他话，"我送你回去。"

"不用，司机在外等我。"

走出机场时，晴空万里，艳阳高照，飞机上没休息好的 Andy 半眯着眼睛看了看前面神清气爽、唇角带笑的 Boss，心想真是牛人啊，长途飞行之后还能如此精神奕奕。他自己每次倒时差都想死。

"我回家，有什么事明天再说。"左问道。

Andy 诧异地看了看手表，这才早晨，工作狂 Boss 居然就要翘班。不过想来也是，家中有那样的大美人，换他也得归心似箭，小别胜新婚嘛。

左问靠坐在车内，看了看手边的袋子，里面是他偶然碰到的很适合买给大小姐的礼物，也算是缘分。

下机时，手机有震动提示，左问掏出手机，接收了一张照片。

俞又暖和关兆辰相依而坐，她手里端着白色的水杯，唇边有白色奶渍，关兆辰正用手巾替她擦嘴。

照片的时机抓得很精准，其实下一秒俞又暖就快速推开了关兆辰的手。

左问唇角的笑容顿时消失，垂眸沉默片刻，给对方回了一个电话。

方铮接到电话时，还以为自己听错了，"左先生，你确定吗？"

"嗯。"

左问收起电话，面无表情地吩咐司机："去公司。"

司机只好掉头。

Andy 刚洗过澡就接到了左 Boss 的追魂夺命 Call，不是说好了不去公司吗？Andy 无比痛苦地给女友打电话爽约，无辜地被臭骂了一顿，身心俱没有得到滋润。

Andy 赶到公司问 Cathy："Boss 抽什么风啊？"

"我怎么知道？！"Cathy 连哀怨的时间都没有，已经被指挥得团团转了。

直到中午，四维的员工才知道笼罩在公司头上的低气压形成的原因。娱乐圈爆料大 V 中午爆了一张图片，正是关兆辰为俞又暖擦牛奶沫的那一张。俞又暖侧着脸，唇角被遮，但是熟悉她的人一眼就能认出。

"关天王柔情似水，女方系某已婚名媛，他的新片曾获该名媛投资，不知天王能否成功小三上位？"

此条微博一出，现在转载和评论已经上万，以下且引评论几条：

"那么烂的片子，我还说哪个不长眼的会投资，原来如此哦。"

"女的白富美啊，配得上我们辰辰。"

"呵呵，这年头男的女的都在争当小三，少奋斗一百年啊。"

"他们两个啊？早几百年就有料了，博主现在才爆，好无聊啊。"这条留言附了一张当初关兆辰为俞又暖遮头护她入车的照片。虽然这则新闻早被和谐删除，但总有人神通广大能重新找出。

"不是吧？"Andy看到Cathy转发给他的微博，"关兆辰能挖得了咱们Boss的墙脚？"

Cathy道："你知道什么啊，有钱的女人最缺的是关怀和安慰。"Cathy想了想自家Boss那常年冷淡禁欲的表情，想象不出他关怀人时的表情。

"在看什么？让你整理的资料发到我邮箱了吗？"左问的声音在Andy身后响起，Andy硬生生地打了个冷战。

而与此同时，在基金会办公室的俞又暖听到周清颜说："俞小姐，楼下来了好多记者想要见你。"

俞又暖有些不解，"发生什么事情了？"

周清颜走过去，将手机微博里的那条被疯狂转发的消息点出给俞又暖看。俞又暖脸色一变，虽然什么事情都没有，但这些娱记无风都要起三尺浪，实在让人头痛。

新开的"醉明月"在曲径通幽的小巷里，她和关兆辰是从安全通道进入，而且店内客人的身份都是清查过的，没道理混入娱记。俞又暖抿了抿唇，给关兆辰去了个电话，但对方手机一直关机，想必也是被狂轰滥炸到不得不关机了。

而今俞又暖只盼望左问身在国外，没有看到这条微博。她给俞氏的公关部去电话，让他们想办法处理这则新闻，不排除采取法律手段。

"好的，俞小姐，左先生已经来过电话，我们已经着手处理。"

一丝侥幸也无的俞又暖坐在椅子上，咬了咬给左问拨去电话，"嘀嘀"响了几声后被对方拒听。

俞又暖只觉头痛，收拾好东西准备回家跪电脑键盘。车从大楼后面的出口驶出，也无法阻止万能的娱记包围住座驾，若非保镖和工作人员相助，俞又暖的车只怕寸步难行。

回到俞宅时，慧姐第一个就迎了上来，"小姐，你怎么又和姓关的扯上关系了？先生若是知道……"

俞又暖没想到连慧姐都知道那条消息了，顿感无力，"左问已经知道了。"她走到楼梯上又回过头看向慧姐，"还有，我和关兆辰什么关系也没有。"

但是俞又暖在淋浴室却忍不住环抱住自己的肩膀，极端懊恼于昨夜的外出，无可否认她当时的确存着一点儿"你不在乎我，总有人讨好我"的心态，但绝没料到后果如此严重。

到底是关兆辰的身份太敏感了，而她又太轻率，也没料到以前她和姓关的还有绯闻牵扯。

洗过澡出来，手机显示了三个关兆辰的未接来电，俞又暖回过去，关兆辰信誓旦旦地保证"又暖，不是我泄露的消息，实在抱歉给你造成这样大的困扰"。

多说无益，于事无补，"今后别再联系了。"俞又暖淡淡说了一句就挂了电话，这事似乎也的确怪不了关兆辰，但终究是他的身份惹的祸。

左问到家时，俞又暖忐忑地站起身跟他打招呼，左问毫无回应地上了二楼。

慧姐道："小姐，你赶紧去劝一劝啊，你为那姓关的不知伤了先生多少次心。"

俞又暖心里咯噔一下，跟在左问身后上了楼。

"什么时候回来的？"俞又暖靠在门边看着换衣服的左问。

左问套上 T 恤，回头看她一眼，"今天早晨。"

"你看到那条微博了？"俞又暖走近一步。

"嗯。"左问拿起手机往外走，"下次小心点儿，即使删除了微博，媒体不报道，总有掩不住的地方。"

俞又暖跟着左问往他书房去，"我跟他什么都没有。就是去喝了杯东西，都是那些媒体捕风捉影。"

左问当着俞又暖的面掩上书房的门，"我有几个电话要打。"

俞又暖如何看不出左问在生气，"左问，你和小野花吃饭，我也没这样对你好吗？"

左问的脸色顿时变得很难看，"那我岂不是要感激俞小姐你了？"

俞又暖面色讪讪，说好了不翻旧账的。

"至少我没有被媒体发现，也没有需要别人替我收拾尾巴。"左问啪地将门合拢。

俞又暖闷闷不乐地走回房间，左问的行李已经送了上来，她扫了一眼，看到旁边单独的一个绿色而精致的小袋子，里面装了一个小盒子，打开一看，丝绒垫子上躺着一只钻石手镯，跟上次拍卖会上被向颖拍走的那只有些类似，旁边还有收藏说明。

这只镯子来历更为不凡，时间也更为古老。可以说那个品牌当初就是在向这只镯子致敬。

俞又暖的手指轻点在镯子上，欢喜里又带着酸涩，左问的吝于言而勤于行叫她不满中又带了甜蜜的期盼。当然她也察觉到了自己性格里的弱点，提醒自己以后一定要努力改正。

婚姻毕竟是两个人的事情，为了赌气和闹别扭，实在没必要牵扯入其他人来。

俞又暖将镯子重新收好放回原处，走到楼下，"慧姐，今天煲的汤还有吗？"

"还有一盅鱼头汤给先生留着的。"慧姐道。

左问回家时已经过了晚饭时间，俞又暖也不知道他用饭没有，让小珍帮她拿了汤上楼，俞又暖示意小珍去敲门。每个人敲门都有自己的习惯，俞又暖深有自知之明，此时她自己去敲门，左问一定装聋的。

"进来。"

俞又暖从小珍手里接过托盘，无声地示意她可以离开了，她自己用身体推开沉重的木门，只见左问并未工作，而是低着头坐在沙发上吸烟，面前的烟灰缸里已经躺了好几只烟头。

俞又暖将托盘放下，用手在鼻子前扇了扇，走过去将门窗都打开来，回头见左问又在点烟，她快步走过去将左问的烟抢了过来熄灭。

"慧姐给你煲了鱼头汤。"俞又暖道。

"放下吧，我还有工作，你先睡不必等我。"左问神情淡淡至于漠然。

"工作也要注意休息啊。"俞又暖绕到沙发后面，双手搭在左问的肩上给他揉捏肩膀，这身段可放得够低的了，简直有狗腿的嫌疑。

左问往前倾身，避开俞又暖的手，俞又暖干脆匍匐在沙发背上，环住左问的脖子，将脸贴到左问的颊边，"都是我的错，你原谅我好不好？我和关兆辰什么都没有，不过是普通朋友见面。那天我喝了牛奶，他给我擦奶沫，我马上就推开了，那照片时机挑得太过刁钻，实际什么都没有的。都是我考虑不周，惹出这样大的麻烦，今后再也不会。我已同他说了今后再不见面的。"

左问的态度似乎柔和了半分，但依旧冷淡，挪开脸，拍了拍俞又暖的手背，"你先去睡吧。"

俞又暖索性绕到左问的身边坐下，要赖地挤入他的怀中强行坐到他腿上，"你就原谅我好不好？好不好？"俞又暖去亲左问的唇，被左问闪开，她再次欺上去，啄了左问的唇，被他一把推到旁边坐下。

俞又暖似乎不知气馁为何物，跪坐在沙发上使力抱住左问，又去亲他，一声声柔软又赖皮地唤着"左问，左问"。

画面似乎又和过去重叠在一起，俞又暖第一次对他说谎的时候，也是这般无辜地说是普通朋友，无赖地求他原谅。

俞又暖察觉到左问的疏离，知道光靠要赖是混不过去了，又硬挤入左问的怀里，死死搂住他的脖子，"我承认昨晚的确有气你的意思，恰好关兆辰来电话，一时并未考虑到他偶像的身份。你出差半月，除了前几天有电话过来，后面全是短信敷衍我，我就是想让你着急一下。"俞又暖说出这番话，其实也费了很大的力气，简直就是自打耳光。

左问将俞又暖的手从脖子上扒拉下来固定住，否则迟早被她勒死，"并不是每个人都像大小姐你一样有钱有闲，人生目标就是混吃等死，我的一切都需我自己努力。"

虽然被骂成米虫有点儿打击人，但此刻不是算账的时候，"是，谁让我有个好老公，努力赚钱养家呢。"俞又暖双手被固定，又倾身去亲左问，势必将要赖进行到底。

左问拿她没有办法，被她啃了好几口，俞又暖见左问态度软化了许多，这才半委屈半抱怨地道："可是你再忙，也不会差那打电话的几分钟吧？"尽管是电话三部曲，可总是聊胜于无的嘛。

左问垂眸，"的确不差那几分钟，但你既然敷衍，我又何必自讨没趣。"

俞又暖错愕地睁大眼睛，天地良心啊，何曾敷衍过，但细思起来，似乎有一天因为正在美容院做美容，左问电话来时她不愿扯动面部肌肉，语气颇为敷切。

好小气的左先生。

"那天我在美容院做脸，不是故意的。"俞又暖解释道。

左问松开俞又暖的手，一手扶住她的腰让她坐得更舒服一点儿，一手把玩她的指尖，不说话。

错怪人之后的尴尬。

"你回来怎么不告诉我一声？"如今算时间，俞又暖已经知道当初左问发短信的时间大约正是登机之前，哎，早知道的话她就不会出门了。

惊喜变成恼怒。

"所以说，每一次的提前回家，都有捉奸在床的可能，如果可以，你今后还是尽量别出差了。"俞又暖回握住左问的手。

"你就可着劲儿的作死吧。"左问掐住俞又暖的腰。

"那要不要做到死？"俞又暖向左问抛了个媚眼。

一个存货半个月的男人在怒火熄灭后，另一种火又燃烧起来，简直是熊熊烈火可以焚天。

俞又暖的腰抵在书桌上简直痛死，她呜咽着指了指门，书房离卧室的距离不算太远，但是某人从来都等不及。

俞又暖腰酸背痛腿抽筋地躺在左问的怀里，两个人在沙发上挤作一团，俞又暖把玩着左问放在茶几上的烟盒，抽出一支来想试试事后烟的滋味，被左问一把按住，"丑。"

若是香烟可以打电视广告，俞小姐绝对可以倾城代言，有"丑"得这么漂亮的吗？

俞又暖抖了抖腿，心里有些烦躁，第一次没有强迫和花招，居然也有了感觉，心里感觉怪怪的，像没穿衣服的大闺女一般，说不出来的滋味，连眼睛都不敢看左问。

左问倒是挺滋润的，拉着俞又暖的手，细细吻着，连指甲都不放过。

"我……"

俞又暖想找话说，却听左问咬着她耳朵低声道："我很高兴，又暖。"

俞又暖感觉一滴油滴滑入她的耳朵，是左问浓醇的声音。

下一刻左问起身套了裤子和T恤，将俞又暖用衣服随便裹了起来，也不管遮住没遮住，就穿过走廊抱回了卧室。

继续旷日持久的战争。

清晨，俞又暖被手上的动静给唤醒，用另一只没被握住的手揉了揉眼眶，努力掀开眼皮，就见左手上套了一个钻石手镯。

"哦，夜渡资吗，客官好大方。"俞又暖打了个呵欠，劳心劳力劳嗓子，才睡了不到两小时，就被人吵醒。

"呵，你想得美。那谁的饭局也不过开价80万。"左问说了个当红一线女星的名字，能被左先生都叫得出名字的女星，那得红到发紫才行。

俞又暖瞪了左问一眼。

"你这个是包月价。"左问又抛出一句来。

俞又暖拉起被单裹到胸口，由左问扶着靠坐床头，手指轻点手镯，"上次拍卖会亦看中一条项链，不过那条是仿品。客官下个月也要惠顾奴家才好哦。"

"你倒会想，边际效益递减懂不懂？"左问开始打领带。

俞又暖摇头。

"折旧呢？"

这个听得懂，俞又暖拿枕头打左问，"我还磨损呢。"

左问笑出声，搂过俞小姐的小蛮腰，"这几天公事繁忙，跟我去锦天住好吗？"

岂有说不的权利，亦不愿说不。

晚上左问回家时，俞又暖已经是半梦半醒，感觉床垫沉下，顺势滚了过去继续安眠，清晨被左问强行拖起床，"干什么啊？！"

"去买菜。"

因为不想出门，又不愿叫外卖，昨晚垃圾桶里残留了两个酸奶瓶子，俞又暖没想到左先生还有翻捡垃圾的习惯，真是好节约。

于是早晨的单人跑步时间变成了漫长的双人买菜过程，俞又暖跟在左问后面分花拂柳地穿过河滨绿地，走入政府开辟的菜篮子工程里。

"都是两块五为什么不买刚才那一堆的丝瓜？"俞又暖不解。

"这一摊的比较嫩。"左问低头认真挑选丝瓜，"吃玉米吗？"

俞又暖点头。

"对面那家便宜五毛。"左问阻止了俞又暖就近挑选玉米的倾向。

接下来又买了五个桃子，"比超市便宜还新鲜。"十元零两毛，左问跟老板娘说，"十元吧？"

老板娘看了看模样周正的左问，"小本生意啦，帅哥。"但大约看在颜值的分上，老板娘还是让了两毛钱。

在挑选番茄时，俞又暖经过左问的指导已经大致明白如何挑选成熟一点的番茄了，可等称好付钱时，身边的男人却不见了踪影。

俞又暖身上没带钱，冲老板笑了笑，"稍等。"她回头四处寻找左问的踪影，却见路边左问正和一个女人说话，看样子挺像那朵小野花的。

俞又暖轻手轻脚走过去，听见左问道："若是不够，再跟我说。"

俞又暖轻轻咳嗽一声，打断了小野花的脉脉深情，她脸色白得厉害，见到俞又暖时低下头道："我先走了。"

左问的手机响起短信提示音，俞又暖伸出手，"让我看看。"

左问不动。

俞又暖伸出的手也不收。

最终手机还是递到了她的手里，指纹密码已经开锁，她翻出短信一看，是银行转账的提示，20 万支出。

20 万？真是慷慨的客官。

刚才是谁为了两毛钱还跟老板娘卖弄颜值的？

"她父亲做手术需要钱。"左问道。

"她怎么在这儿？"这么巧！

"她舅舅、舅妈在这里卖菜，她过来借钱。"左问道。

怎么同样是疑似出轨对象，左问的态度却如此坦然，昨天牺牲色相才挽回夫妻关系的俞小姐可有些想不明白，差别不过就是左问没有被大 V 爆料而已。

当然俞小姐也不是不讲理的人，救命钱嘛，就当日行一善了。但此时走到街对面还在不停回头的那位，明显是想多了。

"吻我。"俞又暖道。

"神经。"

"吻我。"

"有病。"

"你吻不吻？"

左问手里提着装菜的袋子，微微倾身低头亲了亲俞又暖的嘴唇。

"不够。"

"这么喜欢当众表演，不如我投资一部电影捧你当影星？"左问道。

"帮你彻底解决后顾之忧呢。"俞又暖余光扫向对面那朵停住脚步、等会儿就要找地方偷偷哭的小野花。

"有病。"左问拉过俞又暖的手往菜市场内走，"番茄呢？"

"你以为我跟老板笑一个，他就不收钱啊？"俞又暖趁机回了左问一句，"有病。"

晚饭时间工作狂左先生神奇般地从办公室穿越到了锦天的厨房里，俞又暖坐在料理台边吃糖渍番茄，一边划拉电脑触摸板，一边道："不该用糖渍的，热量高，番茄本来是很健康的糖分不高的菜蔬水果。"

"你都瘦成猴子了。"左问将丝瓜装盘。

吃饭时，俞又暖看了看电脑屏幕，"原来丝瓜又叫倒阳菜。"真是时刻不忘重拾人生常识。

"那正好。"左问将一盘丝瓜都推到俞又暖面前，"等会儿你洗碗，分工合作，我还得回俞氏加班。"

俞又暖开始默默地收拾碗盘。

生活本来就是彼此妥协、容忍。

但也有容忍不了的。原本以为事情已经平息下去，但不知是哪路大神，因着那日的照片将俞又暖人肉了出来，还顺带附上了俞又暖和关兆辰好几年前开房的证据。

一时媒体哗然，微博转发轰炸。俞氏出现公关危机，但好在俞又暖虽是董事，但是从来不管事儿。如今处在风口浪尖的还是关兆辰，他的经纪公司迟迟没有回应，最后有知情人士爆料，关兆辰导演的电影失败后，复出即将推出的主打歌歌名是"遇见你太迟"，是关兆辰亲自填词的。

很快关兆辰就在一个活动上公开表示，"都是过去的事情了。只希望大家不要去打搅她，我真诚地祝她幸福。"

女小三人人喊打，但男人做小三，却意外获得了同情。白富美嘛，有钱任性，必须婚姻不谐，寂寞难耐，包养男星简直就是常态。

很快俞氏公关部发布声明，称俞又暖和关兆辰只是好友，当日开房其实是朋友聚会，并附上了酒店摄像头拍摄的画面。刚好画面里好几位都是小报常客，媒体打电话去求证，都得到了证实。

六七年前的某月某日某时具体做过某事，真难为他们记得那么清楚。

待微博热搜换作其他题目时，左问才出现在俞宅。俞又暖手脚冰凉地屈腿抱膝坐在床头，见他进门，有些不知所措地站起身，千言万语只化成了短短一句，"你回来啦？"

可爱又可怜的大小姐，脸煞白煞白的，左问走过去揉乱了俞又暖的头发，"没事了，都过去了。"

俞又暖伸手搂住左问的腰，将头埋入左问的怀里，这时候哪怕他让她去死，她都能不眨眼地就去。

"你放开我行不行，我去洗澡。"左问无奈地摸了摸俞又暖的后脑勺，这位一径抱着他的腰跟他挪到衣橱边拿T恤，又挪到浴室门口，就是不撒手。

"一起？"俞又暖抬起头。

没脸没皮、没羞没臊的大小姐。

"不行，今天有点儿累。"左问无情拒绝。

真是高冷。俞又暖嘟嘟嘴，"我让慧姐明天给你炖点儿补品？"俞又暖陷入纠结状，"海参明天是来不及发了，要不去外面买发好的？"

给点儿颜色就开染坊！左问将俞又暖的手掰开，无情地将她关在浴室外，俞又暖听见锁门的"咔嗒"声，居然还有反锁声。

俞又暖靠着墙壁缩在地上，烦躁地揉了揉头发，记不起过去的事情，连辩解都没有基础，到底开房没开房？做了没有做？一概不知。

但左问这样云淡风轻的模样，绝对不对劲。上次不过是出去喝了杯牛奶，回来就作天作地的，今天怎么回事？

是以前就知道了，早就吵过架了？绿帽子戴在头上，还能有前一段时间的美好时光，这未免也太大度了，俞又暖自问若是发现左问和小野花开房，她非得穿着高跟鞋踩在那女人的脸上不可，还要将左问往死里整。说什么各玩各的，互不影响，都是屁话！

若是以前左先生并不知情，那可就更惨了。现在绝对是暴风雨的前夕。

可要说俞又暖现在的心态也实在复杂，她看那个和关兆辰开房的女人，就像是在看别人一样，自己没有记忆，也缺乏当局者的感受，内心的忏悔和反省也就不够深刻。

左问擦着头发上的水出来时，没瞥见俞又暖的影子，走了两步回过头去，才看见她正缩在墙角卖可怜。

"去睡吧。"左问走到露台上点了一支烟。

俞又暖看着他的背影，默默地顺着墙壁又站起来，左问如今这态度反而让她稍微安心了一点儿，但心里依然难受，可也不能指望左问毫无芥蒂地反过来安抚她。

等到半夜，左问从书房回卧室躺下，俞又暖这才彻底松了一口气，至少他还肯与她同床共枕。俞又暖小心翼翼地靠近左问，试探着将脸贴在他背上，左问一动不动，俞又暖又抬起手从他T恤下摆摸进去，却被左问强硬地拿开了手，"还睡不睡？！"作势欲走。

"睡，这就睡。"俞又暖赶紧滚到床的另一侧。

早晨起来的时候，左问已经不见踪影，基金会那边目前俞又暖也不能去，她一出门，就有狗仔的长枪短炮跟着她，如今对基金会的名声恐怕也有影响。

俞又暖给范丽君去电话，想辞去管理一职，却被范丽君反过来安慰，并非什么大事，过几日媒体的热点转移就大事化小了。

在普通的人眼里，也许俞又暖的"开房事件"是无可饶恕的罪恶，但是在光怪陆离的名利圈中，却似乎早已是心照不宣的常事。比如船王已经娶到第五房太太了，和谐共存，而郭先生身边蹦跶的永远是刘女士，郭太默默无闻，李太也圈养着一位男星，只是李太颜值不够，那男星曝光度也不够，所以即使被爆出也上不了头条，狗仔也是择食的，不屑于守他们的绯闻。

俞又暖听着范丽君八卦，挂了电话后心情轻松了些许。午睡之后见慧姐坐在电视机前专注地看综艺节目，上面小孩跑来跑去，叽叽喳喳，慧姐看得笑得稍嫌夸张。

"什么节目？"俞又暖走到慧姐的旁边问。

慧姐报了名字，"可搞笑了，是明星爸爸带孩子的节目，妈妈一律不在，笑料百出，真看不出这些明星原来还这么会带孩子，那些孩子也超级可爱，这节目都做了好几季了。"慧姐又说了个出名的硬派男星的名字，"这一期他也参加了，简直不敢相信他也能带孩子，平时瞧着好酷啊，我以为他只会当间谍呢。"

俞又暖闲来无事也在慧姐旁边坐下，跟她一起看了一会儿节目，做得的确有趣，一个下午她们两人看了好几期，"好看吧？就连先生前几天晚上回来的时候见我在看，都跟着看了半期。"

俞又暖眨了眨眼睛，"不是吧？"左问那样的大忙人，居然有闲情逸致看这种综艺？哪怕是半期也足够人惊悚了。

慧姐扫了俞又暖一眼，"先生非常喜欢孩子。"如此直接，让俞又暖想装傻都不行。

"他那么忙，恐怕看孩子一眼的时间都没有。"俞又暖嘴硬地道，但心底其实已经动摇，婚姻摇摇欲坠，短短几日就从甜蜜转至冰冷，让人料也料不到，有个孩子或许真能起到良好的润滑作用。至少这会儿就可以让小朋友给爸比打个电话，问他："爸比，你怎么还不回家？"

左问回家的时候已经是深夜，依旧是背对她而眠，俞又暖感受到他疏离的气场，也没敢贴上去，迷迷糊糊地睡着，醒来时头痛欲裂，左问已经上班。

同在一个屋檐下，却几乎不曾照面，明知情况不对，俞又暖却也无计可施，如今再贴上去说什么"清清白白"可就太打脸了。

索性戴上帽了和墨镜逛街，也没去冷冷清清的高档百货，就在游客如织的步行街上走，华灯初上时，也不愿意回家，继续流连于人群，听了一耳朵的嘈杂，还有一声"又暖，俞又暖"。

俞又暖侧了侧头，不过是下意识反应，并不真是想寻找出那个喊她的人，结果肩膀被人戳了戳，"真是你啊，我还以为自己看错了。"

自来熟的贾思淼。

现在哪怕是一只跟左问沾个边儿的狗，俞又暖也不敢得罪，只好对着贾思淼敷衍笑容。

"你也来这种地方逛街？"贾思淼对那个被扔掉的五位数包包还记忆犹新，当初觉得俞又暖做事太过，如今才发现这就是人家大小姐的调调儿，绝配。

俞又暖看不懂贾思淼眼里那种兴奋和"崇拜"是怎么回事，怔忪中被她拉进了后巷的酒吧。

"鲜榨果汁，没有任何添加剂的，我看着做的。"贾思淼将果汁推给俞又暖，她自己却要了一杯龙舌兰。

俞又暖道了一声"谢谢"，喝了一口果汁，味道还行。

"真想请你给我签个名。"贾思淼道。

俞又暖抬眼无声地问为什么。

贾思淼仰头喝干杯中酒，不无感叹地道："姐妹儿，说实话，我实在太佩服你了。我这辈子的人生梦想简直是被你超额完成了。"

俞又暖觉得贾思淼说话的调调有些新鲜，等着她继续往下说。

"关兆辰我男神啊，每部戏我都看，那腹肌我一直想摸一把。"

俞又暖敷衍的笑容渐渐消失。

贾思淼继续唠叨，左问也是她可望而不可即的学神兼男神，"这辈子能睡其中一个就不枉此生了，还是你厉害。"

俞又暖推开果汁，她可没有义务听贾思淼讽刺。

贾思淼摆摆手，"我可不是批判你，这人哪，都是说得容易，若非亲自经历，你怎么知道别人的生活里发生过什么？又有什么资格去 judge？"

说话的时候贾思淼已经喝了好几杯酒了，"你知道我跟我老公离婚了吧？离婚的原因你想也想不到，是我出轨了。"

的确是想不到，俞又暖将果汁杯里的吸管含入嘴里。

"那段时间我们经常吵架，生完孩子之后我的体形就一直膨胀，他两年多没碰过我，知识分子的冷暴力。"贾思淼讽刺地笑了笑。

其实左问也算知识分子的。

贾思淼拍了拍俞又暖的肩膀，"我看你走在人群里，忍不住就叫了你。"那种寥落感，贾思淼也说不上来，一时脑热就喊住了俞大小姐。

俞又暖不习惯像贾思淼这样口无遮拦，一时无话可说。

贾思淼其实也不需要俞又暖说话，"我就搞不懂了，怎么男人出个轨那么正常，许多人都能谅解，我们女人做了，就跟十恶不赦似的，连我妈也不理解我。我也是个人，也需要人陪需要人关心，难道我们女人就不能有性需求？不能因为我有了孩子，就要我单方面牺牲所有吧？"

贾思淼明显喝得有点儿高了，红着一张脸给俞又暖也叫了一杯酒，"来，你也喝一杯。"贾思淼用手肘碰了碰俞又暖，打了个酒嗝，"左问这种人，你看那一身臭冷，也不过就是皮囊好看点儿，要我说，跟他睡一晚还成，过一辈子那可真是够呛。那些追他的女人那是没想明白，或者就是看上他的钱了，你钱多，所以看明白了，谁乐意一辈子抱一根冰棍睡觉啊？"

俞又暖将眼前的酒饮尽，学着贾思淼将酒杯在吧台上重重一敲，对酒保说："再来一杯。"她虽然不知道过去的自己为何会做出那些事情，但一个巴掌肯定是拍不响的，她没有记忆，其实也没有资格去评价过去的自己。

两个女人到后来都不说话，各有各的心事，不足为外人道也，一杯一杯地往嘴里倒着酒，左问到的时候看到的就是烂醉如泥的俞又暖。

"俞又暖，谁给你胆子喝酒的？！"左问怒不可遏。

贾思淼虽然看什么都是重影，但脑子后来却是越喝越透亮，见到左问进来，忍不住往旁边挪了挪，电话是她打的，或者说是她帮俞又暖接的电话。

"少管我。"俞又暖挥蚊子似的拍开左问。

"真是长本事了，居然又开始烂醉。"左问强行扶起俞又暖。

俞又暖也不知道哪里来的力气，一把推开他重新趴到吧台上，"再来一杯。"

左问向酒保拿了一瓶矿泉水，在贾思淼呆滞的眼神里，将水从俞又暖的头顶淋下。两个女人都是一个激灵，贾思淼暗道一声"妈呀"，男神什么的果然是只能睡一晚的货色。

左问拎着俞又暖回到俞宅，将她抱入浴室用热水给她洗澡，出来时慧姐已经拿了解酒药来，俞又暖闭目靠在床头，死活不张嘴。

"慧姐，你出去吧。"左问沉着脸道。

慧姐毫不迟疑地就离开了，俞又暖那性子还真就只能靠左问来治。

慧姐离开之后，卧室里的气温陡降，俞又暖掀开一丝眼皮，所有人前的矫情都化作了忐忑，虽然她依然很愤怒左问竟然拿水淋她。

"你看看你现在什么鬼样子？！"左问果然如俞又暖预料的爆发。

俞又暖被左问强行抱到洗手台边照镜子。这人对待醉酒的妻子实在称不上温柔，她想要的不过是左问的一丝温情而已，她都喝醉了，烂醉如泥，这人还欺负她。

"你哭什么？该哭的难道不是我？去哪里也不跟家里说，打电话也不接，今晚我要是没找到你，下一步你是不是准备随便跟着谁就去开房啊？"

此语太过恶毒，俞又暖不得不睁开眼睛。

"俞又暖，这种招数你都用烂了。"左问冰冷地看着俞又暖。

俞又暖哭出声，也大声吼回去："那还不是因为你对我冷暴力？！过去的事情我根本记不起了，我连怎么错的都不知道。你就知道工作、工作，根本就不管我！"

"你还有理了？！"左问道。

"就有理了！"俞又暖吼道。

这一句吼完，两个人同时都陷入了沉默，对视片刻后，又各自撇开头。

"把你那眼泪、鼻涕的擦干净。"左问说完就走了出去。

俞又暖看着镜子中的自己，也顾不上矫情了，此等模样，哪怕是天仙，估计左问也下不了嘴。

躺在床上时，左问一把搂过俞又暖，"你还真是有理了，做错了事情，我连生你气的权利都没有吗？"

俞又暖像八爪鱼一样贴上左问，"你若是最后肯原谅我，现在就可以生气。"

左问被俞又暖的强盗逻辑气笑，跟她说不清楚，只能下力去咬，疼得俞又暖抽着气儿地疼，但偏偏心里却舒坦极了。

"我看你就是欠收拾，俞又暖！"左问的动作和声音一样锋利。俞又暖觉得自己都快被人劈成两半了，左问身上是安装了电动马达吧，俞又暖迷糊地想着。这男人的动作少了怜惜之后，虽然稍嫌粗鲁，但又有说不出的带劲儿。

啃吧，咬吧，弄吧，发泄了愤怒就好了吧。

两只疯了半晚上的野兽不得不爬起来换到对面的卧房去睡，而自开房事件爆发之后，俞又暖第一次睡了个囫囵觉。

浑身还在酸疼，骨头咯吱咯吱作响，俞又暖被左问抱到卫生间，又是强行淋冷水，好吧，其实只是用凉水洗了把脸。

人总算是清醒了。山里人就是野蛮，叫醒服务这么糟糕，俞又暖一边刷牙一边想，还真让贾思淼说对了，左问这种男人，只适合睡一晚上。可是他要价太高，你为了能睡他，就必须付出婚姻的代价。

"这是要去哪儿啊？"俞又暖用纸巾挡住嘴，打了个哈欠。

车往郊外驶去，盘旋上山，是本城的豪华墓园所在，背山面海，春暖花开。慧姐将白菊花递给又暖，"小姐去看看俞先生吧。"

今日是俞又暖父亲俞易言的忌辰。

左问和慧姐将花放在墓前，就回了车内，唯有俞又暖双手插在裤带里，风吹着她纤细窈窕的身躯，逗弄着她的头发。

看着照片上的人，丝毫印象也无，可是那是爸爸呀。

俞又暖累得厉害，索性一屁股坐到墓台上，将头靠在墓碑上休息，她想她爸爸一定是极爱她的。生病的最后时期，还不忘给她找了左问这么个靠谱的老公。她的衣橱里，二十几年前的小香包都有，别的小朋友还在玩书包的时候，她就已经是时尚小公主了。

可是这些都比不上和父亲共有的回忆。

俞又暖在墓碑跟前靠坐了一会儿，迷迷糊糊地被左问抱起，她头痛如裂，知道是昨夜酒精惹的祸，原想撒撒娇，哪知道左问的脸色简直比菠菜还难看，堪称怒火中烧。

酒精伤害神经，再加上不知哪里冒出来的感冒病毒，俞又暖高烧不退，在医院住了将近一个礼拜才出院。

这一周左问几乎是以病房为办公室，但对俞又暖却是一点儿也不理睬，摆明了就是对她的冷惩罚。俞又暖自己作孽，也不敢去惹左问。

生活依然照旧，出院后俞又暖和左问之间虽然又恢复了夫妻生活，但是有些别扭一时半会儿还过不去，想起来就会膈应，俞又暖也有自知之明，小心翼翼地对待着左问，大小姐脾气也不敢耍，连信用卡账单都收敛了，每周固定给白老师打电话问好，乖巧得可以评十全十美老婆了。

"开房门"之后又出了很多新鲜门，俞宅附近的狗仔渐渐稀少，俞又暖又恢复了在基金会的工作。周清颜替她管理的时候，捐款数量明显减少，所以俞小姐热衷的 party 也不是没有价值的。

"俞小姐，有一位林小姐想见你。"周清颜敲门进入。

俞又暖看向周清颜，示意她继续说她接见那位林小姐的理由。

"她是林晋梁先生的妹妹。"周清颜当初一直帮俞又暖打理基金会，自然也认识俞又暖前次的未婚夫及其妹妹。

俞又暖踌躇几秒，"让她进来吧。"

林乐辰坐到俞又暖的对面，对于她这位准嫂子她也不是没有埋怨的，但是对方失忆也不是她的错，终究还是命运捉弄。

"我知道我有些冒昧，但是我想请你去看看我哥哥，他这一年过得极不好，前几天野外科考时摔到了山谷里，断了腿，却不好好治疗，跟我父亲吵得特别厉害，你能去劝劝他吗？"林父早就耳提面命不许她去打扰俞又暖，其实林乐辰也不见得喜欢俞又暖，尤其是看到前段时间的热门微博之后。可是她哥哥始终走不出去，只因为连分别的话都没有一句，就戛然而止，终生不得解脱。

听林乐辰说完，俞又暖并未点头，她如今是一朝被蛇咬，十年怕井绳，虽然林晋梁不同于关兆辰，没有媒体会对他感兴趣，可万一被左问知道，她在他心里肯定又要大打折扣了。

"我……"其实不见林晋梁，对他未必是坏事，彻底的拒绝总比暧昧的疏远好。

"你就一点也记不起我哥哥了吗？你们当初那么好，连婚期都已经定下。"

什么状况？俞又暖万分诧异，两人挪到大楼对面的咖啡厅坐下，俞又暖又听了一段自己的"传奇"故事。

原来当初她和左问已经离婚，只是适逢民政局网络不好，离婚证一直未办下，婚姻才迁延至今。

"我哥一醒过来，连自己的伤都不顾打着点滴就去看你，却被拒之门外，回去后伤口感染，连病危通知单都下了。所以才迟迟没能去找你，再后来我们就知道你失忆了。"林乐辰的声音和语言都十分干巴，可是俞又暖想起林晋梁看她的那种有苦难言的眼神，却一下就体会到了他的难受

"他一直很自责，我父亲迫于你丈夫的压力，不许他来找你，关了他一个多月，闹到要登报断绝父子关系的地步。"林乐辰顿了顿，"他明知道你一点儿也不记得他。"

马上就要结婚的恋人，因为车祸突然就终止了感情，林晋梁自然放不下。

俞又暖买了鲜花去医院探病，林晋梁的情况很不好，腿上打着石膏，脸颊消瘦几至凹陷，颧骨凸出得有些怕人，整个人显得落魄而无神。

林晋梁看到俞又暖时，有些无措地摸了摸脸上没有刮的胡楂。

"你不喜欢男人留胡子，说邋遢。"林晋梁有些尴尬地请俞又暖坐下。

彼此既陌生又熟悉，感觉十分奇特。

"你现在过得好吗？"林晋梁为俞又暖担心。

俞又暖点了点头。

"其实只是想跟你说一声抱歉。"林晋梁笑了笑，"那天都是我的错，车开得太快。"飞机晚点，林晋梁害怕左问等不及先走，俞又暖装傻，但他却是知道的，离婚协议签了好几个月了，两个人居然还没有将离婚证办妥，一切的忙碌都是借口，可是那一次，林晋梁不想再让俞又暖逃避，他想娶她，想听人叫她林太。

"我真怕你再也醒不过来。"林晋梁喃喃，伸手捉住俞又暖的指尖。

"我从未怪过你。"俞又暖回握林晋梁。人生的奇妙就在于你永远不知道命运如何转弯。如果没有出车祸失忆，她如今就是林太太了，可是这种假想令俞又暖忍不住后怕。

她，只想做左太。虽然左问冷冰冰的，一点儿也不可爱。

林晋梁如何不懂俞又暖的心事，拍了拍她的手道："放心吧，别为我担心。我和父亲吵架，最大的原因不是为了你。他希望我子承父业，而我只喜欢我的科研。乐辰一心扑在画画上，把老头子气得吐血。"

见林晋梁还有心思开玩笑，俞又暖也放心了许多，起身告辞，彼此也没说什么再见的话，都知道不见才是最好的选择。

俞又暖从医院出来后，不想回基金会，也不愿回俞宅，招了计程车漫无目的地

闲逛。

来医院时俞又暖没用司机，是基于不愿意让左问知道的心理，家中佣人都是他在支付薪水，人心向背由此可知。

作为一个有前科的女人，如今又是到医院见"前未婚夫"，自然最好不叫现任丈夫知道。虽然左问从没有明确地表现过吃醋，但是俞又暖直觉还是不要去试探左先生的底线为妙。

再说，也不知道自己和林晋梁滚过床单没有？虽然当时看起来合情合理，但如今回过头再看，居然又是一出婚内出轨，真是天了噜，人作起孽来，老天都帮不了。

所以俞又暖背着左问来见林晋梁，是很可以理解的，并且心里还存在一丝心虚和内疚。

但下了计程车，在滨海公园面海的长凳上坐下的俞又暖，然后回头一想，心里可就没有所谓的心虚和内疚了。她心想，左问城府可真深，难怪能有今日成就。即使有俞氏为后盾，但若非左问自己了得，换作旁人只怕根本无法企及他今日高度。

俞又暖和林晋梁的事情众所周知，左问知道他肯定无法完全遮掩以前的种种，不许自己出门，每次晚宴总跟门神似的守着，不许别人跟自己嚼舌根，所求的不过是拖延时间。

那一次在左问老家的温泉山庄，左问肯定是得到了林晋梁到的消息，匆匆从山上赶下来，就是为了阻止自己和林晋梁见面说话。但后来可就再也没见到左先生那么紧张了，上回在饭店，林晋梁出现，左先生表现得可是十分平静。

俞又暖越想越觉得左问就是个"心机婊"。那时候她失忆彷徨，左问根本就是乘虚而入，先到先得。若是当时俞又暖知道林晋梁这么个存在，如今有没有左问的事儿还得打个问号呢。

即使是比现在再早点儿，在微博事件爆发之前，俞又暖知道这桩事儿，肯定也得跟左问大闹特闹，但今日她心里却只有淡淡的惆怅，她如今满心满眼都是左问，甚至还开始帮左问找借口，这也是他在乎自己的表现嘛。

俞又暖很生气自己居然没有特别生左问的气。

左问那个臭混蛋。

手机铃响，俞又暖看见左问来电，理也不理，一直到被左问在海边逮住。

九月海边风冷，左问穿着黑色风衣出现在俞又暖面前，他个子很高，风衣有型有款，衬得他越发挺拔冷峻，哪怕是为了颜值，俞又暖也没办法再回头选择林晋梁。

左问在离俞又暖三米开外的海边站定，点了一支烟，单手撑在滨海的扶栏上吞云吐雾。

比冷淡，谁不会？俞又暖也不开口。

直到天色渐暮，左问一支烟尽，脱掉身上的风衣隔空抛给俞又暖，再弓身手肘撑在扶栏上这才开口，"怎么，见了旧情人，开始觉得左右为难了？"

简直是倒打一耙！

俞又暖吸了吸鼻子，套上还带着左问身体温度的风衣，"只是觉得他挺可怜的。"

"所以就要到这儿来吹冷风？再发高烧的话，我让他也来看看你的可怜样儿？"左问道。

话少的人骂起人来嘴巴可真毒。

"哎。"俞又暖不满地嚷道，"你怎么这样？再怎么说也是你抢人准老婆好吗？"再说了如果是跟林晋梁在一起，即使出现关兆辰的事情，也无所谓，反正又不是出的林晋梁的轨。如今想来，真不知道姓左的有什么好。

以左先生的风度和修养，此刻也已经顾不上将烟头扔进不远处的垃圾桶了。皮鞋将烟头踩在脚底，头也不回就往停车场去。

俞又暖走过去将左问扔下的烟头拾起来扔进垃圾桶，裹着左问的风衣慢吞吞地走着。

车子的引擎已经发动，但并未开动，俞又暖坐进车内，将头靠到一脸冷峻的左问的肩头，抵嘴笑道："我能说，其实我挺高兴你抢人准老婆的吗？"

左问侧头看了俞又暖一眼，熄掉发动机，掐着俞又暖的腰将她搂到自己的腿上坐下，"冷不冷？"说话间已经开始动手解俞又暖的衣服。

"别人会看见的。"俞又暖轻喘地咬着嘴唇。

左问不为所动地调整椅子，俞又暖被他咬得厉害，只能不情不愿地动作，支撑不住自己的身体，只能反手在风挡玻璃上借力。

按说左问的体位应该十分难使力，居然也将俞又暖逼得丢盔弃甲。

"你怎么先不说晚上有聚会？"俞又暖一边扣着背后的搭扣，一边伸出脚去踢左问。

"看你冷得可怜，临时起的意。"左问唇角轻翘。

让人温暖有很多方式好吗？在车里打开空调不就好？俞又暖整理好衣服，又拿出镜子整理妆容，"等下你要自己把车擦一下，不然明天司机看到……"

"操心！"左问回了俞又暖一句，

此刻自然已经不冷，脸色红润得像春天的樱花，嘴唇殷红饱满，靡艳的气息简直挡都挡不住，俞又暖泄气地收起镜子下了车，跟着左问进了包厢。

贾思淼、白素赫然在座，以及陌生的白素的丈夫，其外还有左问来本城出差的几个老同学。

寒暄后，左问借口去洗手间，低头在俞又暖耳边道："我去擦车。"俞又暖趁机狠狠捏了捏左问腰上的肉。

贾思淼看着俞又暖和左问那劲儿，夫妻间虽然话少，但绝没有闹崩的迹象，她不由更佩服地看向俞又暖，上回见左问拿矿泉水淋俞又暖，她还以为这一对儿是分手前兆呢。

"和好了？"贾思淼悄声问俞又暖。

"你若是想减肥，我可以帮你。"俞又暖答非所问。上回听贾思淼说是长胖了才被丈夫嫌弃而无性生活的，她自问保持体形上可以帮帮她。

"那少了多少吃的乐趣啊。话说，你们家左问今天对我可够冷淡的啊？"贾思淼有些不是滋味儿，因为贾老师的关系，左问又去贾家吃过几顿饭，对贾思淼向来是颇为照顾的，否则常年不出席同学会的人，因为贾思淼初来，居然破天荒参加了好几次，而且是携伴。

俞又暖知道左问是怪贾思淼让她喝酒，但此话不太好说，只能装傻，"他对谁都很冷淡。"

那倒是，贾思淼颔首，然后冲着一直偷看俞又暖的宋存西道："怎么样，老宋，现在不担心左问抢你老婆了吧？"

宋存西大笑，他就是那位搂着白素四处宣誓主权的丈夫。

白素红了红脸，掐了掐宋存西。

三十几岁的女人了，还这样羞涩，别有一种风情。

左问喜欢过的女人，不会太差。

一顿饭吃下来，全看白、宋秀恩爱了，含情脉脉、深情对视，连饭桌上的其他人都顾不了了，间或还有短暂的亲吻。

贾思淼大呼"虐死单身狗"了。

如此左问跟宋存西一比，作为老公那可就太逊色了，饭桌上对俞又暖连个笑容都没有，这让"情敌"面前、虚荣心爆棚的俞小姐可是十分不满，"我要吃鱼。"

只可惜今夜的海鱼，肉身无刺，便是有刺，估计左先生也不会人前表演，上回在郭家年夜饭上，那纯粹是为了断绝对方的心思。

回家路上，俞又暖忍不住出声抱怨，左问只回了一句，就秒杀宋存西。

"你让白素出去跟人开房试试。"

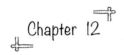

Chapter 12

连绿帽子都肯忍的左先生,不是真爱又是什么? 比剔鱼骨头什么的可是真爱多了。

俞又暖觉得自己这辈子要被左问压制到死了。

车行到半路,左问的私人手机作响,知道这个电话号码的没多少人,有一段时间连俞小姐都未必有资格。

左问将车停靠到路边,下车接电话,俞又暖耳朵都竖起来了,她可以用人格保证,来电的肯定是个女人,而且十有八九是那朵小野花。

"怎么了? "俞又暖问坐进车内的左问。

"有点儿事。"左问将俞又暖送到俞宅,转身就驱车离开了。

过几日,慧姐生病,贺光过来看她,俞又暖才从贺医生嘴里听到,左问托他请他当初在国外的同事来华为一个肝癌病人主刀。

俞又暖一下就想到了那天在菜市场问左问借钱的小野花。只是大小姐到底没有为这件事去询问左问,说不出来为什么,但是她信任左问。

当然这期间俞又暖的心情绝对称不上好,左问早出晚归,也不知道其中有没有时间是在替小野花忙碌。

所以关兆辰来电的时候,俞又暖想也没想就挂了,连挂了十来次,关兆辰终于不再拨电话过来,但很快俞又暖就收到一条彩信,她猛地从沙发上坐起来。

照片里的她显得很年轻,手指妩媚地含在嘴里,雪白肌肤上只搭了一条艳色的丝巾,将三点遮住,可是任谁来也不会否认,这是一张"艳照"。

过去就像毒蛇一般,怎么甩也甩不开,俞又暖的脸白得仿佛纸一般,迅速给关兆辰拨了电话过去，"你想要什么？"俞又暖的声音尖厉得几近刺耳。

"又暖，我们见面再谈。"关兆辰平静地道。

本城媒体过于发达，俞又暖和关兆辰约在邻市见面，虽然一直偏好关兆辰的长相，但此刻俞又暖只觉得恶心。

"你想要什么？"俞又暖再次问道。

关兆辰的脸色不比俞又暖好多少，"又暖，我只是想向你借点儿钱周转。你一直不肯接我电话，我不得不出此下策。照片我收藏得很好，绝不会泄露给别人。"

"你要多少？我怎么才能确定你已经全部删掉，没有备份？"俞又暖冷着脸道，丝毫没有理会关兆辰的托词。

"又暖，你相信我，我是迫不得已才这样做的，这世上我最不愿意做的事情就是伤害你。我们曾经是那样相爱，如果不是因为你失忆，我们早就结婚了。"关兆辰道。

只可惜俞又暖一个字也不肯相信关兆辰，当年真是太蠢，居然和这种人来往，竟然还拍下那等照片，如果可以，俞又暖都恨不能亲手掐死当初脑残的自己。

"把备份全部删掉，我给你钱。"俞又暖道。

"又暖，你相信我。"关兆辰想去捉俞又暖的手，被她躲掉。"我欠了赌场的债，如今被逼得无路可走，等我接到新剧就有钱还你了。又暖，那是我们相爱的证据，你相信我，我绝不会泄露给别人的。"

"你要多少？"俞又暖垂眸道。

"先借我 500 万好不好？"

真是狮子大开口，俞又暖在心里盘算了一下自己的零用和资产，应该可以在不被人察觉的情况下凑齐。

"关兆辰，500 万我给你。你如何保证没有备份？"俞又暖冷冷地道。

"这样亲密的照片，我怎么可能还有其他备份，只存在我的 U 盘里。"关兆辰满脸欣喜。

俞又暖也知道这不过是饮鸩止渴，而且也无法验证关兆辰话里的真假。只是眼下毫无办法，关兆辰明显是走投无路，就怕逼得他狗急跳墙。她只能寄希望于关兆辰言而有信，然后再徐徐图之。

只可惜你我都知道，如此轻易就能拿到钱的途径，谁也不舍得放弃。有媒体爆料关兆辰最近频频出现在澳门赌场，而他如日中天的事业巅峰已经过去。代言的男性护肤品合同到期，对方公司不愿意再续约，新戏又被人抢走了男一号。

俞又暖心底有了不好的预感，关兆辰果然来电约她见面，"又暖，对不起，我只是太想还你钱了，哪知道手气不佳，在赌场又输了。你再借我一千万好不好？我保证今后再也不打扰你。"

"你说过没有备份的！"俞又暖冷冷地道，握着手机的手指因为用力而惨白一片。

"又暖，我真的需要钱，不然他们会杀了我的。我保证绝不会将相片外传的。"关兆辰哀求道。

"金额太大，我需要时间才能筹集现金。"俞又暖道。

关兆辰应声说好，约了三日后给钱。

这样短的时间，又是一大笔现金，根本不可能不惊动他人就支付，尤其是左问，这人鼻子比狗还灵。俞又暖束手无策，真恨怎么就没人把关兆辰撞死。

"你有心事？"左问放下手中的书，侧头看向辗转反侧的俞又暖。

"没有。"俞又暖矢口否认。

左问揉了揉俞又暖的头发，"告诉我。"

怎么敢告诉，其实俞又暖知道如果说给左问听，他一定有办法帮自己，可是那样的照片太过不堪，若是被左问看到，俞又暖真怕他无法再原谅一次自己。

三年前，她没出第一次车祸之前，两人的婚姻就已经宣告失败，这一年先是左问照顾她，后来则是她小心翼翼地维系这段婚姻，她实在不甘心就这样眼看着婚姻滑入深渊。

下午，俞又暖为了凑钱，去试了试房间里的保险箱。保险箱三重保障，一道虹膜，一道指纹，还有一组密码。

俞又暖凭着第一直觉输入，那是左问的生日。居然应声而开。可惜令她失望的是，里面并没有什么钱财，只静静地躺着两份离婚协议书。

一份的日期是三年前，另一份的日期是一年前。

第一份协议里，左问将手上拥有的俞氏股份都给了她，还有一半四维的股份。第二份协议里，左问依旧将四维一半的股份给了她。

婚姻脆弱如斯，若非因为车祸失忆，俞又暖想左问大约是早就想迫不及待地甩开自己的，甚至不惜牺牲许多股份。

夜里做噩梦，是关兆辰恶心的模样，还有过去的自己，简直恨得令人齿碎。

早晨，俞又暖顶着一张惨白的脸路过肿瘤医院时，想起了叶鸾，还有她身患肝癌的父亲，以及为这对父女劳心劳力的左问。

叶鸾和左问的交往是在他们签署第二份离婚协议之后，俞又暖忽然想知道，是什么原因，左问放着那么多的女人不选，居然选择了叶鸾，而如今依然对她的事情那般上心。也许知道原因后，她就能知道，她的未来该怎么选择了。

叶鸾从医院回家拿换洗的衣服，走到楼下时，却被树旁的一个身影所惊。那个女人她认得，左问的妻子，有着惊人美貌的俞家大小姐。

叶鸾深吸了一口气，这段时间的确是受左问帮助许多，但她并没有什么需要怕俞又暖的，也自问什么亏心事都没做过，若真说是谁欠了谁，那也该是俞又暖欠她的，是她夺走了自己唯一幸福的机会。

俞又暖跟在叶鸾身后，走进她的公寓，小小一间，中间拉着布帘子将房间一分为二，父女的床铺各占一边。

穷困如斯。

叶鸾将一次性水杯递给俞又暖，"家里只有白开水。"

"谢谢。"俞又暖接过纸杯。

叶鸾这段时间消瘦了许多，看起来竟然也漂亮了些许。俞又暖握住温暖的纸杯，"你能跟我说一说你和左问交往的过程吗？"

没有趾高气扬的蔑视，也没有气急败坏的指责，俞又暖的态度格外平静，在那一瞬间叶鸾也忽然就想将自己的故事告诉她，可旋即也知道说这些其实毫无意义，只是即使是一直卑微的叶鸾，也会有心有不甘的时候。

认真说起来，叶鸾和左问的故事的开头，比大多数人的爱情故事开头都更为戏剧化和吸引人。

叶鸾的母亲去得早，父亲早年就罹患肝癌，变卖家中房产治病、读书，所以如今父女两个才屈居陋室。

那日叶鸾的父亲骑自行车出门买菜，不小心摔倒在地上，左问的车子驶过，司机奉命停车下来扶人，却被叶鸾的父亲反诬，是左问的车撞倒他的。

叶鸾赶到医院看到的一幕就是，她父亲拉着左问的衣服，死活不让他走，要让他赔钱。

司机在一旁说，车上有车载行车记录仪，街角还有天眼，街边的店铺也有摄像头，肯定能找出是他故意讹人的证据。

叶鸾将左问请到一边，诚恳地向他道歉。她父亲是心疼她，这一次他摔折了骨头，老人骨脆更不容易好，叶鸢要工作赚钱，哪里有时间照顾他，医疗费也是一大笔，叶家祥才不得已讹上了左问。

左问大度，并未与叶家父女计较。

但是缘分有时候十分神奇，到来的时候人想阻止都阻止不了。左问早在和俞又暖离婚之前就已经买下锦天的新楼，装修之后入住，偶尔跑步买菜，叶鸢就又见到了他。

左问是抬起头称重时，才发现老板是叶鸢的。

"你在这里卖菜？"左问有些惊讶。菜市场很少有年轻女孩儿摆摊，因为批发蔬菜都是凌晨三四点，对女孩儿来说太过危险，而且卖菜也是体力活。

叶鸢是迫不得已，她工资不高，但是叶家祥每个月的药钱和营养品的钱不是小数目，她还想存钱给父亲买房住，恰好她舅舅、舅妈在这里摆摊，她就跟着他们进货，蹭了一小部分的摊位，早晨来卖两三个小时的菜。

叶鸢死活不肯收左问的钱，上次如果不是他大度，她父亲肯定不能轻易过关。叶鸢认得左问的车的标志，卖掉她也买不来一辆，车牌号也十分靓，左问的身份就不言而喻了，反正是穷人惹不起的。

左问坚持付钱，之后每次买菜总是优先照顾叶鸢的生意。这个女孩自尊自爱，而且自强，他同情并尊敬。

但也仅止于此。

叶鸢也不敢有任何奢望。直到那晚她遇到来酒吧买醉的左问，她是后来才知道那天是眼前这位俞小姐和那位林晋梁先生宣布婚讯的日子。

酒吧打烊，叶鸢收工，左问趴在桌上一动不动。整个晚上叶鸢都在观察他，知道他心情不好，也没有过去打扰，看着他一杯一杯的灌烈酒，有时候喝得太急还会咳嗽，到后来就趴着不动了。

"左先生，我们打烊了。"叶鸢走到左问身边轻声道。

左问毫无反应。

"你家住在哪里，我送你回去好吗？"叶鸢又问。

左问丝毫无反应。

叶鸢为难地看了看同事小刚，"要不你跟我一起把他扶上计程车吧？"

酒醉的男人好像额外沉了百斤，叶鸢费了九牛二虎之力才将不省人事的左问塞入车内，自己的单车是不能骑了，上了计程车，怎么也弄不醒左问，只能咬着牙将他带回自己的公寓。

幸好那几天叶鸾的父亲去了她舅舅家小住，他腿还没有好全，叶鸾要上班也照顾不了，她舅舅干脆就让她父亲去他们那边住。

也许是吹了风，一直没有反应的左问，在叶鸾将他好不容易扶到二楼公寓的小床上时，就吐了一地，连他自己的衬衣上都沾了污点。

"臭。"左问皱了皱眉头。

叶鸾赶紧端了水来给左问漱口，又拧了温水帕子给他擦脸，见他沉沉睡去，才把他的衬衣脱了，至于裤子却是没动，虽然知道这样睡着不舒服，但是叶鸾并不想让左问第二天误会她。

凌晨三点，叶鸾手脚麻利地将房间里的秽物打扫干净，又将左问的衬衣洗干净晾晒到阳台上，开了窗户通风，但味道依然难闻，家中没有香水，她只能将花露水拿出来喷了喷。

忙完一切，叶鸾准备看看左问就睡的，哪知道却见他满脸通红，额头冒汗，一摸才知道他发烧了，幸好家里什么药都有，她扶着左问喝了退烧药，每15分钟就给他换一次额头上的帕子降温。

"水。"左问睡得并不踏实。

叶鸾将水杯端来喂了左问喝水，又重新扶他躺下，反反复复折腾，她也是疲倦到不行，只能给舅舅、舅妈打电话说今天不能去进菜了。她靠在床头，伸手去摸左问的额头，却被他轻轻捉住手，"暖暖。"

有那么一瞬间，叶鸾还以为左问在叫自己，她的心在错误的时间狂跳欲离。

"暖暖，别结婚。"

即使酒醉，男人的声音依然干净而简短，可又带着一点点祈求，让叶鸾忘记了收回手。

半晌之后再无动静，叶鸾以为左问已经睡着，想抽回手，却被左问死死扣住，他眉头皱在一起，也不说话，只是不放手。

叶鸾只能靠在床头休息。

再睁开眼睛时，天已经大亮，"你醒了？"叶鸾低头去看左问。

左问愣愣地看了叶鸾良久，脑子才重新恢复运转，"昨晚是你在照顾我？"左问已经坐起身，低头看了看自己光着的上半身。

叶鸾脸一红，"嗯"了一声，起身去阳台上摸了摸左问的衬衣，已经七分干，"我把你的衬衣吹一吹吧？"

"不用。"左问已经站了起来，从叶鸾手里拿过衬衣穿上。

叶鸾就那样愣愣地看着左问扣纽扣，忘记避嫌。他的手指非常修长，扣扣子的动作是那样漂亮。真的是漂亮，就像一幅油画，衬着她破陋的公寓都像入了画。

左问给司机打了电话，侧头问叶鸾："你这里地址是什么？"

叶鸾赶紧报了地址。"你想吃早餐吗？我下去给你买，你昨天发烧了，现在……"叶鸾有些语无伦次，手都不知道该放在哪里了。

"不用，谢谢。昨晚多谢你了，你很会照顾人。"左问虽然记不太清昨晚的事情，但是他能感觉到很安心。

"不客气。"叶鸾低头道。

"麻烦了你一个晚上还不知道你叫什么名字。"

"叶鸾。"

左问重复了一遍，叶鸾在他嘴里清楚地听到自己的名字的时候，多年以来从没有考虑过爱情的心，突然就溃不成军了。

"你昨天是在酒吧打工吗？我看见你了。"左问又问。

叶鸾点了点头。

左问已经了然眼前这个女孩子生活的困苦，沉默了片刻道："很抱歉，今天早晨是不是耽误你卖菜了？"简陋的公寓，大约用了十年的床单，非常干净整洁，但依然能看出主人的困窘。

左问最后并没有掏出钞票打发她，不知为何，叶鸾松了一大口气，目送着左问离开。

俞又暖默默地听着他们两个人的故事，有一句话左问也曾经对自己说过，他说叶鸾很会照顾人。所以叶鸾并没有骗她。

但叶鸾也是个女人，每个人都有私心，尤其是涉及自己喜欢的人的时候。所以叶鸾并没有将左问醉酒之后的话告诉俞又暖。

之后左问和叶鸾的故事简直就是韩国偶像剧了。

左问早晨跑步买菜的频率开始增加，总是去叶鸾的摊点，有什么买什么。

到最后连叶鸾的舅妈都忍不住开口："他是不是对你有兴趣啊？"

叶鸾的心为了这句话狂跳不止，可是她这样的人，怎么会入他的眼呢？他另外有一个"暖暖"。

"一起吃顿饭吧。"有一天左问买菜的时候很自然地道。

叶鸢看着左问的眼睛，她自卑而惶恐，可这一刻她实在舍不得拒绝，而且一切都是那般的水到渠成。

以后的一切就都顺理成章了，左问带她出去吃过两顿饭。再后来左问不让她早晨再卖菜。

"我工作忙，你能帮我买菜做饭吗？"左问接下来的这句话，让原本已经打算拒绝的叶鸢说不出任何话来。

她想每天都能看到他。

当然，他们的交集真的就是一顿晚饭时间。左问十分忙碌，过去的半个月能抽出时间每天去买菜，其原因不言而喻。叶鸢想见他，就只能到他家给他做晚饭，但很多时候左问连晚饭也没时间回去吃。

但是已经足够。

吃过晚饭，左问会送她回家，叶鸢偷偷地打量左问的侧脸，忍不住伸出手想去牵他的手，可就在快要碰到的时候，又开始迟疑。

可是左问好像背后有眼睛一般，轻轻一动，就握住了她的手，然后叶鸢就听他说："做我女朋友吧，我们以结婚为前提交往。"

这天底下还有比这更好听的情话吗？

"10月12日那天早晨，他向我求婚了。"

俞又暖手里的纸杯瞬间被捏扁，水流到了她衣服上，她也没有感觉，连眼泪流出来了她都不知道。

原来她，俞又暖，实在是高估了自己，原本以为这世界上唯有她之于左问是不可替代的，如今才恍然大悟，其实生活并非童话。

叶鸢停顿了许久，然后从衣领里拉出一条项链来，那上面挂着一枚戒指。

俞又暖从叶鸢手里接过那枚戒指，一克拉左右，净度很高，牌子是俞又暖比较喜欢的，以叶鸢的收入不吃不喝好几年大约可能买得起。

所以叶鸢并没有说谎，左问真的向她求婚了。俞又暖心里自嘲地想，白老师大约会很喜欢叶鸢这个儿媳妇。

"10月12日吗？"俞又暖喃喃。那天改变了好几个人的命运，而俞又暖的车祸就是在那天下午发生的。

之后的事情俞又暖就都知道了，左问不得不放弃了叶鸯，因为彷徨无助的自己只认定她第一眼看见的他。

所以当时叶鸯抱着左问的时候，左问冷冷地让自己先走，所以叶鸯父亲癌细胞复发，左问尽心竭力四处找人给他做手术。

俞又暖用手背擦了擦眼泪，将干瘪的纸杯放到桌上，站起身道："打扰了。"

叶鸯送俞又暖到门口，俞又暖转过头看着她，真不是很漂亮的女孩儿，身材也不是很好，小腹的赘肉遮掩不住，可是左问于万千人中选择了叶鸯。

"你是个好女孩儿，真的很好。"白尊白爱，白立白强。"左问喜欢的女孩儿，不会太差。"

叶鸯愣了愣，没想到俞又暖会说出这样的话。在看不到俞又暖后，叶鸯掏出手机给左问拨了过去。"你太太来找我了。"

左问摆手示意 Andy 出去，起身走到窗边，"她为难你了？抱歉，我保证没有下一次。"

叶鸯握着手机的手微微颤动了一下，他们是夫妻呢，所以左问替俞又暖道歉，而自己，真的只是个外人。

说不上来自己是运气好还是运气坏，在她最艰难的时候，是左问帮了她，让她父亲的命又延长了时间。可是这辈子，除却巫山，她大约也再得不到来自于爱情的幸福了。

"她没为难我。"叶鸯轻声道，"我只是觉得俞小姐的状态有些不对。"

"谢谢。"左问道，"你父亲好些了吗？"

"嗯。"

"如果有困难，就告诉我。"

"嗯。"叶鸯泪如雨下，很快就挂了电话。

而至于俞又暖呢，从来没将叶鸯放在眼里过的俞又暖，如今只觉得茫然。所有美好的东西都具有欺骗性，但她不得不感激左问，在她最脆弱的时候并没有推开她，真是个善良的人。

原来男人能忍受绿帽子的原因除了是真爱之外，还可能是不爱。

俞又暖想，反正都这样了，再坏也不会坏到哪里去，她有钱，很多钱，即使国内闹得沸沸扬扬，但国外的人并没有时间看华人的八卦呢。茫茫人海，谁又会知道俞又暖是谁呢？

她，尽可以抛开那污浊、肮脏的过去，重新开始她的人生。

俞又暖到家时，左问似乎已经等她良久。她低下头捋了捋长长的额发，将它们别在耳后，再将手包和外套递给女佣。

"我们谈谈。"左问道。

"嗯。"俞又暖应了一声，两个人去了书房。

"别去打扰叶鸾。"这是左问的第一句话。

俞又暖轻抬眼皮看了左问一眼，又重新开始眺望远处的湖泊，上面笼着白雾，有一种凄清的唯美。

"嗯。她是个好女孩儿。"那样的生活不仅没压倒她，反而让她长成了秀丽的松树。

左问狐疑地侧头扫了俞又暖一眼，"你有心事？"

"没有。"

"500万买什么了？"

左问的声音淡淡，但俞又暖的心跳已经停止，面色惨白一片。左问回身去书桌上拿了个牛皮信封递给俞又暖。

倒出来一看，里面是一个手机，关兆辰的。

"没有备份了，关兆辰我已派人处理。"左问道。

俞又暖握住牛皮信封的手因为用力而苍白，良久才吐出一口气，"多谢。"

两个人再也无话，俞又暖耳朵里回响起关兆辰来电时说的话。"又暖，我不想这样对你的，但是左问逼得我走投无路，他联合圈内大鳄将我全面封杀，没有戏拍、没有代言，什么都没有。俞又暖，你究竟知不知道你嫁的是什么人？你以为左问对你是真心的吗？你知道我为你擦奶沫的那张照片是谁发给爆料大V的吗？又暖，如果这些照片落入左问手里，你觉得他会怎么对付你？"

俞又暖瑟瑟发抖，没有人可以逃开自己欠下的债务，也没有人做错了事而可以不受惩罚，即使失忆也不行。

左问对她从未信任，她每日的一举一动都有私家侦探向他汇报。所以每一次他都能及时找到她，她的所有都逃不过他的眼睛。

只是她也没有抱怨的资格，俞又暖自嘲一笑。信任是自己争取的，而不是别人给予的。

可是生活这样下去也再也没有意义。她永远愧对他，思及便觉得累，而他永远也不会信任她。

无望的一段婚姻。

但其实人生还有很长，除了婚姻还有很多东西。他们离过婚，各自都重新有了可以再筑婚姻的恋人，想来重来一遍也不是难事。

新的离婚协议书已经拟好，就装在俞又暖的手包里。本打算再彻夜狂欢一次，然后就……

夜晚风凉，俞又暖回过神来时，左问已经不在身边，她走进去见左问坐在沙发上，手里拿着关兆辰的手机在浏览。

有十几张照片，香艳程度可比《男人装》的封面，若由那些女星拍摄只会觉得养眼，那是她们的职业，拿钱吃饭，可如今换作俞又暖，只让人觉得……

厌恶。

对，就是厌恶，厌恶得一眼都不想看，俞又暖撇过头。

"你当时长脑子了吗？拍的时候就没想过将来？"左问嫌恶地将手机扔到一边。

问她吗？她其实也不知道当初的答案。

俞又暖看着左问摔门出去，不久后拿着一柄工具锤进来，"啪"的一声将手机砸得粉碎。仿佛还不够泄愤，手继续扬起、落下，不仅手机砸得粉碎，连书桌也不能幸免于难。

俞又暖的耳边持续响起铁锤的声音，最后才见左问将那堆垃圾扔到垃圾桶内，两个人相向而坐，俞又暖直视左问眼中的失望与疲惫。

发泄过后的左问比俞又暖预期中的要平静和理智许多，正是这份理智，叫俞又暖越发害怕，她甚至更希望左问骂她、打她，也好过现在的平静。

此刻俞又暖觉得自己不是左问的妻子，只是一个等待他宣判的囚徒。可是她还是想辩解，"我，以前的事情我都记不得了，我根本不知道发生过什么事情。"

这辩白无力得俞又暖自己都说服不了自己，那毕竟是她曾经做过的事情。

左问神色淡淡，"我有事出差，我们彼此也都需要冷静一段时间。"

冷静一段时间，其实只是分手的代名词。

"别这么对我，左问。"俞又暖在左问拖着行李箱离开时，忍不住跑上去捉住他的手。

左问只是轻轻拿开俞又暖的手，头也不回就走了。

左问在一个礼拜后回到俞宅，其间没有电话来过。他走进房间时，俞又暖正抱着腿坐在露台上。连日来的冷清和自我反省将她逼得几欲发狂，再见到左问时心情却异样平静。

"又暖，我想我们的婚姻不能再这样下去。"左问的声音有些疲惫，他坐到俞又暖的身边，揉了揉她的头发。

俞又暖知道他为自己费心不少，长达 11 年的婚姻，自己总是那个闯了祸却不懂收拾的人，累他许多。

怎么办？比不爱更令人绝望的是疲倦。

其实左问很可以不必使那些手段，她再爱他，但应有的骨气却还是有的。

"我们要……"左问的话被俞又暖打断。

"我们离婚。"俞又暖抢先一步地道。

俞又暖探身从床头柜中将文件拿出来，"协议我已经拟好。"俞宅归她，手中现有的俞氏股份已经足够她将来阔绰的生活。至于四维的股份，她没有要。

左问的眼睛眯了眯。

俞又暖站起身，走到落地窗边，拿起旁边的烟盒抽了一支出来，点燃吸了一口，结果呛得连咳了好几声。

待平静后俞又暖将头靠在门框上，侧身对着左问，眼睛落在对面的门柱上，语调平展得仿佛被熨斗熨烫过一般，毫无情绪起伏，"跟你在一起真的很累，每时每刻都要看你脸色行事。你沉默寡言，只知道工作，毫无情趣。车祸后，你帮我重新生活，我很感激，但——再多就没有了。"

俞又暖转过身，抽了一口烟，这一次总算可将白色的烟气吐出，定定地看着脸色十分阴沉的左问，"这一次我们不要再拖延，明天早晨就去民政局行吗？"

"所以，这就是你解决问题的方法，所以离婚就是你对我的报答？"左问笑了笑，"我是不是应该感激你没有分我的财产？"

"不用。我自知有愧，但即使这段婚姻继续，可能此类丑事还将无法避免。"俞又暖看向左问。

"俞又暖，你真的很丑陋。"左问良久才说出这句话来。

"嗯。"俞又暖重新转过头，背对左问。

这七天俞又暖都坐在露台上，眼泪早就风干了，此刻是麻木后的平静。但不得不说，真的很轻松，内疚、惭愧、自厌，还有满屋的寂寂，都通通滚蛋吧。

当一个人内疚到极点之后，她的选择通常不会是舍命相报答，反而是重重压力逼得她不得不恩将仇报。因为太多的情意和愧疚压得她，让她知道她还不起，索性只能赖账。

次日早晨，俞又暖和左问一同出现在民政局大厅内，讽刺的是他们办理离婚的柜台后面坐着的还是上次那个工作人员——卢雅惠。

自然，俞又暖是压根儿不记得的，因为她再次失忆了嘛。

但卢雅惠一眼就认出了俞又暖和左问，这样的俊男美女，想忘记都难，这一回可是第三次见面了。

第一回的时候，眼前这位俞小姐是板栗色的大波浪，妩媚而骄矜，她对着那个男人说："我不离婚。"

那个男人说："你不离婚，我就诉讼离婚，但财产就会重新分割。"

卢雅惠身为女人，自然更同情女人，何况左问那张脸太过冰冷，一看就是薄情。

俞又暖终于满眼都是泪水，"真的不能原谅我吗？不过是几张照片，我根本什么都没做，就是想气气你。在摄影师工作室照的。"

那个男人只说"签字吧"。

渣男！

卢雅惠对眼前可怜而美丽的女人说："抱歉，今天网络断了，两位不如周一再来？"

后来这对小夫妻就再没出现，卢雅惠也见怪不怪，很多离婚本就是冲动下的产物，冷静后自然就和好了。

第二回见的时候，是两年以后的事情了。卢雅惠第一眼并没有认出俞又暖来，只觉得这女人非常漂亮，短发很有女人味儿。她问他们考虑清楚没有，两个人嘴里虽然都说考虑清楚了，但有些事情他们自己似乎都不知道。

男人看女人的时候，眼神明明就很缱绻，而在男人不注意的时候，女人看他的眼神也格外幽怨。明明就是一对儿没有沟通好的恋人。

卢雅惠再次用同一个借口打发了这对闹别扭的夫妻。果然，后来他们就再也没有出现。

今天，这是第三回了，都说好事不过三，总不能又断网吧？

卢雅惠都不耐烦再陪着这对夫妻玩游戏了，当来民政局是儿戏吗？知不知道给他们的工作多增加了多少负担？想离婚是不是？

卢雅惠手脚异常麻利地将手续办好，很快俞又暖就领到了自己的离婚证，还没走出民政局大厅，俞又暖就用手机拍了离婚证，@给了那位当初爆料擦嘴照片的大V。

左问则留在原地，手在桌面上叩了叩，在卢雅惠应声抬头时，认真地道："这一次怎么不断网了？"

"换了新的网络服务商。"卢雅惠冷冷地道。

次日小报头条自然是俞又暖和左问，"11年婚姻走到头？"俞又暖和左问的照片各占一边，中间是那张离婚证的照片。

微博上早就闹翻天了。

"终于离了，这回是真离了吧？"

"我早就知道迟早有这一天。"

"天王插足成功？难怪前几天宣布退出娱乐圈啊，再也不用工作啦！"

而俞又暖呢，踏出民政局之后就直接去了机场，选了个申根国家飞走。

世界这么大，到处走走看看心就能放宽。她如今只会几句蹩脚英语和法语，但得益于有声翻译软件，磕磕绊绊地居然也走了十来个国家。

遇到过抢劫，但幸亏护照和一部分信用卡和现金都存在了酒店的保险箱中，她身上也无贵重饰品，损失并不大。

但当时的恐惧却仿佛一柄钢铁刷不停地在俞又暖心上刮着，她异常想念左问。

前些日子因为新鲜，因为旅途的疲惫，她还能勉强压抑那种思念，可是被抢后她窝在酒店床上的这三日，思念却如潮涌。

夜里的海水冰凉冻人，俞又暖赤着脚从酒店的后门奔出去，冲动地往海里走去，有那么一瞬间她是真的觉得活着没意思了。

只可惜酒店的工作人员太过负责，看着她情绪不对地往海边奔去，一路追着她跑到沙滩上，硬是将她拽了回去。

酒店不再欢迎她，俞又暖只好再次启程，其实她未必再有轻生的勇气，但一直没有关机的手机，每天都会响起好几次，但每次都不是她希望的那个人打过来的。

俞又暖也知道自己有些矫情，还在指望什么呢？出轨的是自己，不得婆母喜欢的是自己，要离婚的是自己，最后说出伤人的话的也是自己。

俞又暖浑浑噩噩地四处游走，看着热门旅游点的情侣、伙伴，忙碌于自拍和发朋友圈，她却没有任何兴致。一直到她走到《罗马假日》里的许愿池边。

许愿池正在进行维修，但为了方便游客，中间搭设了便道，游人如织，尤其以国人居多，需要排行才能经过许愿池，然后以极快的速度背过身往池中扔硬币。

但可笑的是许愿池因为维修，水已经放干，但依然有那么多人兴致勃勃地往里面扔硬币。

俞又暖木然地随着人群走过去，就在通过的一瞬间，忽然改变了主意。

可笑就可笑吧，但是她真的很想许下一个愿望。

次日早晨，俞又暖在晨吐时，突发奇想，难道愿望真的成真了？只是表现形式不同？她去药店买了验孕棒，几分钟之后颤抖着手不敢置信地看着那两条杠。

惶恐、恐惧、惊喜，兼而有之。

俞又暖从美国离境，返回中国，安检时，她用手挡住腹部，轻声道："我怀孕了。"因而得以从安检门旁边走过。

原本以为自己从此可以天高海阔任鱼游，也原本以为可以将过去抛诸脑后从头开始，但离开中国，飞机起飞的那一刹那俞又暖就知道自己是大错特错了。眼泪一直流个不停，但幸好是头等舱，其他人都在睡觉，唯独她一直醒着在流泪，惹得空姐连连注目，她只能侧身而卧。

只是再也没有挽回的可能，也没有回去的理由。

但这一次真的是一个很好的借口。明明每一次都做了安全措施的，谁知道偏偏就中奖了，岂非也是冥冥中自有天定。

俞又暖到美国投奔她的小姑姑，做了孕检。虽然很想联系左问，但她实在拿捏不准左问会不会接受这个孩子。甚至俞又暖还假想过，左问会看着她讥诮地问：确定是我的吗？

俞又暖从梦中惊醒，不知道自己能否面对这样的情形。如果左问不能接受这个孩子怎么办？俞又暖自问没有当单身母亲那样伟大的情操，她无法独立完成抚养一个孩子的工作。

抑或打掉也是其中一个选择。

之后的日子俞又暖一直徘徊在将孩子打掉还是留下之间，最终还是在届满三个月之前选择回国。

无论如何，左问是有知情权的，而她也没办法一个人负担打掉孩子的内疚感。但是如果孩子的爸爸不要它，俞又暖也不会选择成为单身母亲，这对自己，对孩子都是不负责的。

俞又暖没有回俞宅，也没通知任何人，坐了计程车到俞氏大厦，却意外地见大厦已经被拆，工地上热火朝天，忽地想起左问曾经说过的规划。俞又暖手头的股份在签离婚协议时，就已经全权委托给左问代为执行了，左问身为俞氏的董事长和执行官，手握大部分股份，自然可以让重建俞氏大厦的决议通过。

其实，俞又暖不知道的是，早在离婚之前俞氏就已经暂时搬迁，她那时只关心自己的心事和婚姻，压根儿就没在这些事务上留心。

计程车停在四维所在的大厦楼下，俞又暖的手指在手机屏幕上来回划了好几次解锁，最终都没将电话拨出去。

实在有些汗颜，走的时候那样决绝，说话也极不客气，如今却又回来找左问，她自己都瞧不上自己，可是孩子却真是个大麻烦。俞又暖拧眉，小姑姑家的那对双胞胎真是极为令人头痛，跳闹得她日日神经衰弱，但偶尔又觉得他们是一对小天使。

俞又暖叹息一声，手指再次放到屏幕上，却见一身藏蓝色薄呢大衣的左问从大厦走出，后面跟了一群同样穿着西服、大衣的精英男士。

俞又暖用手捂住自己的嘴，眼泪已经如雨倾盆，只是看一眼，思念就已经决堤。话说得再狠再漂亮又如何，不过是外强中干，色厉内荏。

俞又暖承认其实她从来不曾真的想要打掉这个孩子，她一直徘徊，是因为在面对最坏的结局时，她依然想要无赖，那样她就可以告诉左问，孩子在她肚子里的时间已经太长，如果打掉，会对她的身体造成很坏的影响。

大厦外来往行人，无不侧头看向左问一行，尤其是左问，身姿挺拔，清隽如松，时光在他身上镀了一层又一层的光芒，让人一见就挪不开眼睛。

而俞又暖看见左问时，左问手里的电话刚刚挂断，眉头微微皱起，脸上有些怔忪。

好事不出门，坏事传千里。时隔两个月后，没有微博的白老师居然被人委婉地问到左问和俞又暖是不是又离婚了。

"左问，你是不是和俞又暖离婚了？"白宣迫不及待地给左问拨过电话去。

"嗯。"白老师打了电话过来，斩钉截铁地问，显然是有证据了，多亏俞小姐那张别人广为转发的离婚证照片。

"怎么会这样？上次小妹结婚你们不是还好好的吗？真是俞又暖出轨了吗？"白老师忍不住骂了几句，回顾了过去她看不顺眼俞又暖的原因，又强调自己对这段婚姻走向的正确判断，然后批评了左问的优柔寡断拖了这么多年，最后才缓和了语气道："过年回来，我找人给你介绍，还是小镇上的姑娘淳朴。"

俞又暖看见左问放下电话，他的车就停在大厦门口，和计程车在一条线上，Andy 手里拖着左问出差时惯用的行李箱，其他人手里也都有行李箱，俞又暖顾不上擦干眼泪，立即就按下了快捷键拨出电话。

反正伸头也是一刀，缩头也是一刀，迟早得打电话的。

俞又暖的视线穿过计程车的风挡玻璃看向左问，看着他垂眸看向手机。电话里的嘟嘟声已经响了五下，左问还没有接起电话。

就在俞又暖几乎要绝望地放下手机的时候，左问才将手机放到了耳边。

电话接通的提示音响起，俞又暖张了张嘴，又重新合上，确定自己可以不带哭音地说话后，才轻声道："左问，我怀孕了，你的孩子。"

最后一句话说得有些自嘲的意思，但声音里的颤抖却泄露了俞又暖的心情其实还没有轻松到自嘲的地步。

"如果你同意跟我复婚，就向右转。"俞又暖眼泪滂沱、泣不成声地挂断了电话。

也不知道为什么哭？是为自己放下自尊而哭泣，还是为害怕被拒绝而哭泣？明明想说的只是，如果你想要孩子，可脱口而出的却是"复婚"二字，卑微得可怜。

俞又暖在心里默默地数着，"三、二……"她只给左问倒数三秒的时间去选择，如果过了，那么她就去拿掉孩子，从此再也不回来。

反正这世界上没了谁还不是照样过日子。

可是二和一之间的停顿是那样久，直到左问转过身透过计程车的风挡玻璃看向她，俞又暖的心里才轻轻念出"一"。

俞又暖眼泪滂沱，让她什么都看不清楚。

直到车窗被人敲了三下，俞又暖才慌忙地用手背擦了擦眼泪，可是怎么擦也擦不干。

"俞小姐。"Andy 的声音在车外响起。

俞又暖从包包里掏出纸巾擦去眼泪，然后很不雅观地用纸捂住鼻子擤了擤，整理了一下情绪，这才优雅地将腿伸出车外。

先是一双秀气的米色三寸鞋跟鞋，然后是一截被透明薄丝袜包裹的修长小腿，俞又暖低头从计程车里走出来，身上穿着一件质地精良，剪裁大方的白色伞形裙摆的大衣，腰带随意地系着，大冬天里依然显得腰细如柳，两个月不见头发已经齐肩。

眼泪才风干不久的故作骄矜的漂亮女人就这样定定地看着靠在黑色轿车边的那个冷峻男人，谁也没往前挪一步，这是又较上劲儿了。

虽然俞又暖回来求人，屈居下风，但母以子贵，原本可有可无的孩子，此刻却成了定海神针。

早有人举起手机，无声地拍下了这一幕，白衣丽人和黑衫男士，经典黑白配，都不用另外构图和填色，已经是炫目。

恰逢有拿着照相机的摄影师经过，抬手随便拍了几张，后来送去参加摄影大赛，竟然取得头名，也算是意外的收获了。俞又暖当时就说，他得奖完全归功于照片内男女主角的颜值，以及那时候他们两人脸上的神情。

那种故作骄傲，却早已放下身段的表情，即使影帝来演，只怕也不太能到位。

且回过头来说此时，俞又暖僵持着要等左问过来接她，而左问只是抬手看了看表，张嘴说了两个字。

因为距离隔得比较远，风刮得呼呼的，俞又暖没听太真切，但看嘴型估摸着应该是"过来"两个字。

俞又暖心中"喊"了一声，踩着高跟鞋以电影慢镜头那样的速度慢慢走过去，停在左问面前三步开外的地方。

"我赶着去机场。"左问又看了看手表。

俞又暖心已经凉了一半，脚尖轻轻一动，是准备掉头的动作。

"抱不抱？"

俞又暖以为自己听错了，愣了片刻，但见左问轻轻抬手，是敞开怀抱的动作，虽然幅度不大。

俞又暖想了想，还是走了过去，僵直着身体将脸贴到左问的下颌处。

左问缓慢地收紧手臂，渐渐几乎令人窒息，俞又暖觉得腰都快被掐断，又听左问咬牙道："连抱人都不会吗？"

俞又暖在左问的胸口蹭了蹭脑袋，将垂在身体两侧的手抬起来，摸入左问的大衣里、西服里，隔着衬衣感受他的体温。

无论是何地，冬天的户外都是寒冷的。俞又暖只觉得鼻头又是一酸，将脸在左问的颈边蹭了蹭，寻求更多的温暖。

抱的时间足够长时，长得 Andy 开始跺脚、咳嗽地催促时，俞又暖的头才离开左问的胸口，抱着他的腰向后仰直视左问的眼睛，还有些不敢相信自己的待遇。

这简直比俞又暖料想中的好太多了。她假设的最好的情形就是左问虽然也许会看在孩子的分上接纳她，但肯定会表示一切都是为了孩子。表情自然是高冷难攀的，态度也要如寒冬冰霜一般刺人，嘴巴不要太毒，眼神不要太狠。

可此刻俞又暖感受着左问的体温，很怀疑自己是不是产生了幻觉。但显然这是现实，俞又暖也不得不现实地思考良多，她既然回来了，其实也没打算仰人鼻息地将就，是以小心地问道："刚才我说的条件，你听清楚了吗？"

左问的眼睛深沉如黑夜的海，波涛汹涌但却看不清任何情绪，但那波浪冲击崖岸的巨大能量却叫人心都为之颤抖。

俞又暖在左问的这种眼神下，依然鼓起勇气再说一遍，毕竟是极其重要的事情，"第一你不能翻旧账，过去的事情一笔勾销，第二必须要复婚。"还是要有红本本才觉得有安全感。"你有什么条件也可以提。"俞小姐很大方。

骄矜傲慢自负的人，即使经历了短暂的挫折和打击，但底子里的骄横还是改不了。

左问冷哼一声，"我没有什么条件。"

俞又暖心中一喜，又听左问道："不过，如果我再从你嘴里听到'离婚'两个字，我会让你身无分文地滚蛋的，俞又暖。别想我会再接纳你。"左问捧起俞又暖的脸，仔细地看着她的眼睛和细微的表情。

再然后左问仿佛为了证明自己刚才所说的狠话，将俞又暖的头捧得再高了一点儿，一口咬在她的脸颊上，深深地印出个牙齿印来。

打人不打脸，何况还是咬，俞又暖"疼"得惊声尖叫，一把捂住自己的脸，肯定出血了。俞又暖愤怒而无法发泄，感觉左问给她来这一招实在太过分。

古代囚犯有黥面之罚，没想到到了俞又暖这儿，也有这么一出，仿佛从此就成了左问这座监狱里的唯一犯人。

四维公司所在的大楼，微信朋友圈都快爆炸了。虽然四维只占两层楼，但是左问天天进出，早就已经是下到扫地大妈，上到年薪百万的白骨精女性心中的男神了。

这幢楼的女性自打来这里上班后就再也不追星了，成天向四维员工打听左 Boss 何时上班、何时下班，期待来个美好的电梯相逢，或者多看一眼洗洗眼，以平衡被 PM2.5 吸黑了的肺。

但凡她们的朋友敢赞别人一句颜值，或者说一句看到了什么什么帅哥，她们祭出左先生的"玉照"，总能瞬间秒杀对方，感觉真是不要太爽哦。

而此刻左问与俞又暖在楼下深情相拥的照片一被传到朋友圈，瞬间就引爆了评论。

"我艹，不是吧，逗我玩儿呢？"

"说好的离婚呢？"

"那妖精，快放开我男神！"

"那禽兽，快放开我女神！"

"我心已碎，早知道就别给我希望啊！昨天才跟我那口子说离婚的。"

"开盘啦，赌这次几个月离婚！"

"今天晚餐决定吃鱼（俞）了，生鱼片，看着刮。"

"我也吃鱼，红烧。"

······

这两人抱着不松手，虽然闲人都可以拿他们当风景看，但大部分人的生活总要继续。

计程车司机实在等不住，开门下车，恼火地道："喂，小姐，你车费还没付呢。"

Andy赶紧去付了车费，又把俞又暖的行李箱拎出来，为难地走近"非诚勿扰"的两位，"左先生，我们得去机场了。"不然真的会错过飞机的，Andy一脸的苦情，他其实也不想打扰Boss大人难得的秀恩爱的。

左问松开俞又暖，改为搂住她的腰，转头对Andy道："我就不去了，你去那边准备视频会议，我们电话联系。"

左问扫了一眼Andy手里拎着的俞又暖的行李箱，示意司机接了过来，然后抿唇不语地坐进车内，连给女士开车门的绅士风度都省略了。

俞又暖在心底"喊"了一声，算了，已婚妇女的待遇总是不如未婚的。虽然她现在也算未婚，但肚子里揣着别人的娃儿，那就更跑不掉了，待遇简直比已婚还不如。

再说了，左问此刻对她能有这态度，已经实属宽宏大量了。俞又暖乖乖地从司机打开的门里坐进车内。

Andy目瞪口呆地望着绝尘而去的轿车，心想，老板那可是上亿的生意啊，这样没有诚意，人家对方怎么想？你不亲自出面，真的好吗？

到下午，Andy一行下了飞机，打开手机，就被微博弹出来的本城热门微博给吓到了，"这效率够高啊。"

跟结婚证相比，几亿的生意又算什么呢，对吧？

有钱，任性！

却说俞又暖坐进车厢时，端正态度，温柔解语地道："你不去出差真的没关系吗？"

"呵。"左问冷笑一声，"若是不看着你，有人不是说将来还指不定会闹出什么丑事吗？"

"呵呵。"就知道要翻旧账，敢情刚才她提的条件都白提了？聪明的女人这时候必须选择闭嘴，但是俞小姐什么时候聪明过？

"要不要先去医院抽血验个 DNA 什么的？"

"俞又暖，你真是作得一手好死。"左问抬手去拧俞又暖的脸蛋，其实真没什么肉。

前三个月本来就没什么胃口，还有晨吐，加之心情压抑。

于是左先生换拧为摸，渐轻至摩挲，俞又暖垂下眼眸，在他手心里轻轻地蹭，眼泪又忍不住泛滥。孕妇的荷尔蒙太过矫情，动不动就掉泪。

左问叹息一声，手一用力，将俞又暖向上一提，搂到腿上坐下，低头吻去她眼角的泪滴。

俞又暖靠在左问肩头，低声问："你为何这么轻易就原谅我了？"

离婚，本就是她做错了事情，离婚之前，又是她口不择言，伤他在先，虽然揣着尚方宝剑回来，但是到底是底气不足的。

左问把玩着俞又暖纤细的手指，自然粉的指甲光泽柔和得迷人，闻言只是低语一句："反正迟早都是要原谅的。"

商人重利，凡事都要计算成本和收益。左问自然很可以折磨俞又暖一段日子，但两人是势必要复合的，届时俞小姐这样记仇的性子，肯定要变本加厉地折腾回来，左问权衡再三，还是决定忍了。

俞又暖不解地望向左问，眼睛亮得惊人，闪得左问尴尬地将脸撇向一边，"你平时少折腾我一点就在里面了。"

"你这是敲打我不要借着怀孕折腾你是吗？"俞又暖搂住左问的脖子。

"都说一孕傻三年，我看俞小姐却是变聪明了，是肚子里的孩子拉高了你平均智商吧？"左问冷笑。

俞又暖也回了一声冷笑，"但内分泌非我能控制。"这就是说该折腾的还得折腾。

左问"哼哼"两声不再说话，过了片刻，终究忍不住道："你行李这么少，也没回俞宅，是打算我不转身，拿掉孩子就走吗？"18寸的行李箱，对于俞小姐来说，只够装她几顶不能折叠的帽子。

叹息，老公的智商太高有时真心不是什么好事。

"算一算我们最后一次做的时间，你这是掐着三个月的点儿回来的吧？再晚一个礼拜，过了三个月，就不能拿掉孩子了吧？"左问简直是穷追不舍。

俞又暖心里叫苦，记忆别这么好行吗？连最后一次的日期都记得？她只能讷讷地道："我总要对他负责啊，他不能一生出来就没有爸爸。"俞又暖顿了顿，见左问没有什么反应，又大着胆子接着往下说，"再说，想到将来有一天，他要亲眼看到别的孩子叫你爸爸，而它却没有爸爸，我就想哭。"说着说着，俞小姐丰沛的眼泪又开始流淌。

"电视剧看多了吧？"左问道。

俞又暖抽噎着道："这两个月你没去找小野花吧？"

"呵呵。"

"呵呵是什么意思？"俞又暖拉开左问的大衣和西服，在他衬衣上蹭掉眼泪。

"这两个月你没打算去给孩子找个外国 Daddy？"

左先生的话酸不溜丢，将俞又暖逗笑。

"那如果我没有怀上孩子，不回来找你，你会不会去找我？"俞又暖有些忐忑地问。

"俞又暖，自恋是种病，得治。"左问又是两声冷笑。

俞又暖倒是想开了，闻言也不生气，反而严肃认真地道："即使没有孩子，我也会回来找你的。"

左问明显愣了愣，神情有些尴尬，像是没料到俞又暖会这样直白。

沉默让人觉得难堪，俞又暖忍不住道："要不要接吻？"

左问拧眉，"俞又暖，你这几个月在国外没少学东西吧？"

俞又暖哧哧一笑，人家老外有时候的确直接，她遇上好几个直接走上来赞她漂亮的，她觉得这种人生态度十分值得赞扬，自己好过，让别人也挺高兴的。尤其是对付左问这种人。

所以，女人就是应该多出去走走。

俞又暖微微坐起，改双腿并坐为跨坐，"要不要玩亲亲？"俞又暖捏腔拿调用嗲死人的声音问，同时闭上双眼往前嘟嘴。

车子驶入俞宅时，慧姐从窗户上望见十分惊讶，但是车子停下后，除了司机小金，也一直没有人下车，她觉得奇怪，刚走出去，就见司机小金给她又是使眼色，又是努嘴。

半天之后才见车门打开，左问先下车，然后是俞又暖。

"小姐！"慧姐既惊又喜。

"慧姐。"俞又暖就像乳燕投林一般投入慧姐的怀里。左问拉也没拉住，作死的女人，刚才只顾吻得昏天黑地，忘记勒令她再不许穿高跟鞋，再不济穿了高跟鞋也要不许跑步，看得人心惊胆战。

"小姐你瘦了好多啊。"慧姐十分心疼。

"好饿啊，慧姐，有吃的吗？"俞又暖撒娇道。

"有。"慧姐立即道。

左问此刻也走了上来，慧姐看见他略微诧异，"先生今早出门的时候，不是说要出差三天吗？"

"不去了。"左问道。

俞又暖惊诧地望了望左问，又看了看慧姐，然后再回望左问，"离婚之后你一直住这里？"

俞宅明明是记在她名下的。

"怎么，有意见？"左问甩了俞又暖一眼。

没有，当然没有啦。俞又暖忍不住抿嘴偷笑，呵呵，明明就不是她自恋。

"慧姐，又暖怀孕了，食物上有避忌的不要拿给她。"左问扔下"炸弹"后就直接上楼了。

留下俞又暖被慧姐缠得脱不开身，听了一耳朵的唐僧碎碎念，"慧姐，我刚下飞机，让我先去洗头洗澡好吧？"

俞又暖洗完澡擦着头发从浴室走出来，抱怨地看着靠在榻上玩电脑的左问，"刚才你怎么不救我？你又不是不知道慧姐多碎碎念。"

左问的手不停地敲击键盘，闻言只说了个"该"。

俞又暖撒撒嘴，走到梳妆台前坐下，拨了内线想让小珍来给她吹头发，却被左问阻止。

"电吹风有辐射，你怀着孩子要尽量少吹。"左问拿过俞又暖手里的毛巾，轻轻地帮她擦头发。

"大冬天的不吹头发，头会冷。"俞又暖道。

"古人有用蜡烛烘头发的。"左问道，"要不试试？"

"有病！"俞又暖回了左问一句。

左问冷笑，"你本事渐长啊？"

俞又暖摸了摸自己的小腹，微笑，"是啊，拿着尚方宝剑不用，过期作废。"

左问投鼠忌器，只能将俞又暖的头发一通乱揉。俞小姐也就只好顶着一团毫无发型可言的头发下楼吃午饭。

吃过午饭，俞又暖没来得及休息就被左问又拽出了门。

"去哪儿啊？"俞又暖问。

"到了就知道了。"左问淡淡道，继续埋头于他的电脑。

"什么工作这么忙啊？"俞又暖探过头去，连在车内都还在忙，俞又暖没走心地将文档题目念了出来，"孕期指南……"

左问猛地合上电脑，用一只指头将俞又暖的头推开。

俞又暖的唇角高高翘起，然后傲娇地道："既然你已经开始学习，我就不管了啊，需要做什么、注意什么，你提醒我就行了。"她打了个哈欠，飞机上一直没睡，这会儿都有些支持不住了。

"本来就没指望过你。"左问又重新打开电脑，"明天给你请的助理兼保姆就过来，你的手机交给她，自己不要拿。"

俞又暖："……"

"营养师下周一才能就位，这几天你先凑合着吃吧。"左问继续道。

俞又暖简直佩服得五体投地了，她觉得左问一直没离开过自己的视线，这些事情究竟是什么时候办妥的啊？效率未免也太高了。

不过这也预示着紧箍咒已经念起。

俞又暖打瞌睡走神之际，车已经在民政局大门外停下，俞又暖跟着左问走进民政局的院子，忍不住焦急地道："哎，虽然是二婚，但是也不能就跳过求婚这程序啊。"上一回怎么结婚的丝毫没有印象，但据说是被逼婚，应该也没有求婚这一样，好容易有机会弥补，左问居然直接就给省略了。

"不是你向我求婚的吗？"左问斜睨俞又暖一眼。

"啊？"她什么时候跟左问求婚了？那完全不算是求婚好吗？那明明就是奉子逼婚！但若是将来孩子问她妈妈和爸爸的爱情故事的时候，难道要跟孩子说是妈妈先求婚的？若是参加访谈，难道还要听左问说，是俞小姐向他求婚的？

"可是……"俞又暖多少还是有点儿大小姐情结。

"那你到底要不要复婚？"左问有些不耐地看向俞又暖，"你也知道自己都是二婚了……"

俞又暖就知道她回来的待遇肯定只能这样了。到底是自己上赶着犯贱跑回来的。她心里冒出酸涩之感，曾经自以为潇洒地提出离婚，如今想来真是个笑话。

两个人之间的气氛一僵，尽管俞又暖心里巴不得能够复婚，但面子完全抹不开，低头不语，片刻后提起脚就往外走。

只是脚都还没迈开，就被左问一把捉住了手腕，再次听他逼问："要不要结婚？"

此时的俞小姐头上戴着左先生挑的绒绒球帽子，穿着左先生挑的白色羽绒服，戴着左先生挑的厚厚的玫红色针织围巾，穿着左先生挑的羊绒打底裤，踩着还是左先生挑的深咖啡色的雪地靴，看起来臃肿得挺可爱。

而这样臃肿的俞小姐正被上前一步的左问锁在她背后的树干和他手臂之间。

俞又暖虽然已经年过 30，但是真心有点儿 hold 不住左先生冷不丁冒出来的霸道总裁范儿，脸微微一红，嘴硬地道："我不。"

下一刻嘴唇已经被人咬住，那条没有骨头的小蛇不由分说地就闯进了她的口中，搜刮肆掠着每一寸属于他的土地。

"哎，哎，我说你们注意点儿哈，和谐社会，文明行为。"一个大妈的声音在旁边响起。

俞又暖赶紧推开左问，红着脸不好意思，连头都不敢抬，伸手拧了拧左问的腰。

好硬，拧不动。

"她不同意嫁我，我亲到她答应为止。"左问的声音里明显含着笑。

俞又暖又去拧他，左先生的脸皮什么时候这样厚了？

那管闲事的大妈在看清左问的脸后道："要不你亲我一口，我跟你结婚，你看成吗，小伙子？"

"扑哧。"俞又暖实在忍不住了，扶着腰笑得花枝乱颤，还得拿手指抹眼泪。

左问被噎得无话可说。

大妈也就是开个玩笑，"好啦，赶紧进去扯证吧，手续合法之后，随便你们干啥，但是还得回家去干，别教坏了小孩子。"

俞又暖一囧，甩开左问牵她的手，这手续还不合法呢。

"哎，我说姑娘，你就别作了，你男人长成这样，你不赶紧扯证，就不怕他被人抢跑了？"大妈道，"他比那谁，演道士那个还帅。"

俞又暖拉下围巾，想让大妈看清楚，其实她长得也挺漂亮的。但明显大妈对小姑娘的审美不一样，她紧接着像快枪手一般噼里啪啦补了一句："姑娘，年纪也不小了吧？再作，就得当剩女了。我们家那姑娘，当初挑三拣四，劝她不听，现在好了，三十好几了还在家里待着，相亲人家都嫌她年纪大，生孩子要当高龄产妇，后代质量不好。"

俞又暖的脸被气得通红，她怎么就年纪不小了啊？

俞又暖想跟大妈理论，还没说话就被左问重新拉了手往前走，俞又暖想甩开左问的手，结果他反而握得更紧，俞又暖不得不加大脚步才能跟上，她极度不满地道："那大婶儿又不认识我，怎么就说我作呢？"

大妈的听力实在是好，在两人背后回了一句："现在这女的啊，越漂亮的就越作。"

俞又暖上阶梯的脚一绊，差点儿摔跤，左问则难得地大笑出声。

进了民政局大厅，因为不是什么特殊日子，所以人不算多，好几个柜台都摆着"暂停办公"的牌子，人大约是上洗手间聊天去了。

俞又暖和左问走到那个还在坚守岗位的工作人员的柜台前，"你好。"

那位大姐转过头来一看，三个人都愣了愣，这还真是无巧不成书了。

卢雅惠望着眼前两个多月前才见过的男女，抑制住翻白眼的冲动，"又来离婚啊？"

"哎！"你什么态度啊？俞大小姐脾气不大好，而且身为公务人员，这态度未免过分。

后半句直接被左问给捏疼了手咽入了嘴里，左问语调平和地道："这次是结婚。"

"是啊，不结婚怎么离呢？"卢雅惠不咸不淡地刺道。

俞又暖伸手去扯左问的衣袖，左问安抚地握住她的手，低头在她耳边说了几句。

好嘛，敢情三回来民政局都是这位给办的离婚，这回来结婚，居然又是她。真是孽缘。

俞小姐的眼睛看向其他柜台，工作人员依然没回来，只好忍气吞声。

"两位真的想好了吗？"卢雅惠公事公办地问。

结婚办出离婚的感觉来，俞又暖也是醉了。

俞又暖和左问都点了点头。

"真的想清楚了？两位要不回去再思考两天？"卢雅惠道。

"我们想好了。"左问一把压住要发飙的大小姐的肩膀。

"那行，两位先去那边照相吧。"

这位大姐总算说了句人话。

俞又暖站起身一把甩开左问的手，来结婚的又不是来受气的，干吗忍啊，她又不是没交税。

俞又暖气冲冲地往外走，被左问一把拉住，听他低声道："今天必须结婚。"

俞又暖瞪着左问不说话。

"夜长梦多。"

俞大小姐忍不住笑起来，她的确是被左先生吃定了，嘟着嘴乖乖地跟着左问走到拍照区。

拍这种证件照，既没有柔光又不能美颜，俞又暖摸出唇膏想增点儿色，却被左问没收。

"干什么啊，我这几天唇色淡，拍照不好看的。"俞又暖嘟嘴。

"口红吃下去对胎儿不好。"左问道。

一口一个孩子，真是烦死个人了。"那怎么办？"俞小姐绝不同意就这样照相，这可是一辈子的照片，若是照丑了，她还怎么见人？

"我有办法。"左问将俞又暖拉到墙角。

的确是好办法，等俞又暖重新出现在人前时，脸蛋粉彤彤的，比用任何腮红都更自然更漂亮，嘴唇也是红艳艳的，莹亮水润。

照相的师傅看着眼前这一对道："头别靠那么近。"别人照相的时候，他都是喊再靠近点儿。

俞又暖和左问都不好意思地挪开一点，她看向左问道："这一次你一定要记得笑哦，上回那张就跟人欠你几百万似的。"

左问扯了扯嘴角。

这天人不多，不到半小时他们就拿到了照片，俞又暖左看看右看看，觉得照得还不错，两个人都是满脸的幸福，人好看，真是怎么照都不出错。

拿了照片回到柜台前方坐下，卢雅惠将两张纸递给俞又暖和左问，让他们填写。

等俞又暖和左问将填好的表推给卢雅惠时，卢雅惠在电脑上捣鼓了一下，回头看着两人道："不好意思，网断了，两位下次再来吧。"

"不是吧？"俞又暖眼珠子都要掉出去了，玩儿她呢？

左问倒是不动如松，笑了笑，"大姐，别开玩笑了。"

卢雅惠也笑了出来，"下回我不会再看到你们了吧？"

"我们会避开你的。"俞又暖嘴快地道，然后被左问一把掐在腰上，"哎哟，痛。"

"还有下回？"卢雅惠才是真正的无语，"知道两位有钱，不在乎工本费，但好歹也给我们的工作少添点儿负担好吗？我们又不是计件工，多做多得。"

"大姐你真幽默。"俞又暖笑道，此时不好得罪卢雅惠，结婚证还没拿到呢。

最后总算是拿到结婚证了，俞又暖长长地吐了一口气，下次再也不来了，简直就是跟民政局犯冲。

"我怎么觉得这个卢大姐对我们有偏见啊？"卢雅惠戴着工作牌，所以俞又暖知道她姓什么，"不过也真挺有缘的，听你那样说，居然是三次离婚都遇上她。话说，我们第一次、第二次来的时候为什么没离成啊？"

"因为网络不通。"左问道。

俞又暖皱皱眉头，实话实说地道："政府部门也该把这些硬件都升升级了。"

"我觉得就这样挺好的。"左问悠悠地抛来一句，"我找人给他们送一面锦旗。"

"锦旗？写什么？"俞又暖好笑地道，"为民除害？"未婚男人就是导致社会不安定的害虫，尤其是又帅又单身的男人。

后来左问没送锦旗，送了一副大师写的对联给他们，上联"说断就断"，下联"想通就通"，横批"人民的好网络"。

俞又暖知道之后差点儿没笑岔气。

坐回车里的时候，俞又暖关注的微博传来提示音，她点开一看，好大一张结婚照。

"你什么时候发的？"俞又暖看向左问，"手脚够快的啊。"

左问将俞又暖的手机收走，微博内容看看就行了，至于评论就算了，反正肯定没有好话。

一路上左问开始接打电话，俞又暖拿回手机也明智地不去刷评论，微信里贾思淼发过来一张惊讶的大嘴巴，"有意思吗？"

俞又暖回了一句："特有意思。"

"照片上，你嘴唇怎么有点儿肿啊？"

俞又暖手一抖，这贾思淼眼睛是放大镜吗，那么小小一张照片也看得出来？俞又暖偷偷瞪了左问一眼，都是这混蛋的馊主意。

而彼时左先生正在吩咐 Andy 将次日本城日报、晚报的头版确认下来。离婚的事情很多媒体喜欢报道，但是结婚可就不一定受人青睐了。

Andy 只能认命地给自己的媒体朋友打招呼，硬生生将明日那对企图靠离婚博头条的明星夫妻挤了下去。

没办法，有钱啊，任性！

俞又暖眼睛亮晶晶地看着左问，"这样高调不太好吧？"

左问道："难道你希望孩子出生时，被人暗示是私生子？"

"喊。"自己高兴就明说嘛，干吗拿孩子当借口。俞又暖觉得左问此刻的心态就和当初宋存西向白素求婚成功到处炫耀是一样的。

左先生可以炫耀结婚照，俞小姐自然也可以炫耀结婚戒指。

"为什么要重新买？上回那个我还收着呢。"左问道。

"就那个落在地上得用放大镜才找得到的钻石戒指？"俞又暖撇嘴。

"爱要不要。"左问连看都不想看到俞又暖。

俞又暖委屈道："好不容易有机会可以名正言顺地换结婚戒指。"

"那时候我只有 20 万，花了 19 万给你买戒指。现在你觉得这枚戒指能花我多少钱？"左问看着在贵宾室挑选戒指的俞又暖。

结果自然不言而喻，俞又暖气呼呼地站起身，"左问，你赢了。"

晚上躺在床上的时候，俞又暖举手冲着灯欣赏无名指上重新归位的戒指，"哎，要不你把所有钱都拿来给我重新买个戒指吧？"

"有病。"左问原封不动地将这两个字还给俞又暖。

孕妇的内分泌不同于平日，有时候胃口奇葩得的确可称之为"有病"。越过三个月之后，俞又暖的胃口也开始渐渐恢复，大半夜的突然醒过来，想起梦中那只烤鸭直吞口水。

不过想归想，俞又暖也没吵醒左问，只是自己轻轻掀开被子去外间取水喝。

"睡不着吗？"左问的声音突然在俞又暖背后响起，她吓得手里的杯子一松，幸亏左问抓得快。

"吵醒你啦？"俞又暖抱歉地道，刚才她看过时间，才三点。

"没有，我本来睡眠就少。"左问重新替又暖取了水，"是不是饿了？想吃什么？"

左问将俞又暖带到厨房，他对俞又暖的胃口比她自己可能还了解，晚饭的时候她多是喝汤，早料到她半夜要饿。

"想吃什么，我给你做。"左问挽起袖口看向俞又暖。

问题是不管左先生现在做什么，俞小姐都不想吃，因而只道："随便吧。"她并不想给左问添麻烦。

过往的一切虽然约定好谁都不许再提，但是俞又暖的心底依然是内疚和忐忑的，怀孕的时候本就折腾人，俞又暖只能尽量克制自己少折腾左问几次。

譬如此刻，虽然她极想吃"真便宜"的烤鸭，但依旧没说出口。

左问是知道俞小姐这人的，你做的东西如果不对她口味，她是筷子也不会动一下的，听她说"随便"二字便问："想吃外面的东西？"

俞又暖心想左先生也实在太敏锐了，她默默地点了点头。

左问拿起手机看了看时间，"走吧，想吃什么路上告诉我。"左问搂着俞又暖的腰上楼，给她选好衣服，将她安顿在副驾的位子上替她系好安全带这才作罢。

"要不还是别出去了吧，你明天早晨不是还有个会吗？"俞又暖不安地挪了挪屁股。

"什么事儿也赶不上填饱肚子重要。"左问发动了车，"现在可以告诉我想吃什么了吧？"

俞又暖这才低声道："想吃烤鸭。"

"真便宜那家对吧？"左问问道。

俞又暖抿嘴笑着猛点头。

车停在狭窄的巷子里，幸亏是半夜不至于堵塞别人出入要道，左问让俞又暖在车里坐好，自己下车去敲店家的门。

不过这当口即使有钱也买不到烤鸭，这家老店铁打不动的早晨五点才开始烤鸭子，等齐活儿了得七点之后。

也不知道左问做了什么，反正俞又暖在半夜五点多时，已经可以吃上新鲜出炉的烤鸭了，不过此刻她已经靠在座椅上睡着，等醒过来时，车已经被左问开到海边，但奇异的是烤鸭居然还是温热的，这得多亏左先生准备充分，带了保暖袋的。

俞又暖抱着烤鸭走下车，左问正靠在车头看日出，见她出来一把搂过她，将她用自己的大衣裹住。

"要吃吗？应该还热着。"左问拿过俞又暖手里的烤鸭袋子，"还是回车里吧，外面风大一下就凉了。"

但其实俞又暖此刻已经过了想吃烤鸭的瘾了，她看到那轮日出，就想吃武大郎烧饼，那家在城西，穿城得一个小时的车程。

而俞又暖为了表示对左问付出的工夫的尊重，只能努力地往下咽烤鸭。鸭皮已经不再酥脆，肉质也有些柴，俞又暖只觉得一股鸭子味儿萦绕，有些想吐。

左问一把拿过俞又暖手里的烤鸭，直接打开车门扔进了不远处的垃圾桶里。回头递了一瓶矿泉水给俞又暖漱口。

"明明不想吃了，怎么还逼着自己啊？"左问拿纸替俞又暖擦了擦脸上的油。

"没有不想吃啊。"俞又暖辩解道。

左问没说话，只一直盯着俞又暖的眼睛。俞又暖最怕的就是左问这种无言的威慑，嗫嚅道："你费了那么大工夫给我买的烤鸭，我觉得不吃有点儿对不起你。"

什么时候俞小姐会考虑这种问题了？她不喜欢的东西从来都是不将就的。何况，她此刻还怀着孕，更是应该挑剔的时候，但这段时日左问不得不说，俞又暖其实很让人省心。

左问确实曾经盼望俞小姐乖巧一点儿，能令人省心一点儿，但此刻见她如此，心里却十分不是滋味。

"又暖，难道现在我们之间还需要隐瞒自己的真实想法吗？"左问拉起俞又暖的手捧在手心里替她暖和。

俞又暖低下头，"我只是不想你太辛苦而已。你看，你半夜不睡觉带我去买烤鸭，可是买到了，我却又睡着了，又不想吃了，这样太折腾人了。"

左问低头以额抵着俞又暖的额头，"又暖，你不用这样诚惶诚恐地对着我，过去的事情我绝不会再提。"

俞又暖的眼泪一下就滚了出来，可毕竟她才是那个做错事情的人，内心的纠结愧疚甚至比左问的斥责还来得折磨人。她不许左问提一个字，但自己却依然过不了自己这一关，不然当初她就不会选择逃走了。

左问亲了亲俞又暖的眼泪，"如果我计较过去，就根本不会再和你复婚。那些事情本就是很久之前的事情了，在你失忆后，我只要你健健康康地活在我身边，就比什么都重要。"

但过去终究是一块丑陋的疤痕，俞又暖生怕有一天又被人揭开疮疤，所以她在左问面前实在没有底气。偶尔的娇气也不过是仗着他对她仅剩的爱意。

"我知道，我都知道的。"俞又暖的眼泪没有停止的趋势，反而越滚越凶，"我相信你绝不会再提的。我们说好要好好过日子的。"后面的话俞又暖已经几近哽咽了，

"我只是也想努力而已，不想看你一个人辛苦。"

左问叹息一声，将俞又暖抱入怀里，下巴搁在她的头顶，"孕妇都像你一样，泪腺这么发达吗？"

俞又暖反手抱住左问，环住他的脖子道："不管怎么说，我欠你一声'对不起'，还想跟你说一声'谢谢'。"

谢谢你这么多年来对我的坚持。

但其实左问自觉有些愧对俞又暖的这声"谢谢"。这段婚姻到了最后，他的心思已经不再纯粹。

他想要一个孩子，一个通过正常手段得来的孩子，而显然俞又暖并没有这样的认知。于是他开始将商场的权谋用到了俞又暖的身上，逼得她一步一步退后，气势一点一点低沉，想要让俞又暖听从自己的意愿。

到后来他也许险些就要成功了，一点一点替俞又暖揭开她不怎么正大光明的过去，让她对着自己的时候不得不低声下气，可是其滋味品尝起来，却绝非他想象中的甜美。

左问不由叹息，揉了揉俞又暖的头发，将她搂得更紧，但此刻俞又暖的心结显然是别人所无法解开的，甚至左问也没有办法，唯有对她更为体贴，更为忍耐。

Chapter 14

今年过年特别早，一月份就是除夕，俞又暖怀孕已经四个多月，肚子开始渐渐显出来，但是穿着厚厚的羽绒服倒也看不出来。

按照左问的意思，那是让白老师他们过来过年，但是白老师不同意。左问想说俞又暖怀孕的事情，却被俞又暖阻止。

"我就想看咱妈知道我怀孕时脸上的表情。"俞又暖现在母凭子贵，走路都带风，尤其是想在白老师跟前儿扬眉吐气一番，想看看白老师脸上那种惊讶里带着惊喜，惊喜里带着呆滞的表情。

"你这是什么心态？"左问点了点俞又暖的额头。

"杨白劳翻身当地主的心态？"俞又暖眨巴眨巴眼睛。

"德行。"左问最终还是依了俞又暖。

因为怀孕，左问不同意俞又暖坐飞机，其实对孩子影响不大，但考虑到左先生三十好几的人才盼来这么个宝贝疙瘩，俞又暖也表示体谅。

司机一路将车开回白泉镇，路上左问道："白老师以为我们离婚了。"

俞又暖的心"咯噔"一下，"你怎么不早说？"

"早说你还肯跟我回去过年？"左问道。

"白老师怎么知道我们离婚的？"左问你这个大嘴巴。俞又暖伤心了，左问如果不是铁了心跟自己离婚，又怎么会告诉白老师离婚的事情？

"因为某个大小姐发了张照片，恨不能所有人都知道她离婚了啊。"左问的语气颇有点儿幸灾乐祸的意思。

俞又暖也听出来了，"你是不是怪我这一个多月折腾你啊？"孕妇的内分泌真的很奇怪，上一秒笑，下一秒就哭，偶尔半夜孩子想听爸爸唱摇篮曲，她也控制不来啊。

左问高冷地扫了俞又暖一眼，"呵呵。"恶人自有恶人磨。

"那白老师知道我们离婚的原因吗？"俞又暖十分忐忑地问。

"所以需要对口供。"左问道。

"那我们说什么原因呢？"俞又暖讨好地看向左问。

左问不语。

俞又暖的眼泪一滴一滴往下落，"你又想跟我翻旧账是不是？你就是不能原谅我是不是？你是不是因为我怀孕不能被宠幸所以被其他女人勾引去了？"

左问叹息一声，"叫你少看点儿脑残言情小说，你就是不听。昨晚看的那本是古言吧？还宠幸呢！"

俞又暖眼泪朦胧地瞪着左问，用指尖抹掉眼泪，"那怎么跟白老师交代啊？"

"有什么好交代的？就你这小姐脾气，我能忍受你11年别人都觉得是奇迹，不离婚才不正常。"左问道。

这么简单？

"那又是怎么复合的呢？"俞又暖赶紧追问。

左问的眼睛扫向俞又暖的肚子，"这不明摆着吗？"

俞又暖皱皱眉头，"难道不能是，你睡一觉之后发现爱我爱得要死，离开我之后就无法呼吸，所以又复婚了？"

左问看向俞又暖，"你觉得白老师会相信？"左问顿了顿，"白老师不看言情剧，她只喜欢看抗战神剧。"抗战剧中，感情从来不是主旋律，谁离了爱情会无法呼吸？

有病。

那就只能死猪不怕开水烫了。

俞又暖硬着头皮，顶着白老师可以灼穿人脑门的视线走进了左家。

空调没开，即使现在打开，也要一段时间才能暖和，所以俞又暖也不敢脱羽绒服，一身臃肿地坐在沙发上。

白老师连面子也不愿意给，直接将俞又暖扔在客厅，拉了左问进房间盘问。

"不是说离婚了吗？"白宣那可真是恨铁不成钢啊。怎么换个媳妇在左问这里就这么艰难？

"又复婚了。"左问的语气十分平静，好似复婚就跟买菜一样容易。

"既然要复婚，当初为何要离婚？"白老师可不是吃素的，一针见血直指要害。

"吵架，一时冲动。"左问道。

白宣冷哼一声，"左问，别以为你长大了，又是大老板了，就可以瞒得过你妈！我肚子里掉出来的肉我能不了解？你是那种一时冲动就要离婚的人吗？"

白宣继续高声问道："不要以为我年纪大，不玩你们那些微博，就不知道你和她的事情。她是不是在外面偷人了？"

俞又暖站在门外，即使不将耳朵贴上去，也能听见白宣的话。她有些无力地靠着墙支撑身体的重量，有些事情不是不提就能抹过去的。

偷人？

俞又暖的心就像被刀子刺中一般，这两个字真的很难听，可最难堪的却是她好像真的做过。

"没有。妈，你不要听风就是雨，那件事早就澄清了。你觉得你儿子是那种戴了绿帽子，还忍气吞声的人吗？"左问的声音依然平静，"没有哪个男人能忍受戴绿帽子。"

白宣没再开口，她不得不承认左问的话很有道理。若俞又暖真的行为不检点，以左问那种骄傲的性子怎么可能忍受？

俞又暖听着里面的对话，心里说不出是个什么滋味。复婚后，她和左问从来没有聊过过去，只那次买烤鸭的时候左问清楚地表达过他的态度，可是他们都很清楚这是他们婚姻中的禁地，碰一下也不行。但此刻，她也问自己，什么男人能忍受戴绿帽子呢？

诚然，左问心里肯定是有她的。

俞又暖默默地垂着泪，用手背去擦的时候，却发现怎么擦也擦不完。

"妈，又暖不是坏孩子。她已经很用心，很用心地对我，也很用心地想讨好你。妈，你教书育人那么多年，从没有放弃过自己的学生。而我，也不会放弃又暖。"左问平和的声音从门框的缝隙传出。

俞又暖忍不住哽咽出声，又赶紧用手捂着嘴。

里面的两个人已经听到，对话瞬间停止，但都没有开门出来。俞又暖很感激他们给自己留了面子。她赶紧走到卫生间，抹了一把脸。

听到脚步声离开后，白宣才再次开口，语气已经缓和许多，"那你们还瞎折腾？"

"婚姻里哪有不磕磕绊绊的，又嫌嫌我工作太忙，没有太多时间陪她，所以跟我闹呢。"左问颇有些无奈。

白宣也是女人，也曾经走过年轻的岁月，虽然有所理解，但还是偏向自家儿子，"她难道不知道你要赚钱养家？"

左问低头，"但的确是我忽略她许多，明知道她是孩子心性，从小母亲去世，父亲也走得早，最害怕一个人待着，跟我吵闹不过是想吸引我注意力，就像孩子一样。"

说到这儿，白宣听了也有些心酸，钱再多又怎么样，也买不来亲情。何况，豪门那点事儿，亲戚都是吸血鬼，俞又暖这样的大小姐，有时候也的确可怜。

"行了，你们的事情我也不多管。既然你知道自己忽略了她，今后多用点儿心就是。不要再吵吵闹闹，把离婚结婚当成儿戏。"白宣最后总结陈词。

左问笑了笑，"白老师你就是心软，现在是不是又觉得俞又暖可怜了？"

白宣冲着左问翻了个白眼。

"我看你也别可怜她，大小姐的臭脾气惯不得，你该怎么训她还是怎么训她。她这个人既不节约又不环保，洗碗浪费那么多水，洗澡也磨磨蹭蹭，你多说说她。"左问的语气也轻松了不少。

白宣忍不住冷笑，"少跟我这儿贫，你这先把媳妇骂了，是怕我又说她是不是？合着你媳妇就这么金贵，一点儿也说不得？"

"冤枉，白老师，你绝对是冤枉我了。我这是没救了，还得全靠你帮儿子我重振夫纲。你千万别手软。"左问道。

"兔崽子跟我玩儿心眼呢，你这就是表明态度，以后要站在你媳妇一边了是吧？还重振夫纲，我呸。"白宣伸手拍了左问的背一巴掌。

左问也没躲，"她哪边儿啊？她肯定和你一边啊，你不知道你说一句话都能吓得她发抖，她敢不和你一边，不信你观察观察。"

白宣瞪了左问一眼，算了，生个儿子就是讨债的。可是左问这次回家话明显增多，而且嘴角的笑意就从没消失过，白老师不认了俞又暖又能如何？儿大不由娘啊。

母子两人走出卧室门时，俞又暖正坐在沙发上发呆，脸上的泪已经洗干净了。

"怎么不开空调呢？"白宣问。

俞又暖站起身有些讪讪，她知道白老师特别有环保意识，家中必须节水节电，没有她批准，她哪儿敢开空调啊？

白宣走过去，拿了遥控器开空调，"你爸出去买个菜怎么去那么久，我去催催。"

白宣出去后，俞又暖明显放松了许多，左问走过去搂住她的腰，"哭什么？孕妇荷尔蒙又作怪了？"左问低头在俞又暖耳边道，"偷听人讲话还气得哭，你不是自找吗？"

"谁说是气哭的啊？"俞又暖说着眼圈又红了，"是感动的好吗？"

"哦，感动啊——"左问拉长尾音。

心机男——左问！

俞又暖抱着左问的腰，趴在他怀里，蹭了良久弄出一窝凌乱的鸡窝头这才鼓起勇气问："那个，当初关兆辰给我擦奶沫的照片是你让人发出去的？"既然左问和白宣已经开了头，俞又暖又憋不住，终于把隐藏在心底很久的问题问了出来。

"嗯。"左问捏了捏俞又暖的耳朵。

俞又暖心里骂娘：心机男，不要摸我敏感点。但是脾气已经忍不住柔和，"为什么要那样做？"

"你不觉得效果很好吗？"左问道，"那之后你还敢跟姓关的来往吗？"

俞又暖再度骂娘，然后深呼吸几口，用手摸着腹部道："宝宝，我们要注意胎教，我们不骂人。"

"就因为这样，你就让我受了那么多……"非议与攻击。俞又暖简直委屈到不行，哪有这样办事儿的啊？

左问一脸的坦然，"我说过你很多次，你听过吗？"左问算是修炼出来了，对付俞又暖这种人，不来狠的怎么行？他以前的确是心软，也的确顾忌太多，但是再心软的人也会有被逼跳墙的时候。

何况，左问还有其他考量。俞又暖不想生孩子不是一天两天了，数十年如一日就没变过。唯一的异数就是她第一次失忆之后，自己冷淡她的那段时间。

左问才发现，原来俞小姐不生孩子的原则不是不能改变的，可是等意识到的时候，他已经对她太过宽容，失忆后的俞又暖再度重申不愿要孩子，为此事导致关系破裂，实非明智之举。

关兆辰的事情，的确算是一个契机，俞小姐心存内疚之后，会好说话许多。而且左问可以断定，若非有关的前因在，这一次俞又暖怀孕，她会否直接拿掉还真不好说。

左问的确是判断准确，尽管俞又暖被孕吐折腾得要死不活，但是为了可以重新挽回左问，她还是没敢拿掉孩子。

"你什么时候说过啊？！"俞又暖恼火地站起身，她记忆里怎么没有左问说关兆辰的事情？

左问愕然，才想起，那的确是俞又暖失忆以前的事情。

俞又暖指着左问道："不教而诛，则刑繁而邪不胜，你懂不懂啊？！"

"哎哟，俞小姐开始看书之后，文化水平大有提高啊。"左问讽刺道。

怀孕之后，不能玩电脑，不能玩平板，不能玩手机，连电视都不许多看，俞又暖除了看纸质书，还真是没什么消遣，是以最近文学修养的确有大幅度提高。

"我打死你啊，我叫你气我，我叫你讽刺我，我叫你害人不浅……"俞又暖拎起沙发上的靠垫就去打左问。

一般家庭暴力都是发生在吵不过的基础上。所以，不想挨打的话，嘴巴还是少贱比较好。

"这是怎么了？"白宣的声音在俞又暖背后凉凉响起。

客场作战，真是完败。

左问站起身，不声不响地搂过俞又暖，对白宣道："我逗她玩儿呢。"

"多大俩人啊，幼稚不幼稚？"白宣轻蔑地扫向两人，当老师的大概天生就不喜欢看别人秀恩爱，觉得不庄重。

左问和俞又暖都面上讪讪。

空调热度已经起作用，又打人运动了一番，俞又暖气喘吁吁地脱下羽绒服，整理了一下毛衣，然后就被白老师"炙热"的眼神给烫伤了。

"又暖，你怀孕了？"白宣的语气里有遮掩不住的激动，嘴巴都忘记合拢了。

俞又暖愣了愣，她都险些忘记这茬儿了，呆愣愣地回答："啊？哦。"

白老师也意识到自己失态了，直起脖子，清了一下嗓子道："既然怀孕了，干什么还打打闹闹的，伤到孩子怎么办？"

白老师看起来仿佛没多高兴，既没有惊喜也没有惊讶，这让俞又暖多少有些挫败，午睡的时候对左问也没什么好脸色，"我怎么会怀孕的呢？我们不是有做措施吗？不行，我得让律师发律师函去告他们。"

俞又暖坐起身，又被左问拉回去躺下，"没有任何100%的安全措施，避孕套也只有97%的安全。不过你说，这么小的概率，是该归功于你的土地肥沃，还是归功于我的子弹穿透力强？"

俞又暖囧囧，左先生说荤话的时候，真的会拉低档次。

睡过午觉，俞又暖下楼散步，活动僵硬的四肢，走到白老师的牌桌旁观摩了片刻，就听见白老师道："又暖，你怀孕了别多站，脚当心水肿。"

不是才站了一分钟吗？"好。"俞又暖果断地在旁边板凳上坐下。

"哎呀，白老师，你要抱大孙子啦？几个月了？"牌友们立即很给面子地大聊特聊起怀孕的各种注意事项，以及当年她们和她们的儿媳妇怀孕时的各种有趣事情。

俞又暖两颊肌肉都笑僵了，但依然保持良好风度，只偷偷给左问发短信，让他来解救自己。

"左问，上楼扶着又暖一点儿啊，孕妇可不能摔跤。"白老师像突然才想起来似的，等左问和俞又暖走了老远，才高喊出声。

俞又暖判断，以这种高音，只怕整片小区的人都能听见了。

俞又暖才在沙发上坐下不久，就听白老师给公公打电话，让他下去代打，"刚想起来，孕妇容易便秘，得多吃水果，你来帮我打几圈，我去买点儿冬草莓和苹果。"

俞又暖听见孕妇"便秘"两个字脸都黑了，实在不习惯听别人讨论这种事情。

就这样，以白老师的神通广大，一个下午的时间，整个小区，整个菜市场，整个小镇，恐怕都知道她儿媳妇怀孕了。

俞又暖总算明白，左问那种"秀结婚照"的基因是从哪里遗传的了。

晚上，隔壁的郭晓玲问郭晓珍："姐，你听说了吗，左问和他老婆复婚了，他老婆还怀孕了，也不知道是不是他的种啊？"

郭晓珍呵斥郭晓玲道："女孩子说话别那么尖酸。"

"哎，姐，我还不是为你打抱不平吗？离婚了，还复什么婚啊？这不是给了别人希望又亲手毁灭吗？"郭晓玲玩笑道。

郭晓珍转身不理郭晓玲。

"姐，你说左问老婆到底有没有出轨啊？"郭晓玲忍不住八卦。

郭晓珍沉默片刻，"你觉得女人嫁给了左问还会出轨吗？"

郭晓玲点点头，"这倒是。但是男人也可能中看不中用，你说会不会是左问不能……"

郭晓珍拧住郭晓玲的手臂，"你这半年上大学都上到狗肚子里去啦？脑子里成天想的什么乱七八糟的东西？"

郭晓玲撇撇嘴。

郭晓珍道："你今后少跟小区里的阿姨八卦左问的事情，人家离不离婚的，要你多事去宣传啊？"

郭晓玲果断闭嘴，也的确是她多管闲事，不然也不会逗得她姐姐这忽喜忽悲的。

"明天过年，陈德庆过来吃饭，你别没大没小的啊。"郭晓珍道。

"你们成了？"郭晓玲谢天谢地，"可总算是成了，阿弥陀佛。"

小镇的除夕比大城市更加热闹，因为不禁烟花，所以到了十一点半天空中就璀璨一片，新年倒数几乎听不见。

左问将一把懒骨头的俞又暖搂在怀里，任由她的头靠在怀里，两个人站在阳台上仰望天空中那片转瞬也不逝的一朵接一朵的烟花。

而隔壁的阳台也出来两个人，陈德庆除夕在丈母娘的帮助下终于求婚成功，死皮赖脸地要陪着郭晓珍守岁。

陈德庆从背后搂着郭晓珍的腰开始动手动脚，郭晓珍一侧头就看到左边静静依偎的左问和俞又暖。

烟花的爆炸声渐大，左问搂着俞又暖的手慢慢上抬，遮住她的耳朵。郭晓珍看见左问向右侧头，俯看着俞又暖垂眸说了三个字。

在烟花声中俞又暖并不知道自己漏听的是什么，但她在那一刻似乎略有所感，抬起头望向左问。

绚烂的烟火下，静静相凝。

番　外 1

禁欲九个月，加上产后恢复的三个月，左问也算是忍成忍者神龟了。

俞又暖出月子之后，在专门的产妇身材恢复机构的帮助下，三个月内就几乎恢复了原来的身材。

虽然必须经历十几个小时痛不欲生的阵痛，但怀孕有助于女性免疫力的提高，减少卵巢癌的患病概率，并且不用植入假体就可以达到一定幅度内的丰胸效果。所以我们说，是几乎恢复身材。

偏爱四两肉的左先生忍得真的很辛苦。而且俞小姐又作又娇气，别人产后两个月就能基本默认可以恢复夫妻生活，但是她非得要左问等三个月。其间绝不许左问碰触她腹部这一块儿，看就更不允许了。

用俞又暖的话来说，那就是"不许人间见赘肉"。

这天台历好不容易翻篇到三个月之后，左问连班都不想去上，还是被俞又暖撵出去的。

下午不到四点就下班回家，这之前花店已经将空运的厄瓜多尔玫瑰送到了俞宅。

"香不香？"左问问正抽了一枝玫瑰放在鼻下闻的俞又暖。这似乎是左问第一次送她花，只可惜居心不良，满脸的黄鼠狼给鸡拜年的坏笑。

"要不要一起？"左问拿了卫衣进浴室时，回头问俞又暖。

俞又暖假笑两声，就差没夺门而出了。

左问洗过澡出来从后面环住在露台望风景的俞又暖，鼻尖在她脖子上轻触，"你好香。"

　　可怜左先生，平时没有福利也就罢了，连亲亲、摸摸都不被允许，一碰到俞小姐，她就认为你有做坏事的打算，坚决防患于未然。

　　左问将俞又暖拦腰抱起，虽然稍显猴急，但是也情有可原。只是俞又暖全身僵硬，连表情都略显生硬。

　　"别怕。"左问的吻轻轻落在俞又暖额头，他以为久久没经这种事情，俞又暖有些矜持和害怕是正常的。

　　俞又暖轻轻"嗯"了一声，强迫自己搂住左问的脖子，任由他的吻密密麻麻灼热地落下，他的手热得烫人，在十月的秋风里本该让人觉得眷恋，但俞又暖只觉得自己身体越来越凉，凉得冻人。

　　左问的手指顺着俞又暖的肚脐缓缓下滑，他不想伤着她，但是时间已经过了几乎一个小时，所有花招使尽，俞又暖依然干涩得发疼。

　　"对不起，对不起。"俞又暖的眼泪再也忍不住，一把推开左问跑到露台的椅子上抱膝而坐，肩膀瑟瑟发抖，像一个受了极大的惊吓的孩子。

　　"没关系。"左问套上衣服，走过去搂住俞又暖的肩膀坐下，"是害怕有孩子吗？"俞又暖怀孕的时候不止一次抱怨过左问的安全措施做得不够，到了七八个月的时候，她的肚子越来越大，行动越来越不方便，脾气也越来越差，加上对生孩子那个过程的害怕，可没少折腾左问。

　　"我们有钻钻就够了，我可以去预约结扎，又暖，别害怕，我绝不会强迫你。"左问亲了亲俞又暖的脸蛋。

　　"不是。"俞又暖将头埋入膝盖，她根本不敢跟左问说原因。

　　左问亲吻她的时候，俞又暖的眼前总是闪过关兆辰的脸，也许还有别人，她不知道自己曾经做过什么，可是那种滥交、糜烂的生活却怎么也无法从脑子里离开，那一组组的照片来回交替，虽然都是臆想，但已经足够让俞又暖打心底涌起恶心反胃之感。

　　但这些话俞又暖不敢对左问讲，他虽然已足够大度，想必也不愿再提起从前。

　　俞又暖倒也不是为谁守节，只是一想起自己交往过的是那样恶心而低劣的人，她就无比厌弃自己，厌恶那个过去的自己，没法越过那个坎。她不愿意左问亲吻这样的她。

　　左问沉默片刻，从俞又暖的啜泣里已经猜到些许原因，"又暖，那些都是过去的事情了，那并不都是你的错。那时候，是我对你不够好。"

"不是的，不是的。"俞又暖呜咽着环住左问的腰，"那时候，我对你肯定也不够好，可是你并没有……无论是白素，还是叶鸾，她们都是好女孩儿。"

俞又暖哭着拽住左问的衣衫，"你真的不介意吗？"

左问叹息一声，将俞又暖搂得更紧，"我如果说不介意，肯定是骗你的话。可是又暖，如果介意会影响我们的感情，我会将它拘禁在角落里，不让它出来。何况，人这一辈子谁能没犯过错？我曾经待你极冷淡，如今只多谢你原谅我。你会介意我冷淡过你吗？"

俞又暖想了想，摇了摇头，旋即又点了点头，偶尔想起左问的冷淡和嘲讽，她就会有折腾他的念头。

"当初开房的事情又是谁爆出来的？"俞又暖最终还是忍不住问了出来。

"是王雪晴。"左问道，摩挲着俞又暖的手臂补充，"她如今杂事缠身，她父亲公司也恐不保，不会再有精力敢针对你。"

俞又暖"哦"了一声，想起最近在报纸的财经版看到的王雪晴父亲的公司，好似的确遇上了麻烦，资金链断裂，又被政府调查。其中若说没有左问的推波助澜，俞又暖肯定不信。

"再给我一点儿时间好吗？"俞又暖低声道。

"好。"左问果断应承。

但是女人在这种事情上总是被动，你若消极等待，只怕一辈子她都不会准备好。

接下来的时日，左问每天都准时下班，尽量抽出时间陪俞又暖，甚至连俞小姐去理发店做发型，一坐三四个小时，他也耐心陪着。

可是左问越是这样，俞又暖就越觉得烦躁。她不是不配合左问，但是总是徒劳无功，她只觉疼痛，并无愉悦，每次她那般痛苦，让左问也意兴阑珊。这绝非好现象。

用早饭时，左问对俞又暖道："今日开股东大会，我辞去俞氏执行总裁的申请应该会通过。"

俞又暖诧异地抬头，"怎么突然想要辞去这个位置？"

"并非突然，我早有这个打算，俞氏也需要换新鲜的思维来管理，我如今退下来也很符合股东利益，何况，我想多抽出时间陪你和钻钻。"左问一边说，一边拿奶瓶喂旁边推车里的右钻钻。

俞又暖脸色一僵，"你不必如此。"

"又暖，这件事我考虑很久了，兼顾两个公司，如今精力实在有些吃不消。就是四维，我也打算过几年就放手退居二线，这几年公司正是上升的关键时期，一时也找不到合适的 CEO 来管理，我已让猎头公司帮我留意。"

若是过去，俞又暖听了这消息肯定欣喜若狂，可如今却只觉心里沉甸甸的，她宁愿左问对她差一点儿，她可能还好过一点儿。

"不高兴吗？"左问看着俞又暖的侧脸。

"没有啊。"俞又暖低下头。

"又暖，你不要想太多，我并非是在逼你，只是早就计划好要辞职。"左问握了握俞又暖的手。

"嗯。"俞又暖点头。

辞掉俞氏执行总裁一职后，左问的确空闲不少，也有时间陪俞又暖参观画展、听音乐会，甚至陪她满世界飞地看时装秀、珠宝展。

可是到最后俞又暖甚至已经无法忍受左问的触碰，他一碰到她的肌肤，她就僵硬得发疼，哪怕用润滑剂，她依然无法承受。

"对不起，对不起，我觉得我是病了，我的这里病了。"俞又暖缩在墙角用拳头敲打自己的脑子，最近她甚至已经无法抑制恶心了，"你带我去看医生好不好？"俞又暖仓皇地抓住左问的手。

左问听着俞又暖低声无助的啜泣，只觉得心像被拧衣服似的拧着疼，脑子里不由想起当年俞又暖的歇斯底里。

"不要说什么爱我，我就是个疯子，一个每周都要看心理医生的疯子，你不过是爱我爸爸的钱，少跟我装什么情圣。对啊，我就是变态，我就是心理扭曲，我就是……"

左问眼角有些酸涩，他轻轻捧着俞又暖的后脑勺，让她缓缓靠在自己胸口，"又暖，别哭。这并不是什么严重的事情，我也已经不是年轻人，并没有那么多欲求，如果你不喜欢，我今后再不碰你，我们已经有了钻钻，这已足够。别怕我，也别躲着我。"

"你不是生病，你只是没有做好准备。"左问的声音在俞又暖的耳旁低声安慰，"不用去看医生，我会陪着你的。"

俞又暖有些不相信自己耳朵听到的，可是她抬头看左问的眼睛，里面只有真诚和坚定，毫无闪烁，她知道他是认真的。

其后，左问果然说到做到，他每天依然亲吻她的额头、脸蛋，但是不会再有进一步的表示，陪着她一起去医院给右钻钻做儿保、打预防针，陪着她去给右钻钻添置衣物，有时候也会牵手、搂腰，但是再也没有更多的性暗示。

彼此关系很自然，又恢复到俞又暖怀孕和坐月子的那段时间，就好像夫妻天生睡一张床却不用发生关系一样。

俞又暖的确轻松许多，脸上也恢复了血色，笑容明显增多。可是她依然失眠，安眠药左问不许她吃，每晚睡觉之前都喝一杯牛奶，但是效果并不显著，后来改成少许红酒，依然无效。左问不得不和她分床而睡，想进一步减轻俞又暖的压力。

其实两个人都知道，这不过是掩耳盗铃。俞又暖夜里上网看新闻，还有 70 岁老头和老太太离婚的消息，原因是因为老太太没办法满足他的性需求。

这都是什么事儿啊！

但这则社会新闻却间接击碎了俞又暖的侥幸，她依旧辗转反侧，难以入眠，她想念左问，特别想，特别想，所以趿拉了拖鞋开门，走到对面无声地推开轻掩的门。

俞又暖从背后贴住左问的背，嗅着他身上的沐浴液的香味儿，紧绷的神经得到了片刻放松。她想对左问说，不要在乎她的感受，不要管她疼不疼，她可以用润滑剂，她可以……

可是俞又暖还是说不出口。

半夜里，尽管左问已经尽量轻声，但俞又暖依然醒了，连睫毛都不敢乱动，继续装睡。

片刻后，左问开门出去，过了好一阵子才回来，重新躺下，俞又暖轻轻贴过去，感受到左问皮肤上的凉意和水汽，他应该是去冲凉水澡了？在这寒冬里。

俞又暖无法再自欺欺人。

左问早起跑步，回来时在床上找不到俞又暖，到对面去也没找到，下楼问慧姐，慧姐说没有看见。左问再次折返俞又暖的卧室，穿过衣橱走进浴室，淋浴间隐隐传来水声。

原来是在洗澡，左问松了口气，走到露台抽了一支烟，待烟味儿散尽，走到楼下抱了一会儿右钻钻，见俞又暖还不下楼，又折返去找她。

居然还在淋浴间。左问走过去一把拉开淋浴房，就见俞又暖环抱着手臂，缩在淋浴间的墙角，任由冰凉的冷水从她头顶淋下。

左问心里一惊，一把将俞又暖抱出来，想吼她，可是看她自己都差点儿没把自己折腾死了，又觉得心酸。

俞又暖低着头，乖乖地任由左问把她弄暖和，然后放到床上。整个过程里，左问一声不吭，俞又暖也知道自己惹毛了左问，伸手去抱他，被他一把甩开。

俞又暖扑过去搂住起身离开的左问，将脸贴在他宽阔的背上，"左问，帮帮我。"

左问没回头，可也没再甩开俞又暖的手。

"你不要压抑自己，我知道这是人性，这是本能。你去俱乐部找那些陪酒的女孩儿好不好？"俞又暖淌着泪，哭得泣不成声。

左问简直不知该说什么，他轻轻掰开俞又暖的手指。

俞又暖瘫坐在床上，看着在露台抽烟的左问，其实他早就已经戒掉，可最近一个来月又抽上了，原因自然不言而喻。

左问穿着薄薄的衬衣吹了会儿冷风，熄掉烟头后走进来，将俞又暖从床上拖起来，给她穿好衣服，然后低头用嘴唇抵住俞又暖的额头道："你的确生病了，我给你约心理医生。"

俞又暖闭了闭眼睛，她此刻才发现其实心理医生也未必能帮得了她。

左问办事的效率极高，下午两点俞又暖已经坐在了潘朗潘医生的诊室里。

"又暖，我们又见面了。"潘朗微笑道。

"我们认识？"俞又暖微微惊讶。

"你曾经在我这里看过几年，后来我出国深造，就将你介绍给了其他同事。最近我刚好回城重新执业。"潘朗道。

俞又暖艰难地笑了笑，也不知道遇到熟悉的医生是好事儿，还是坏事儿。但她丝毫记不得以前的事情，对潘朗也不能在短时间内放下戒心。

潘朗也没逼她，放了音乐，跟她随意地聊天，渐渐旁敲侧击已经知道俞又暖的心结所在，然后又用了三周的时间才让俞又暖开口向他讲述她的故事。

俞又暖有些艰涩地道："我和我先生曾经非常默契，彼此也都很享受，我……我不知道为什么会变成这样。"俞又暖十指交叉放在腿上，这是一种紧张而茫然的姿态。

潘朗看着俞又暖的眼睛，缓缓道："你对过去的事情一点儿印象也没有，对吗？"

俞又暖点点头。

"从你的话里，我发现你所谓的过去，都是别人告诉你的，然后你再在自己的脑海里重建出来的画面。"

俞又暖点点头，随即便被潘朗接下来的分析所震惊。

"你现在是否极端厌恶过去的自己？你迫切地想告诉别人你不是过去的那个人，过去那个人的一切你都否定。"

俞又暖抬起眼皮看着潘朗，示意他继续。

"你不再去夜店，不再跳舞，不再跟过去的朋友来往，甚至不许别人提你的过去。又暖，你将她想成了你的敌人，过度幻想过去的自己是如何的不堪，我想，你可能是因为觉得她私生活不检点，甚至糜烂，所以你很希望自己能变成另一个人，一个不受人欲支配的人。你心底是否有那样的念头，就是你对你先生的抚摸毫无反应的话，就更能向他证明，你已经彻底变得纯洁，他再也不用担心你会出轨，从而去相信你？其实你不过是对自己缺乏信心和正确的认识而已。"

俞又暖震惊得说不出话来，她霍地站起身，"潘医生，今天就到这儿吧。"俞又暖从诊室仓皇而逃。

潘朗给出的理由多么可笑，她的性冷淡居然是因为她要向左问证明她的纯洁？可是这种证明，明明是极大地影响了她和左问的生活。

是这样吗？俞又暖觉得最无法接受的是，她竟然无法反驳。

俞又暖是三日后再次回到潘朗的办公室的。

"如果真是那个原因，我该怎么去面对呢，潘医生？"俞又暖向潘朗求助道。

潘朗笑了笑，"如果换作别人，我想可能需要花费很多时间去重塑你的信心，还需要你的丈夫帮助，让你对你们的感情重塑信心。不过你曾经在我这里看了好几年，虽然不太应该，但是我想我可以给你看看我过去对你的记录。"

潘朗和每个心理医生一样，都有记笔录的习惯，而他更喜欢以手书的方式记录，所以俞又暖从潘朗手里接过的是一个陈旧而有些年头的专用记录本。

俞又暖吸了一口气，翻开这本记录本，就像翻开她的过去一般。记录的语言很简洁，俞又暖花了不到两个小时的时间，就仿佛已经完整地看到了过去的那个自己。

那个小可怜。

20岁之前的俞又暖非常乖巧，是她们圈子里出了名的乖宝宝，每天按时上下学，从来不出去跟同学疯玩。

她12岁失去母亲，她的父亲俞易言为了她，不愿意再婚，一心扑在事业上。

这让害怕后母进门的俞又暖，由衷地感激她的父亲，她所能给予的报答就是乖巧，不让每天回家都很疲惫的父亲，每次想起她母亲就很痛苦的父亲再为她忧心。

俞又暖每天总是固执地坐在俞宅的阶梯上，一定要等到俞易言回家，亲一亲她的爸爸才肯入睡。

诚然俞易言深爱着他的女儿，但是他也是一个丧偶之后将所有精力和期盼都投入了事业的男人，他虽然知道俞又暖可能更需要父亲的陪伴，但是他总有层出不穷的应酬和频繁的差旅。

俞又暖也许拥有比她的同龄人都多得多的零花钱和财富，在她18岁生日的时候，她父亲送了她一架私人飞机，17岁的时候是一幢上亿豪宅，16岁的时候是一艘游艇。但是这三个少女成熟期里最重要的生日，俞易言都在异国他乡通过电话给她唱生日歌。

俞又暖从12岁进入少女的叛逆期开始，就从来没有叛逆过，她是最最乖巧的孩子，总是默默地等着她的父亲，她安静得像个小天使，唯一的情绪宣泄就是她的钢琴。

她父亲给她买最好的钢琴，帮她申请国外最好的音乐学院，可是俞又暖只想待在她父亲身边。她为之愤怒，为之痛苦，但是俞易言强势得她无法拒绝。

直到俞又暖20岁的时候，俞易言查出癌症，当然以他的财力来看，癌症也并非马上就会死的绝症，但是他的癌症恶化得特别快。

俞又暖一直以为她和她父亲将来还有很多时间，毕竟俞易言那时候还不到50岁，可是她没有想到，她等了一辈子那么久，想让她父亲停下来看看她，俞易言却要彻底地离开她了。

更可怕的是，她的父亲以极其强硬的姿态逼她和左问结婚。

这之前俞又暖甚至都没有谈过一场恋爱，也没有暗恋过一个人。她和左问在这之前有过一次接触，就是左问阑尾炎开刀那次。她对他有些朦胧的好感，一个小镇出来的孩子，能成为世界名校的高才生，能年纪轻轻就混到如今的地位，俞又暖的确挺佩服他的。

但是俞易言的强势导致了俞又暖迟来的叛逆期的爆发，这种爆发比真正的青春期叛逆来得更为猛烈。

父亲的不理解与强势，从没驻足的关心，心有好感的男生被证明原来根本就是为了她背后的财富，他对她的每一次关心都不是发自内心的，而是她父亲用亿万金钱买来的。

还来不及萌发的爱情就这样被即将彻底消失的亲情所抹杀。她和左问婚后的日子过得极其艰难。

左问就像第二个俞易言——她的父亲，他负责她一切奢侈开销，负责管教她，但是他们都不会停下来多看她一眼，他们总是很忙很忙，忙于自己的事业，但嘴里说的话都是为了给她创造最多的财富，要给她比这世界上其他女人都更好的生活。

可是左问毕竟不是俞又暖的爸爸，她没有任何义务和血缘的需求要去等待左问偶尔的回头，她要向她爸爸证明他错了，他给予她的人生都不是她想要的。她也要向左问证明，他就算得到了俞氏的财富，也不可能，永远不可能得到她的爱情，她甚至连身体都不愿意给他。

俞又暖很快就无师自通地知道，打击一个自信强大的男人，再没有比床上更合适了。他无法湿润她，无法讨好她，不管他做什么，他都是匍匐在她脚下的泥巴里的人物。

俞又暖合上记录本，无奈地叹息，又可怜过去的自己，20 岁的俞又暖选择了最最糟糕的方式去证明她自己。

婚姻里硌人的石头越来越多，伤害的雪球越滚越大，俞又暖开始疯狂地在热闹的人群里去埋葬自己的寂寞，然后她就认识了关兆辰。

记录本里的俞又暖甚至得意扬扬地对潘医生说，她发现了一个很好玩的新游戏。原来左问不是没有情绪的，每一次关兆辰或者其他男人都能激发他的恶劣的情绪。

那时候俞又暖就会去俞易言的坟墓前对他说，爸爸，看看你给我找了一个什么样的丈夫，他那样厌恶我，却还是不得不为了钱忍受我，可是他还是厌恶我，真好玩儿。

游戏再好玩儿，也治不好俞又暖心里的伤，她也已经习惯向潘朗倾诉自己，常年出入心理医生的诊室。

可归根结底，在俞又暖幼年的时候她受了最好的教育，她也曾经有完整而美好的家庭，母亲对她期望颇高，说她是纯洁的小公主，俞易言对她管教很严，总说妈妈一直夸她是美好的小公主。

俞又暖身上背负着婚姻的枷锁，这让她极力想挣脱开，但是在真正面对另一个男人的时候，却也无法放开。她对潘朗说，她试着和关兆辰，和其他很多男人接吻，但是她都只觉得恶心。

关兆辰的经验再丰富，但是当他的手想摸入她的衬衣下摆时，她依然觉得恶心。但是这并不妨碍她给左问制造好玩儿的假象。

再后来就没有记录了，而俞又暖也无须再看记录。她几乎可以猜测到后面发生的事情，潘朗出国深造，她失去了唯一的倾诉对象，所以从此更加乖戾，变本加厉，于是就有了脑残的艳照，有了对左问更多的折磨。

这一直持续到她第一次出车祸失忆为止。

俞又暖将身上的大衣领子竖起，从潘朗的诊室离开后，她就让王叔将她送到了墓园。

俞又暖蹲下身，轻轻抚摸俞易言的名字，尽管记录本里的俞又暖是那样可怜，但是这并非说明她就没错，她曾经有很多出路，但是她选择了最黑暗也最愚蠢的那一条——通过伤害自己来伤害爱自己的人。

在年近35岁的俞又暖看来，过去的自己也并非那么值得同情，但的确是情有可原。

俞又暖坐在墓碑前的平台上，轻轻抱住冰凉的墓碑，"爸爸，谢谢你。"谢谢他，将曾经的她教得那么好，在最无助最黑暗的时候，没有真正的糜烂下去。

俞又暖的头顶有雪花飘落，她喃喃道："爸爸，你是不是一直在天上看着我，保佑我。"不然怎么会那么巧就出车祸了，那么巧就失忆了，可以抹去一切的伤痛，重新开始。

可是最初的那段婚姻，她将左问伤得太深，即使失忆，左问也无法原谅她。所以就在他们第二次去离婚的路上，命运再次进行了神奇的扭转。

这一次她很幸运，得到了左问的宽容。

"爸爸，一定是你在保佑我，对不对？"俞又暖哭道，"一直都是你在引导我、保护我对不对？我不该怪你的，我不该在你生病的时候还跟你唱反调，不该在最后的那段时间都不好好陪你。"

记录本里的俞又暖虽然不承认，但她的确早已后悔那段日子对父亲的误解，否则她不会一直走不出人生的噩梦，自我放逐，自我毁灭，是她让她的父亲在失望里离开的。

俞又暖在俞易言的坟前哭得不能自抑，痛不欲生。

远处，小金替左问撑着伞，两个人默默地看着俞又暖。

俞又暖每次去潘朗那里，都不许他陪伴，她心里的伤只愿意独自面对。但是左问哪里放心她，掌握她的行踪已经成了他生活里的习惯，无关乎信任，只是担忧她在他看不见的地方，有没有挨冻受饿，有没有被欺负，有没有在最需要他的时候他却不在她身边。

俞又暖从潘朗那里出来，就去了墓地，左问直觉里有些不妥，果不其然，焦急地驱车到此，就看见她一个在漫天风雪里痛哭。

左问将几乎冻僵的俞又暖裹入怀里，"暖暖，别哭了，别哭。不想看医生我们就不去了好不好？现在技术那么发达，我们已经有钻钻，我想，让一个男人不举可以有很多办法。"

虽然俞又暖哭得撕心裂肺，但是听到左问这句话，她还是由衷地觉得左问……有病！

"你怎么来了？你今天不是说约了重要的客户吗？"俞又暖站立不稳地依靠着左问站起身。

"我要是不来，你是不是就打算把自己冻死在这儿，大雪茫茫一大片，刚好埋葬你，质本洁来还洁去？"左问简直是气不打一处来，他最无法忍受的就是俞又暖用伤害她自己的方法来折磨他。

俞又暖其实也没想到自己会哭得那么痛快的，主要是心头乌云尽去，索性一次都发泄出来。此刻只能埋着头乖乖被左问数落。

虽然很爱这个男人，并觉得自己也被这个男人爱着，但是被持续数落半小时之后，俞又暖还是忍不住推开了左问，"哎，你真的很烦哎，唠唠叨叨，赶紧滚回你的公司谈生意去吧，右钻钻还指望你赚钱给她娶老公呢。"

左问不可置信地看向过河拆桥、忘恩负义、狼心狗肺的俞大小姐，"俞又暖！"而左问的愤怒后面则是放心，俞又暖能这样说话，说明她还有继续作死的勇气。

"我陪你吃完午饭再回公司。"左问道。

俞又暖看了看时间，都中午十二点多了，也不知他约的人是几点到，若是还要照顾她吃饭，肯定一两个小时要费掉，"不用，看见你的脸就不想吃饭。"

左问冷笑一声，"俞又暖，你就可着劲儿的作吧。"但是左先生如今也就只有这一句杀伤力的话了，后面的"大不了将来一拍两散"、"当心我今晚就去俱乐部带人出台"之流的威胁语句，却完全不敢说出来。

是以，俞大小姐很傲娇地让司机将她在本城最高端的商业广场下将她放下，她朝着摇下车窗的左问得意地晃了晃银行卡，左问乜斜了俞又暖一眼，"记得给钻钻也买点儿东西。"

"知道啦，二十四孝爸比。"俞又暖摆摆手，踱着高跟鞋进了百货公司。

其实逛无可逛，喜欢的牌子的画册早早就送到了俞宅被她挑选过了，当季她喜欢的衣服也早已经挂在衣橱里，唯有路过某个平日不怎么关注的内衣品牌时，俞又暖站在橱窗外看着那条堪堪半遮半掩住模特大腿根的粉橘色吊带内衣，心里很确定，那是左先生的品位，他就喜欢女人穿粉色、橘色之类的。

俞又暖转了转眼珠子，走进里让店员将这条小吊带的所有现货和能调来的货都包上送到俞宅，她自己则拎了自己穿的号走人。

乘电梯往上，是俞又暖常去做身体保养的会员店，美美地洗过牛奶浴，给全身都去了死皮敷了面膜泥，走出大厦的时候刚好是下午三点半。

到达四维的时候，是四点钟刚出头的样子，俞小姐刷脸卡自然是畅通无阻地走到了左问的办公室外，"Andy，左先生在不在？"

"在。"Andy回道，"但……"十分钟后左先生约的客人就到了。

这话俞又暖听不到，因为她已经简短地敲门，然后不待回应就进去了。Andy心想，Boss是知道十分钟之后的会谈的，而想必十分钟也足够First lady说话了。

办公室内，左问抬头看见俞又暖，站起身道："你怎么来了，出什么事了吗？"

俞又暖回身落锁，发出"咔嗒"一声脆响，也不管左先生乐意不乐意，直接脱掉了外面的大衣，嗯，露出新买来刚洗过烘干的粉橘色小吊带。

其外，身无他物。

哎哟，忘了，还有一双黑色高跟鞋。

左问压根儿没料到天上的馅饼就这么着砸下来了，还是他最爱的鱼肉馅儿，又白又嫩带着粉色虾青素的深海鱼馅儿。

左问的喉头一动，就见俞又暖从她胸口慢慢地抽出手机来，手指轻轻一点，节奏欢快而富有挑逗的音乐就出现了。

左问此刻作为俞小姐的钢管，简直一动也不敢动，眼睛管不住地随着她的身体转动，内心有魔鬼在叫嚣，但左问依然自制地道："我还几分钟就要见……"很重要的客户。

"几分钟够了。"俞又暖舔舔左问的喉结。

音乐喧嚣着到了热点，而俞又暖正靠着左问，双腿缓缓地劈叉下降，舌尖的高度从他的胸膛到肚脐，再降低到……

真是要了命！

也真是自作孽不可活。

"你说几分钟够了是什么意思？"左问轻喘着问无力地匍匐在桌子上的俞又暖。

汗水从俞又暖的头发下跌，流到她的眼睛上方，让她连眼睛都睁不开，她求饶，但是左问吼她："你就是欠收拾。"

而此刻离左问办公室不远的透明会议室里，Andy和一众该项目的跟进员工也觉得自家老板和老板娘真的很欠收拾。

在看了十次手表，等了40分钟，Cathy连美人计都使出来了之后，在Andy去敲门，却被隐隐一声"滚"骂回去之后，带着十几亿大项目来的客人终于很生气地离开了。

一个半小时后，穿戴得整整齐齐的左先生终于打开了办公室的门。

Andy赶紧迎了上去，见自家Boss一脸冰霜，并不惊奇，因为他常年顶着这张脸，而且近几个月格外阴沉，今天这等小冷度，都算是热天的温度了。

至于俞小姐，那更是冷若冰霜，身体站得笔直笔直，看人都是用余光的。

原本以为办公室里面上演的是日本动作片，可如今看这气氛，怎么像是香港功夫片？

"左先生，寰球国际的裴先生已经离开了。"Andy很怨念，有什么家庭矛盾不能回家解决吗？非得在这关键时刻来闹，这位大小姐也太会挑时间败家了。

左问这才想起来原来还有这档子事，道了一句："真遗憾。"他的眼睛看向俞又暖故作冰冷的脸蛋，心里却怎么也无法变得不高兴。

Andy心想，什么叫"真遗憾"？就你那态度那调调简直就是压根儿没放入眼里，好嘛，你倒是不在乎，但是我们一组拿薪金的可怜员工，可都盼着拿奖金的。

而左先生一想起这桩生意，不得不侧头看向俞小姐，只是有些话不能在这里说，只好改用手机软件。

你这身价可真够贵的，××这辈子每天赴局估计都赶不上你的一次出场费，去车里等我收拾你。

俞又暖的手机震动，低头一看，就看到微信上左问给自己发的这条信息，她无力地揉了揉脸蛋，差点儿破功。

Andy 期盼地看着低头在手机上打字的左问，以为他是在积极地挽回刚才的大客户。

俞又暖打字回道：我知道你今天下午约了人，但我以为他们已经走了。谁知道你的时间会定得那么晚啊？

"没事，你先去车里等我吧。"左问收起手机说话道，手机打字毕竟不够迅速。

俞又暖很怀疑自己在左问的眼里看到了恶趣味，她当然不予理会，转而问 Andy 道："Andy 你能重新联系寰球国际的裴先生约时间吗？"

Andy 很无力道："我刚才试过了，裴先生在本城近期的行程都满了。"这当然是对方的委婉表达。

俞又暖想了想，掏出手机来捣鼓了一下，然后道："原来今天裴先生的妻子在本城的剧院有芭蕾舞表演，他肯定是 VIP 赠票，我看看能不能替你们搞定两张。"

俞又暖走到旁边打了几个电话，得益于基金会广泛的社交网络，以及俞小姐本人的魅力，最后居然真被她请别人让出了两张同样的赠票。

俞又暖走回来扬了扬手机道："搞定了。"

在 Andy 还来不及佩服老板娘威武的情况下，俞又暖的手就已经摸上了左问的领口，解开了第一颗纽扣。

Andy 此时简直眼睛都不知道往哪里看了，至于左问也是一脸紧张地握住俞又暖的手，低声道："去车上好吗？"

俞又暖横扫左问一眼，将他的领口大大拉开，左先生脖子上那三道"猫爪子"划出的血痕就大喇喇地呈现在了 Andy 面前。

"Andy，你知道该怎么向裴先生解释今天下午发生的事情了吧？不必考虑我的名声，左先生的面皮薄，晚上还要请你代为周旋。"俞又暖轻轻拍了拍 Andy 的肩膀，然后学着日本女人一样，低头弯腰，"请多多照顾。"

在老板娘低头弯腰的时候，Andy 的眼珠实在忍不住地顺着她弯腰的动作而下滑，等他自己清醒过来后，上吊的心都有了。他实在忘不掉 Boss 送俞小姐出去走到门口的那一个回眸，Andy 哀叹，他今年是别想要奖金了。

而此刻被左问押送到车库的俞又暖却一路被人训话，"不要随随便便拍男人的肩膀，更不要随随便便低头弯腰。"尤其是在你中空的时候。

晚上带着满身酒气的左问回到家中时，小家伙和俞又暖都已睡熟，他轻手轻脚拿了衣服去浴室。

温水刺激得左问的背有些疼，他此刻才有些迷糊地意识到，今晚自己好像做了一件蠢事，但是也并不值得放在心上，毕竟原以为这辈子都享受不到的福利，原以为这一次错过的大项目已经无望，但一个下午加一个晚上，居然全部搞定，那么即使犯了点儿蠢，也不必介怀。

左问晕晕乎乎地爬上床搂住俞又暖，沉沉地睡了过去。

清晨，左问是被俞又暖"银（feng）铃（po）般"的笑声给唤醒的，睁开眼睛，就见俞小姐笑得毫无形象地在床上打滚。他自觉不好地从俞又暖手里抽出手机。

该死的，居然又上微博热搜。

"四维掌门人和寰球国际掌门人疑似皆遭家暴，于悲情中再次上演背背山？"附图是几张两人在酒吧的照片，分别是左问和裴阶"深情"凝视对方裸背的照片，而两个人的背上都有数道"猫抓的"血痕。

左问无力地揉眉，现在这些自媒体，实在不负责任，什么都敢乱写。

俞又暖搂住左问的脖子问："你和裴阶这是为什么啊？抱团取暖，互相舔舐伤口吗？真可怜。"俞又暖"爱怜"地摸了摸左问的脸。

左问再次揉眉，"真想不明白你这个圈子里的人，都是那么疯狂。"左问想起昨晚裴阶非说他不是被家暴，而是变相秀恩爱，非要拉着自己比赛，谁家更恩爱。

左问才知道，原来女人的指甲都是一般锋利，并非只有俞小姐才是猫爪子。因而忍下了半夜趁着俞又暖睡着时把她指甲剪光的欲望。

"照片为何会外泄呢？"俞又暖不解，裴、左皆有保镖，没道理被人偷拍。

"好像是裴阶发上去的，所以我才说，你们圈子里都是疯子。"左问很无奈，然而更加无奈的是，他还得向白老师解释，他并没有被俞又暖家暴，两人近期也没有离婚的打算。

之后的某一天，俞小姐香汗淋漓地从左问身上翻下来，杏眼微闭地问："你当初说自宫的话是当真的吗？"

左问的手轻轻摩挲着俞又暖的背，饕餮过后的满足让他的声音低沉了半度，胸腔因笑而轻轻震动，"这种话你也信？我当时不是看你哭得厉害，怕你一时想不开吗？"

亏她还感动得一塌糊涂，俞又暖伸手去拧左问的腰，"你这混蛋。"

左问笑得不停。

俞又暖又问："那若是我一直想不开呢，你又怎么办？"

"什么怎么办？离婚重新找一个正常人呗。"

"左、问！"俞又暖翻身起来掐左问的脖子，自然被暴力镇压，反而倒蚀一把米。

俞小姐无力地趴在床上时，心想男人的话信得，母猪真的要上树。

怀孕过了十二周，左问陪俞又暖去医院建档，填表时医生照例询问一句："以前怀过吗？"

"没有（有）。"

说"没有"的是俞又暖，说"有"的是左问。

医生诧异地抬起头，不知道该听谁的。

俞又暖脸色苍白地看向左问，她怀疑自己听错了。

一路沉默地回到俞宅，俞又暖捧着水杯取暖，但手却忍不住颤抖，水都差点儿溢出来，艰难地启唇道："说说那个孩子吧。"

左问伸手将俞又暖的双手连同水杯一起捧住，"以前你怀过一个孩子，但是孩子本身有问题，不到三个月就自然流产了。"

俞又暖大大地松了一口气，她还以为……她以前做过太多错事，但是这一件最好不要在里面。

有些事情过去了，就没必要再提起，不过是徒添悲伤。当初固然是俞又暖决绝无情、心狠手辣，可是时过境迁，如今左问回想来，自认自己所错也非小。

俞又暖那时年纪太小，自己又忙碌于事业，她不愿孩子重复她的过去，孤单而乖巧地在空旷的别墅里等着父亲给一个微笑。

一句话不说就拿掉，恐怕也是知道，若是被人发现，孩子是必须生下的。而那几年两个人身上都是刺，实在也不是宝宝降生的好时机。

宝宝不该是作为婚姻的润滑剂而降生，而应该是降生后兼做了婚姻的润滑剂。

"给宝宝取什么名字呢？"这是怀孕后期每对夫妻都要面临的美好而令人痛苦的问题。

为此，俞又暖和左问抱着《道德经》《诗经》《论语》《孟子》，甚至《山海经》啃了很久，最后因为选择太多，挑花了眼，到第三十九周的时候宝宝的名字都还没确定下来。

"先取小名吧，不然怎么喊啊，医院里到处都是宝宝，小东西以为喊的是别人怎么办？"俞又暖嘟囔道。

左问点头。

"如果是男孩儿，就叫看看怎么样？左看看？"俞又暖咀嚼两遍，觉得十分有意思，也朗朗上口。

"我还右转转呢。"左先生什么事情都很淡定，唯独在孩子一事上，经常和俞又暖闹别扭，自家高大上的孩子怎么能叫左看看，又不是偏脖子。

哪知俞小姐似乎听不懂左先生的讽刺，"不错，女孩儿就叫右转转，或者右钻钻？钻石的钻。"俞小姐作为女人，天生就爱"恒久远"的钻石。

"你跟我谁姓右啊？"左问无语。

"小名而已嘛。"俞又暖大发娇嗔，"你怎么什么都跟我作对啊？但凡我提议的，你就没一个支持的。"

傲娇的小公举发怒，左先生不得不妥协。但由此导致了十分严重的后果。

右钻钻小朋友四五岁的时候，有一天抽抽噎噎地回到家里，眼睛都哭肿了，小鼻子通红。

"怎么了，钻钻？为什么哭啊，告诉爸爸好吗？"左问抱住自己的小公主，心都捏紧了，一直跟踪她母亲的私家侦探看来有必要转换目标了。

"爸爸，宁雾说我不是你和妈妈亲生的，是捡来的孩子。哇哇哇——"右钻钻哭得十分伤心。

"怎么会呢，宝贝，你是妈妈怀孕四十周很辛苦才生下来的。"左问轻轻拍着钻钻的背，"乖乖，别哭哦。"

"不对，你骗我。为什么别的小孩都跟着爸爸姓，就我既不是跟爸爸姓，也不是跟妈妈姓？"右钻钻哭得哽咽，差点儿续不上气。

小不点儿让左问心疼得忍不住怒瞪向后面的罪魁祸首。

俞又暖自知有错，赶紧低下头。

这件事最后的解决方法是——验DNA。

现在的小朋友，厉害得紧，脑子太好使，小小年纪不知道被哪里普及来的"DNA亲子鉴定"，反正不管左问和俞又暖怎样好说歹说，右钻钻小朋友只相信证据。

"真不愧是爸爸的小钻石，这么小就知道讲证据了，真聪明。"左问亲了又亲右钻钻的脸蛋。

"有病。"俞又暖在旁边冷眼看着这对儿瞎折腾的父女。

所谓智者千虑必有一失，愚者千虑必有一得，最后还真是被俞又暖给料中了。

去医院亲子鉴定的当日下午，微博就刷出了一条热门消息，"本城名绅今日携女儿进××医院，疑似委托进行亲子鉴定。"

舆论哗然，本着看热闹的心，99%的人都支持"非亲生论"。

俞又暖出入俞宅时，再次经历长枪短炮包围的阵势，脸色十分不耐。

微博继续爆料，"据可靠消息医院已经给出鉴定结果，Y女士面色十分阴沉，鉴定结果可想而知。"

可想而知你个鬼。

而此刻右钻钻小朋友却极其开心，鉴定报告上写得明明白白，"依据DNA检测结果，待测父系样本无法排除是待测子女样本亲生父系的可能。基于15个不同基因位点结果的分析，这种生物学亲缘关系成立的可能为99.9999%。"

左问正在耐心地给右钻钻科普基因是什么，为什么是分析15个不同基因位点。

"爸爸，我应该不会是那0.0001%的意外吧？"右钻钻小朋友还是有些担心。

俞又暖脸色全黑，"右钻钻，有你这样坑你妈妈的吗？"这是赤果果地挑拨她和左问的夫妻关系好吗？

偏偏左问此刻摸着下巴不说话，仿佛真的在思考这种可能性。

"左问，你不是吧？！"俞又暖在俞宅疯狂暴走，"天了噜，我还怀疑右钻钻不是我生的呢！"

父女两个对视一眼，都有些忧心俞小姐的智商，还是右钻钻忍不住"喊"了一声，"长那么像，说我不是你亲生的，有人信吗？"

俞又暖和左问同时眯了眯眼睛，"那你还哭着闹着要什么DNA亲子鉴定？"

右钻钻小朋友道："最近我们幼稚园班上的小朋友都流行这个报告啊，那谁谁谁上个月做的鉴定，那谁谁谁上两个月就做了鉴定，就我没有做过，多老土啊？"

俞又暖一手撑在腰的后部，一手扶额，小孩子神马的果然是小魔鬼，她就知道不应该生的。

"妈妈又要发飙啦，爸爸，我们快逃。"右钻钻一把拉起左问就开始往外奔，银铃般的声音从门外传来，"爸爸，我想吃M家的草莓圣代。"

俞又暖气得晕倒，这是什么烂大街的品位？果然是近墨者黑，跟她爸爸一样是个贫民。

可是如今两票对一票，俞又暖的地位在家中一落千丈，早已不是一言抵万金的俞小姐了，"左太太"这三个字令俞又暖的身价迅速贬值。

从 M 家走出来，右钻钻一勺一勺地挖着冰淇淋，偶尔踮起脚喂俞又暖一口，俞又暖烂着脸尝了尝沾着女儿口水和女儿爸爸口水的冰淇淋，"右钻钻，教你多少遍，不要一边走路一边吃东西。而且，你很不讲卫生哎，一个勺子三个人吃！"

右钻钻抬头道："妈妈，好不好吃？不是贵的才是好吃的吧？其实便宜的，也很好吃哟。"

"把这个扔给爸爸，妈妈带你去吃意大利冰淇淋好不好？"俞又暖致力于扭转自己女儿的低级品位。

"那妈妈你到底还要不要吃啊？"右钻钻挖了一大勺冰淇淋，踮脚想喂给俞又暖。

俞又暖迟疑半秒，果断弯腰低头。

"麻麻，你真啰唆，又口是心非，欧巴桑没人要的哟。那天到爸爸办公室找爸爸的阿姨，比你安静多了。爸爸看见她就笑得很开心，跟她在一起觉得更高兴对吧，爸爸？"右钻钻转过头去看左问。

听到这句话之后，左问掏出手机默默地给俞又暖那条"小孩子都是小魔鬼"的微博点了个赞。

俞又暖扫了左问一眼，皮笑肉不笑地道："哦，那个阿姨比妈妈漂亮吗？"

"妈妈，你好肤浅哦。男生爱女生不是全看脸的，要是只看脸，那我们全幼稚园的男生岂不是都要到我家门口来排队？"右钻钻皱了皱眉头，想到那一幕就打寒战，"他们会把我的小熊饼干都吃光的。男生太会吃了……"

小姑娘讲话很容易跑题，但俞又暖立即将话头拉了回来，"那钻钻觉得，男生爱女生是什么原因？"

"气质。"右钻钻高深莫测地说出这两个字。

妈蛋呀，俞又暖连辩白都无力了，"气质"真是个不可捉摸的词汇，只能多读书。

"那钻钻觉得，女生爱男生是什么原因？"左问笑问道。

"颜值。"右钻钻回答得很果断。

左问摸摸下巴，是不是也应该学俞又暖，去美容院办张卡什么的？

"有钱的男人颜值高。"右钻钻又补了一句。

左问摸了摸自己的钱包，应该还算丰盈。

回到家中，俞又暖抱着《三字经》猛啃，希望国学能让她增加一点儿气质，但另一方面却依然在和左问持续冷战。

左问已经两天没有抱到过自己的老婆了，他无奈地瞪着小女儿，"右钻钻，有你这样坑爹的吗？"

"爸爸不是老嫌妈妈对你不上心吗？我帮你打击打击她，她才有危机意识。"右钻钻拍拍左问的腿，"妈妈刚才还说明天让我假装吵着要去你公司玩儿，她就可以名正言顺地去查岗了。"

左问立即回复了俞又暖的微博一句："但大多数时候，她们还是小天使。"

早晨俞又暖穿着一件白色的宽大休闲女式衬衣和一条小短裤，赤着一双脚跟跳舞一样往楼梯下蹦。

"这一大早是发什么疯啊？"慧姐无语地道。

俞又暖几个旋转，舞到料理台前，此时左问正用餐刀切开面包准备涂抹奶油，俞又暖蹭过去，手指在奶油碗里轻轻一挑，再将手指放入嘴里，鲜甜冰冷的舒爽，俞又暖享受地抖了抖，然后踮起脚尖挨到左问耳边，妩媚柔靡地道："主人，早啊。"

左问扣住俞又暖的手腕，低声在她耳边咬牙切齿道："大姨妈来的时候不许作死。"

俞又暖"呵呵"两声，旋转到右钻钻的摇篮前，弓身一把抱起可爱的粉嘟嘟的小朋友，在她脸上大声地"吧唧"一声，"妈妈的小公举，早上好。"

"疯了。"慧姐再次感叹，然后回过头对左问道："先生不是说今天早晨赶时间吗？"

左问这才回过神来，但并不挪动脚步，而是拿了个盘子，把旁边果篮里的苹果之流装了几个，"唔，最近有点儿缺维生素。"然后左问这才在慧姐狐疑的眼神里，端着果盘放到腰间往门外走。

"先生不是不喜欢吃苹果吗？"慧姐侧头问俞又暖。

俞又暖"扑哧"笑出声，然后抱着右钻钻滑到门边，在左问刚想将果盘放下的时候，对着他做了个"wave"的舞蹈动作。

左问骂了句"该死"，一脸恼火地又将果盘重新端起，一路端到车边，将果盘放到车顶。

身后则是俞小姐的爆笑。

虽然右钻钻基本上是她爸比和保姆带到两岁半的，但是这个年纪的孩子已经懂得追着香香的妈妈不放了。

俞又暖拿着手包往外走，右钻钻"摇曳"着两条小胖腿一路跟着她往门外走，她也不抱上去，就在俞又暖每次回头的时候，对着她傻乎乎地笑。

"小姐不带钻钻去，她转头就要哭。先生若是知道……"慧姐开始碎碎念。

俞又暖认命地对右钻钻招招手，"想跟妈妈出去吗？"

"想。"右钻钻脆生生地道。

司机打开车门，右钻钻就跟小老鼠一样噌噌往里钻。

贾思淼看到右钻钻时，直叹左问和俞又暖的基因好，不知道这姑娘长大又要祸害多少纯真少年。

两人吃饭聊天时，右钻钻很安静地在一旁翻她妈妈的包包，俞又暖是只要右钻钻不吵不闹就由着她的主儿，所以也没理会。

直到贾思淼的眼睛黏在了右钻钻的手上，俞又暖回头一看，才知道丢丑了。以右钻钻的年纪，哪里知道并不是所有彩色纸包装的东西都装着糖果。

所以此刻右钻钻正在用力咬正方形的扁平铝塑纸。小姑娘因为长牙齿，被禁止吃糖，是以才会如此穷凶极恶。

"钻钻，妈咪说了多少次，不许翻妈咪的包包。"俞又暖手忙脚乱地将那几个正方形扁平铝塑纸收起来。

"哦，哦。"贾思淼已经开始怪叫，"包包里随身带这个，左学神看来是随时随地都可能变禽兽啊。"

俞又暖捂脸，"你能不这样直白吗？"

"七个啊，有必要准备这么多吗？"贾思淼啧啧叹息。

俞又暖从指缝里露出嘴巴道："有。"

女人虽然都很矜持，可是私底下姐妹淘聚会时，又都会忍不住把话题往那方面引，各种大尺度、午夜场轮番上阵。

"这么厉害？！"贾思淼眼睛都亮了。

一个压抑多年的男人，一个多年坚持锻炼的男人，一个老婆是大美女的男人，想不厉害都不行。

"快说，我男神最喜欢什么姿势。"贾思淼简直是一点儿也不害臊啊。

俞又暖可说不出口。但她不由想起潘朗的分析，他说有时候女人矜持过度，不能正确认识两性关系是一种人性本能时，会下意识地觉得羞耻而放不开。所以当她被心爱的丈夫在那种时候强力对待时，会觉得不是自己不够矜持，而是自己无力反抗，这样反而更容易敞开心扉，听从本能。

不过俞又暖耐不住贾思淼的穷追猛打，只能举手投降，分享女人间的秘密。

"有道理。"贾思淼听了之后点点头，"但是你们夫妻也太重口味了吧？"

我的爸比和妈咪

时光荏苒，右钻钻已经到了可以讲故事的年纪了，老师要求小朋友向班上的其他小朋友讲述自己的爸爸妈妈，小朋友们讲述的时候会被摄像，然后老师会及时将视频发送到家长群里，给爸爸妈妈看。

这一天左问和俞又暖早早就坐在电脑面前，观摩女儿的故事演讲。

"我的爸比颜值爆表。"

俞又暖得意地低声道："这话是跟我学的。"

"阿姨们都喜欢看他，还喜欢弯腰捡东西。"右钻钻脆生生地道。

俞又暖忍不住笑倒在左问怀里，"弯腰捡东西？四两肉很好看吧？"

左问没理会俞又暖，只一心关注视频，还不忘点评道："钻钻表现得很不错，给出了一个论点，还会举证说明，逻辑很强。"

"我的爸比也很强壮。他有六块腹肌，还有迷人的人鱼线。"

"也是跟我学的。"俞又暖自豪地道。

"原来你爸爸是人鱼啊。"有其他小朋友的杂音在视频里冒出。

右钻钻丝毫不受影响，但是她的表情却突然从严肃正经变成了耷拉脑袋的烦恼，"但是，我爸比很软弱。"

左问眉头一皱，转头看向俞又暖，"我什么时候给钻钻这种印象了？"左问开始检讨，这可不是好现象。父亲必须像一座山一样雄伟高大，才能够给右钻钻提供足够的安全感。

"他经常被我妈咪欺负。"右钻钻开始比画，脖子、胸口、后肩，"这里，这里，这里，经常都有血印子。爸比说是猫抓的，可是我们家根本不养猫。"

右钻钻很大人地长叹一声，总结道："这就是我的爸比。"

有很多善良的小朋友开始安慰右钻钻，"啊，你爸比好弱哦，我们家都是我爸比打我妈咪的。"

现在的小朋友都很聪明，一下就听懂了，右钻钻的爸比真可怜，居然经常被她的妈妈打。

左问此刻脸都黑了，瞪着俞又暖道："以后再也不许抓我，否则我剪掉你的爪子。"

俞又暖嘟嘟嘴，表示她什么都没听见，只继续认真地看乖女儿说"我的妈咪"。

"我的妈咪很漂亮，每次上街，叔叔们为了跟妈咪说话，都会送我很多糖果。"

左问的脸黑得不能再黑，"你不是说那些糖果都是你给她买的吗？我还奇怪，你为什么每次上街都买那么多吃也吃不掉的糖果。"

俞又暖赶紧给左先生顺毛，表示自己绝对没有搭理过那些搭讪的人，"嘘，别吵，继续看啊。"

"我的妈咪很威风。她有红红的嘴巴，长长的指甲，牛一样的眼睛。"

俞又暖一口水喷出去，这是很威风的意思吗？

"啊，钻钻，你妈咪是妖怪啊？"小朋友都被吓哭了。

"她经常打我爸比。"右钻钻抽泣一声，在老师的要求下，把最后一个动作完成，那就是将她画的全家福放到镜头面前，哭着说："我们是快乐幸福的一家人。"

右钻钻在镜头前哭得不行，"妈咪，你不要打我爸比好不好？"

镜头拉近到右钻钻的那幅全家福，中间画着一个很可爱穿着公主裙的小公主，左手拉着她的爸比，她的爸比长得非常强壮，和人猿泰山几乎是一个模子印出来的；右手拉着她的妈咪，她的妈咪头发很长，指甲很长，和黑山老妖几乎是一个模子印出来的。

俞又暖气得发疯，左问在一旁哭笑不得。

老师打电话过来要家访，话里话外都暗示，父母之间的矛盾最好不要在孩子面前表露。

右钻钻回家后，刚吃过饭，就拎着自己的画去跟左问告状，一边哭一边跑，"爸比，爸比，妈咪乱涂我的画。你把妈咪赶走好不好？"

左问将那幅"全家福"打开一看，左右两边的人物倒是没有变化，而中间的小公主，却被俞又暖涂鸦成了一个长着獠牙和绿色肌肤的魔鬼。

不用猜也知道俞又暖的画外音是"小孩子都是小魔鬼"。

"俞又暖，你怎么能跟小朋友生气？"左问抱着哭得不行的右钻钻开始严厉训话，俞又暖一脸傲娇地撇过头不愿意看这对父女秀恩爱。

俞又暖有些伤感，她已经不是左问心中的第一人了。

妈咪去哪儿

自从某台的《爸比去哪儿》热播后，社会反响强烈，有人提议说，现在爸比带孩子多正常啊，妈咪带孩子才稀缺，所以跟风而来的《妈咪去哪儿》迅速席卷了大江南北。

不同于《爸比去哪儿》，《妈咪去哪儿》请的不再是明星，而是一众很少露面的名媛。

被誉为"最美少奶奶"的俞又暖俞大小姐当然很早就收到了邀约，每集的出场费高得惊人。

"就为那几个钱？我看你是想红想得发疯吧？其他节目也就算了，《妈咪去哪儿》这种，你就别去丢人现眼了。"左问放下报纸，啜了一口咖啡，很歧视地对俞又暖道。

"你什么意思啊？我每天也有抱抱右钻钻好吗？"俞又暖不服气地反驳，就冲左先生这种态度，她也必须去节目组证明自己是个好妈妈。

开播第一集，俞大小姐穿着漂亮的鱼嘴高跟鞋和飘逸的长裙，艰难地带着三岁的右钻钻小盆友到了某民族风的山村，体验了一把山里人的粗放。

第一天要攻克的难关是"妈咪，我要拉粑粑"。

右钻钻小盆友哭丧着脸对着她妈咪喊道："妈咪，妈咪，我要拉粑粑。"

俞又暖当时脸就白了，她四周瞅了瞅，没有洗手间，没有厕所，连茅坑都没有，幸亏有好心人给她指了指路边的菜地。

俞又暖一把拉起右钻钻开始跑，"忍着，忍着，憋住，憋住。"终于跑到田埂旁，俞又暖不得不手忙脚乱地先拉自己的长裙，可不能蹲下时铺在地上弄脏了。

"妈咪，妈咪，我忍不住了。"右钻钻脸都憋红了。

后期看到这个镜头的左爸爸，直接进了衣帽间将俞小姐的所有长裙全部捐献了出去。

俞又暖总算替右钻钻将裤子脱到了脚踝处，从背后架住右钻钻的手臂，支撑她蹲在地上拉粑粑。

虽然是小公举，但是拉出的粑粑一样臭不可闻，俞又暖被熏得直掉眼泪。

"妈咪，妈咪，粑粑沾到屁股了。"右钻钻也开始大哭。

笨蛋，拉一泡就要换一个地方啊！左问扶额。

这句话彻底恶心到俞小姐了，她也开始带着哭音地大喊："导演，怎么办，导演，怎么办？"

什么怎么办，当然是要擦屁屁啊。

俞又暖吸着鼻子，从导演递来的手纸里抽了几张，捏着鼻子给四肢着地呈三角形的右钻钻小朋友擦了擦屁股。

之后俞又暖更被要求要将擦屁屁的纸扔到特定位置，还要挖坑把右钻钻的粑粑埋掉。

做完这些之后，俞又暖的脸已经黑成了炭灰，而右钻钻则是哭成了小泥鳅。

到了晚上，俞又暖一想起下午那一幕，哪里还有胃口，她自己不动筷子，还转头对女儿道："钻钻，别吃太多饭啊，不然又要拉粑粑。"

第一集播出后，俞大小姐简直没被骂出翔来。

第二集的时候，是山村生活的第一天。这一天里没有女佣给母女俩梳头，也没有女佣给母女俩做早饭。

俞又暖看着女儿的小长发，很果断地用橡皮筋给她扎上，万事大吉。但是右钻钻小朋友和她妈妈一样臭美，哭着道："我要用五彩橡皮筋，扎很多小辫子，昨天安吉拉的妈妈就给她梳了，可漂亮了，妈咪，人家要当这个节目里最美丽的小公举啦……"

"那你帮妈咪把头发梳顺，妈咪就给你编辫子。"俞又暖很不客气地将梳子递给了小童工，自己趴在椅子上补眠。

"钻钻，你给妈咪拧了帕子洗脸好吗？"

"钻钻，你帮妈咪去把洗脸水倒掉好吗？"

"钻钻，你帮妈咪捏捏脚好吗？"

"钻钻，早饭我们别吃了，节食减肥还不用拉粑粑好吗？"

可是人吃五谷杂粮，如何能不如厕，连自诩天仙的俞小姐也不例外。可是她拉肚子的时间不太巧，正好是凌晨两点，周围黑漆漆的，连摄制组都睡觉了，她既怕黑又怕死，借住民房的茅厕又在户外，简直是逼死人了。

俞又暖只好将右钻钻摇醒，逼着可怜的小姑娘跟她一起拿着手电去茅厕，"钻钻，你在门口给妈咪唱歌好不好？这样妈咪就知道你没有被山猪叼走，好不好？如果你不同意，妈咪明天就自己走掉，留你一个人在这里。"

可怜的钻钻小公主只能哆哆嗦嗦地在茅厕外唱《世上只有爸爸好》。

这一幕当然毫无意外地被24小时都不停机的隐形摄像头给拍到啦。

第二天天刚亮，右钻钻就咚咚地跑出去找导演叔叔，"叔叔，我们不演了好不好，我要爸比，我要我爸比，我要回家，哇哇哇——"

最后还是导演帮右钻钻兑了配方奶哄她安静下来，右钻钻叼着奶嘴，眼泪汪汪地指着她那不负责任的妈咪，然后对着镜头道："叔叔，我想要黄阿姨当我妈咪好不好？"

导演回答道："钻钻啊，这个得问你爸爸。"

整个摄制组的人都特别喜欢右钻钻嘴里的黄阿姨。

黄阿姨就是安吉拉的妈妈，会扎很漂亮的辫子，还会做很好吃的饭。到第二天的时候，黄阿姨就已经很大方地承包了右钻钻小盆友和俞又暖大盆友的梳头的工作，给她们用五彩丝线扎很漂亮的白族小辫子。

这一集播出后，网上瞬间冒出了无数支持左、黄CP的网友，强烈要求拆左、俞配。

总之这一季的《妈咪去哪儿》播出后，安吉拉的妈咪黄阿姨荣获了许多赞美，被称为"最美丽的妈咪"。至于俞又暖，回城之后有大半年都不敢不戴墨镜就出门。而右钻钻小朋友则赢得了社会各界的同情和怜爱，每天都有无数礼物寄到，告诉她"别伤心，你没有妈咪还有我们大家爱你"。

俞小姐在强大的压力下表示，下一季如果《妈咪去哪儿》节目组还邀请她的话，她也会参加的，期望能重新证明她是一个好妈妈。

节目组则公开表示，下一季我们没有邀请俞小姐的意思。主要是俞小姐的反面形象太过典型，不利于社会和谐。

而且从此以后，每一次但凡左先生有采访，都会被问及"左先生近期有离婚的打算吗？"

自从看了《妈咪去哪儿》后，左问每一次被问及这个问题，其实都很想说：有。

当然也不是没人感激俞又暖俞小姐的，至少节目组去的那个小山村，很快就得到了某基金会的资助，建立了希望小学以及拥有免费的爱心午餐。此外，小山村的居民，每户都得到了修建卫生旱厕的资助。

因为这件事，之后倒是有不少其他节目竞相邀约"散财少奶奶"俞小姐的参加。

这日媒体又问及左先生是否有离婚打算，左先生默不作声，但有时候沉默本身就是一种默认。

于是媒体再接再厉地问："看过左先生以前的采访，里面曾提及最大的心愿便是每天回家有昏黄的灯光和一桌丰盛的饭菜等待，不知可有达成？"

左问点了点头。的确是有达成，但指望俞小姐就是天大的笑话了，左问的愿望通常全都是被慧姐达成的。

"可是据大家所知，俞小姐恐怕不善庖厨……"记者显然颇为了解俞大小姐。

"在此的确要诚心感激慧姐。"左问道。

慧姐？慧姐是谁？所有人的八卦之心都开始冒泡，难道又是一出男主人和美貌小保姆的爱情故事？

俞又暖看到那些不负责任的猜测之后，以手支颐开始细想，其实也不是不可能呢。

左问对慧姐可比对自己好多了，慧姐的生日，他从来都早早挑好礼物，每年还请秘书给慧姐制订完美的旅游行程，每次慧姐骂她，左问必定坚定地站在慧姐一方……

如此种种的蛛丝马迹，她已经以前就没发现呢？虽说慧姐年纪大了，但是新闻报道里也不乏 20 岁男青年爱上 60 岁贵夫人的报道。以前俞又暖对此等真爱嗤之以鼻，但如今却觉得，说不定还真有。

于是这日左问的采访结束后回家时，俞小姐已经收拾好小小一只行李箱，作势欲走。

"你去哪儿？"左问松着领带问。

"我走了好给你和慧姐腾地方啊。"俞小姐说得十分悲愤。

"有病吧你。"左问立即给李医生打了电话，"我太太今日脑子又不好了，等下我就送她去医院。"

俞又暖眼睛瞪得比牛还大，她以为左问跟她开玩笑，哪知真被左先生强行塞入车内，送到暖仁医院检查了三天脑子。

最后是俞小姐抽泣着求饶道："我再也不开你和慧姐的玩笑了。以后她大我小行不行？"

"看来还得再检查七天。"左问冰冷冷地道。

新建的俞氏大厦终于完工，蓝图请的是世界著名的绿色建筑设计师设计，设计师最大限度地利用了自然能和空间，将能源消耗缩减到了普通建筑的 70%，同时该大厦还被誉为新时代的"空中花园"，吸引了广大游客前来观光，得到了无数婚纱影楼的青睐，并因此成为本城的新地标，也就是电视里天气预报节目上那张图片里的建筑物。

这样的建筑物取名字当然也是重中之重的事情。

"为什么要叫 L&Y 广场，而不是 Y&L 广场啊？"俞又暖不服气地道，凭什么左（Left）在前，俞（右）在后啊？

"那你是想 love you，还是 you love 啊？"左问淡淡地问。

表白来得如此突然，俞又暖还真没有做好准备，只能红着脸道："那随便你好了。"

L&Y 广场终于开启亮灯仪式，在政府要求的灯光工程里，晚上 L&Y 大厦流光四溢的外部灯光，一直都是"Love you"七个字母来回闪烁。

有的城市有"爱情斑马线"，而这个城市有"爱情空中花园"。

左先生的一天

左先生的一天从凌晨开始，这个时间如果俞小姐的亲戚没有来访，如果俞小姐没有生病，那么通常左先生正在进行无法为外人道，但自己却深陷其中沉迷不可自拔的运动。

俞又暖累得迷迷糊糊地任由左问将她抱到走廊对面的房间放下，床单干燥而温暖，令她沉沉睡去。

早晨的阳光舔舐俞又暖的眼皮时，她的眼珠动了动，但眼皮并未睁开，开始思索今天要做的事情，下午有一个访问，碍于贾思淼的情面她不得不接受。

有关问题的稿件俞又暖事前已经拿到，除了采访她的基金会的事宜之外，无论是杂志还是媒体最关心的依旧是左问和俞又暖之间的男女那点儿事。

爱情是什么？俞又暖回答不好这个鬼问题，她只知道左先生每天都会打着爱情的大旗，将她欺负得四肢无力。

身边已经有了响动，过了一会儿，俞又暖感觉脸上一冰，真是烦死左先生这个折磨人的嗜好了，竟然还专门为她准备了一个叫醒服务的冰袋。

俞又暖一个激灵地从床上爬起来，烦躁地揉了揉头发，"冷死人啦，人家在想问题呢。"

"什么问题？"左先生在床畔坐下，很好奇是什么问题让俞又暖这样烦躁，甚至不惜自毁发型。虽然刚起床的她也并没什么发型可言。

"你觉得爱情是什么？"俞又暖问左问。

"是毒药。"左先生似乎早就思索过这个问题一般，回答起来半秒思考的时间都不用。

"毒药？"俞又暖以为会从左先生的嘴里听见十分甜蜜的回答，但万万没料到是这种负面形容。

"你觉得我们之间的化学反应是毒药？"俞小姐有发飙的前兆。

"难道不是？不然像你这种好吃懒做、穷凶极恶、傲娇傲慢、矫情做作，既娇贵又不好用的女人，我为什么还甘之如饴地为之做牛做马，忍受各种盘剥？"左先生反问。

形容词太多，将俞小姐的怒气蓄积到了顶点，但最后一句话又莫名戳中笑穴，如今想起来，爱情好像还真是一种毒药，甚至可以致命。

"我觉得除了中毒，没有别的更佳解释。"左先生道。

俞小姐一把抱住左先生的脖子，送上香吻，"来，我给你解药。"

"不用，中毒也挺好的。"左先生扒拉下俞小姐的手，在她的翘臀上拍了一巴掌，"赶紧起床，送你女儿去上学。"

今天是右钻钻小朋友第一天上全托幼稚园的日子，否则左先生也不至于用冰袋唤醒俞小姐，而俞小姐居然也没有发火。

用早饭的时候，右钻钻小朋友已经开始有了明显的低落情绪，俞又暖看向不事生产的左先生，不满地道："你现在又不用上班，为什么一定要让我去送她，我下午还有采访，又要做造型又要准备回答问题，很忙的。"

"因为我们去送钻钻的话，她一定会哭，抱着我们的腿不松手，但是你去送就不同了，她会很高兴离开你的。"左先生说得在情在理，而所谓的我们，自然是指他和慧姐。

俞又暖认命地将右钻钻小朋友送到幼稚园，右钻钻小朋友很高兴地朝她亲爱的妈咪挥了挥手，示意她赶紧滚蛋。

俞小姐有些受伤。

下午的采访进行得很顺利，看时间俞又暖完全赶得及去接右钻钻小朋友放学，于是给左先生打电话，但遭到了无情的拒绝。

"为什么啊？我去接她很顺路啊。"俞又暖道。

"钻钻放学看到是你去接她，肯定会哭的。"左先生道。

俞小姐不信邪，非要去接小公主，哪知果不其然被左先生料中，右钻钻小朋友扒拉着老师的脖子，死活不肯下地跟俞又暖回去。

若非老师万分确定眼前这位大美人真是右钻钻的亲妈，那看右钻钻的态度肯定会误以为这位定然是万分歹毒的继母。

俞小姐抱着哭得万分伤心的右钻钻回到车前时，左先生已经等候多时，右钻钻一看到自己的爸比，哭得越发大声地朝左先生伸出了双手，求抱抱。

小姑娘一入父亲的怀抱，顿时止哭而笑，变脸速度叹为观止。

"当初在医院的时候，是不是抱错了？"俞又暖不禁怀疑。

私人定制的生育套餐，左先生在第一时间亲手从医生手里接过右钻钻小朋友，她妈妈因为坚决不同意在她美丽的躯体上留下疤痕，人生第一次鼓起那么大的勇气去承受生育的痛苦，左先生自然要在产床旁听她惨叫，这样的情况如果还能抱错孩子，那命运的转折真是神转折了。

更何况，右钻钻那完全遗传自她母亲的美貌，想让人说她们不是母女都难。

左先生懒得理会俞小姐智商欠费后的问题。

在和右钻钻小朋友相处了高质量的一个小时之后，这对夫妻搭肩搂腰地上了楼，留下保姆林小姐去哄右钻钻睡觉。

右钻钻看到自己被父母无情地"抛弃"时，也已经从最初的气呼呼过渡到了忍耐的时期，她曾经问过，别人家都是爸爸妈妈哄孩子入睡，为什么到了她这儿，就是保姆哄孩子了。

结果右钻钻小盆友的爸比说，我要哄你妈咪入睡啊，你知道的，你妈咪脑子有毛病。

这一招简直是绝杀技，俞小姐每年都会固定入住医院检查脑子，有一点儿小毛病，目前还构不成重大威胁，但已经足以让人提心吊胆。

右钻钻是个善良的小姑娘，她偏着脑袋思考了许久，觉得还是让爸比哄妈咪睡觉比较好，总比失去妈咪要好。

夜里，俞小姐趴在左先生宽阔的背上，手指在他劲瘦有力的肌肉上缓缓滑动，猿臂蜂腰，臀翘腿长，还有豆腐块一样的腹肌，怎么看怎么让人觉得完美得令人尖叫。

俞又暖很不放心将左问一个人放在家里。

"今天你做了什么啊？"俞小姐开始查岗，"你这样在家里当跷脚老板，不会跟世界脱轨吗？将来我们失去共同语言的时候，你可别怪我。"

左先生侧了侧身，将俞小姐无情地从背上颠下去，"不劳你费心，你脱轨了，我也不会脱轨。"

俞小姐看着左先生翻身，趁机将头枕到他的小腹上，软硬适中，很适合当枕头，她的手指戳了戳左先生的豆腐块，"下午健身去了？你说你都一个老男人了，成天折腾自己这老胳膊老腿的干什么？你婚都结了，女儿也有了，哪怕有个小肚腩什么的，也没关系啊，反正你已经早就没有市场了。"

左先生高贵冷艳地"呵呵"一笑，"你这样不遗余力地打击我是为什么？下午那个健身教练是来给我送落下的东西的。"

俞小姐也高贵冷艳地"呵呵"一声，"慧姐说，那个健身女教练身材好到爆，声音也甜，尤其是对着某人的笑容更甜呢。"

"哦。"左先生伸手关灯。

俞小姐继续掐左先生的手臂，"招蜂引蝶，连班都不上了，还这么会惹事儿。"

左先生翻身压住俞小姐，"那你把我榨干了，我就没精力惹事儿了。"

俞小姐自然还要唱反调，但这种事情上左先生强势得可怕，她要继续唠叨只能等明天早晨醒来了。

番外 2

时针指到下午三点半的时候，俞又暖不得不停下手中的事情从基金会离开。

"去接钻钻啊？保姆不能去接吗？"范丽君道。

"不行的。左问说，保姆接会让钻钻没有安全感。今天他公司有点事儿，所以我得去接钻钻。"

左问虽然辞去了俞氏和四维的总裁一职，但男人天生闲不住，这一年瞅准了国家支持的新产业，又成立了"未来"。

范丽君取笑道："又暖，当初真看不出你和左问会是个女儿奴。"

俞又暖心想，她可不是，只有左问才是真正的女儿奴。

幼稚园里，右钻钻小朋友一见到俞又暖就开始哭，也不是哇哇大哭那种，只是一直掉着眼泪，俨然一个小可怜。

俞又暖问老师原因，老师说刚才还好好儿的，问右钻钻，右钻钻又一个字不说，只掉眼泪。

"钻钻，是不是小肚肚不舒服啊？妈妈带你去看医生好不好？"俞又暖温柔地道。

"我没有不舒服。"右钻钻一边哭一边摇头。

一路上俞又暖想尽了各种办法才算是哄得右钻钻勉强不掉珍珠了，但是她坚持一定要去"未来"接她爸爸一起下班。

这还是俞又暖第一次踏足"未来"，装修十分具有未来科技感，保安措施也很严密。

幸亏右钻钻小朋友可以刷脸卡，因为左问带她来了很多次。

前台接待一看到右钻钻立即堆起了笑容，谁都知道这是她家 Boss 的心头宝，只不过右钻钻身后的大美女看着就太眼生了，想通过讨好右钻钻进而讨好她家 Boss 的女人可不是一点半点。

"钻钻，阿姨带你上去找你爸爸好不好？"Eva 笑着弯腰去拉右钻钻的手。

俞又暖平静无波地扫过 Eva 傲人的汹涌波涛，心里觉得可以建议左问给女员工都发放统一制服，一定要那种连脖子都全部遮住的制服。

"请问您有预约吗？"Eva 当然也没忘记俞又暖这个大美女。

"她是我妈妈。"右钻钻抢先回答。

传说中的老板娘？！

Eva 不得不承认眼前这个大美女，看起来和她家 Boss 还真是很般配，不过女人最重要的还是内在美。

新年伊始，微博上的算命大师就开启了预言帖，其中有一条预言的就是城中 Y 姓名媛今年婚姻恐怕不谐。

这其实是很隐晦的说法了，有知情人士早就在知名论坛爆料，Y 名媛和丈夫的婚姻是名存实亡，两个人都各玩各的，这是圈内夫妻的常态。更列举了与 Y 名媛有暧昧关系的数名男士，其中不乏当红明星。而 Z 先生虽然没有什么绯闻，但也曾被人目睹数度与某小家碧玉共进晚餐。

俞小姐和左先生的婚姻在所有人眼里看起来都已经是暴风雨中那艘随时可能颠覆的小舟了。

"俞小姐。"Eva 立即恭敬地道，"请稍等，我给 Andy 打个电话。"

虽然俞又暖有左太太的头衔，但大多数情况下做丈夫的都未必愿意看到自己的太太，所以 Eva 可不敢帮 Boss 做主。

俞又暖点了点头。

放下电话，Eva 奇异地看了俞又暖一眼，然后道："俞小姐，你和钻钻可以从左手第一个电梯上楼。"

这个电梯可以直达"未来"的任何一个楼层，但是需要指纹和虹膜双重确认。

俞又暖从来没来过"未来"，但是她的指纹和虹膜却早已经输入到了系统内，这自然会让 Eva 觉得有些奇怪，一时间又觉得自家 Boss 和老板娘的关系或许也没有外界传的那么糟糕。

俞又暖拉着右钻钻的手刚走出电梯，就见左问亲自送人出来。

乐云儿朝左问伸出手，"左先生，合作愉快。"

左问轻轻回握了一下。

"爸爸。"右钻钻可不管左问有没有客人，直接就扑了过去。

左问听到喊声，一侧头，立即眼明手快地接住扑过来的右钻钻。

"你女儿吗，真可爱。"乐云儿伸手去摸右钻钻的头发，结果右钻钻一偏头就将下巴搁到了左问的肩上，一脸的不乐意。

乐云儿尴尬地收回手，侧眼看到俞又暖，笑着上前打了声招呼，"俞小姐。"

"乐小姐。"俞又暖礼貌得体地笑了笑。

等乐云儿一走，左问就抱着右钻钻和俞又暖进了办公室。

左问何等人也，早就发现了右钻钻眼睛红红的，明显是哭了很久的样子，而这会儿右钻钻见到左问又开始掉豆子。

"你怎么钻钻了，她怎么哭得这样伤心？"左问口气不太好，但也实在不能怪他，俞又暖欺负右钻钻的事情已经罄竹难书了。

俞又暖大呼冤枉，"我什么也没做啊，我去接她的时候她看到我就开始哭。今天早晨出门之前，你也是看到的啊，我既没有抢她的东西吃，也没有骂她，刚才她闹着要吃五块钱的蛋卷冰淇淋，我都给她买了，我还能惹她什么啊？"

右钻钻拉着左问的衣服哭道："爸爸，你不要怪妈妈，你不要跟妈妈离婚好不好？"

俞又暖和左问闻言同时愕然。

左问道："钻钻，爸爸没有要跟你妈妈离婚啊，你听谁说的？"

右钻钻泪汪汪地看着左问，"爸爸，虽然妈妈又凶又恶又没有爱心，但是你不要嫌弃她好不好？"

俞又暖的眼珠子都快瞪突起了，"右钻钻，有你这样说你妈的吗？"

"钻钻乖，别哭了，告诉爸爸今天发生什么事了好吗？"左问的声音低沉而柔和，很快就安抚住了右钻钻的情绪。

右钻钻这才抽噎着把话说完整了，原来他们班上的夏媛媛今天转学了，因为她爸爸妈妈离婚了，她要跟着妈妈去其他城市了。

"她爸爸喜欢上新阿姨了，就跟她妈妈离了婚。"右钻钻一边哭一边拉着左问的手道，"爸爸，你不要喜欢新阿姨，好不好？"

左问叹息一声，"爸爸只喜欢你妈妈，不会喜欢新阿姨的。"

"啊？！"这回轮到右钻钻错愕了，她看了看俞又暖，又看了看左问，似乎对此感到十分怀疑。

亲生女儿这么不给面子，让俞又暖十分恼怒，但是当着左问的面又不敢凶右钻钻这个小叛徒。

左问的办公室里有专门的儿童玩乐区，当初装修的时候就考虑到了右钻钻的需求，所以他先安慰了右钻钻一会儿，然后将她放到了玩乐区。

俞又暖见右钻钻的情绪总算平静了这才松了一口气，果然还是左问这个做爸爸的有办法。

"你是请乐云儿做代言了吗？"俞又暖在沙发上坐下，"真人看着比电视上漂亮，也很年轻呢。"俞又暖努力用一种云淡风轻的口吻说着酸得人牙疼的话。

左问笑道："她现在人气很不错，不过请她做代言这是公司讨论的结果。"

俞又暖哼了一声，"在左先生这里想必人气更不错吧。真是难得，请个代言人还要劳烦你送到电梯口的。"

左问探身在俞又暖鼻尖处嗅了嗅，"好大一股醋味儿，这是喝了一缸子的保宁醋吧？我是听 Andy 说你和钻钻过来了，我急着到电梯口去接我们家大公主和小公主，不过是顺路送她一下而已。"

俞又暖又傲娇地哼了一声，伸手去抱住左问的脖子，"你要是敢有二心，我就去告诉白老师，让白老师用家法收拾你。"

左问亲了亲俞又暖的嘴唇，俞又暖赶紧将脖子一缩，藏到了沙发靠背以下，生怕让右钻钻看见了。

俞又暖推了推越亲越起劲儿的左问，"不要，让钻钻看到了不好。"俞又暖可不喜欢给右钻钻这种好奇的小孩子解释亲亲是什么。

左问抵着俞又暖的嘴唇低叹道："明天下午你过来好不好，等完事儿我们一起去接钻钻。"

完什么事儿？真是想得太美了。俞又暖推开左问，将自己散开的衣服的纽扣扣上。

"真是奇怪，钻钻怎么就会觉得我们要离婚呢？"俞又暖没有想明白，"我觉得是你平常对我太凶了，你要改正。"

左问心想我就差没跪着唱《征服》了，还要改正？

"别担心了，钻钻脑子里稀奇古怪的事情多了去了，过几天就好了。"左问又探身啄了啄俞又暖的嘴唇。

但实际上过几天之后情况并没有好转，反而越演越烈。

这就得从右钻钻去参加了裴小宝的生日 party 开始讲起了。

裴小宝的妈妈是著名的芭蕾舞者，非常漂亮、气质超好，右钻钻特别喜欢她。再加上裴阶又和左问之间有很多合作，两家的关系算是比较亲密了。

裴小宝生日这一天邀请了他所有的好朋友去他家住一晚上，右钻钻特别高兴地去了裴小宝家。

但是回来之后右钻钻就一直哭。

俞又暖拿眼去问左问，幸亏今天不是她去接的，不然看到右钻钻这么伤心，左问肯定又会觉得是她在作怪了。

"钻钻，你这是怎么了？"左问轻轻揉着右钻钻的小脑袋。

"爸爸，你和妈妈骗我，你们是不是要离婚？"右钻钻一直掉豆子。

"钻钻，爸爸不是告诉过你吗，我和你妈妈绝对不会离婚的。"左问再次保证。

"可是你和妈妈从来都不玩亲亲，裴小宝说你们不相爱，是貌合神离，一定会离婚的。"右钻钻道。

"'貌合神离'你都会用啦？右钻钻，你语文水平进步很大嘛。"俞又暖在旁边没心没肺地笑道。

右钻钻怒瞪着她的妈妈，她这是为了谁啊？妈妈居然还欺负她。

"钻钻，你裴叔叔和宝阿姨当着你的面儿玩亲亲了？"俞又暖在左问的瞪视下赶紧转了话题，她心里想着，裴阶和唐雅宝这对不要脸的夫妻，居然敢带坏她们家纯洁的小朋友。

右钻钻点了点头，她都看到过好多次了，所以才会好奇地问裴小宝，叔叔阿姨在干什么。

裴小宝说："男生喜欢女生就会亲她。"裴小宝说完就在右钻钻红彤彤的脸蛋上亲了一口。

左问和俞又暖听完右钻钻的话后，彼此对视一眼，瞬间达成了共识，裴小宝这个小流氓，今后再也不许他靠近右钻钻了。

"爸爸不喜欢妈妈，妈妈也不喜欢爸爸，你们从来都不亲亲。"右钻钻又开始念叨，就跟复读机一样。

"宝阿姨肚子里又有小宝宝了，裴叔叔说那是爱的结晶，相爱的人就会有小宝宝。"右钻钻越说越哭得喘不上气来了。

"你就是爸爸和妈妈的小宝宝啊。"左问轻声哄着右钻钻。

右钻钻理直气壮地道："我是以前的小宝宝，我听妈妈说过她不想再要小宝宝了，她不爱你了，爸爸。"右钻钻说着说着又开始哭。

俞又暖真是躺着也中枪，一个晚上简直快被左问瞪成筛子了。

"怎么会，你妈妈肚子里现在就有一个小宝宝呢。"左问道。

俞又暖立即瞪大了眼睛，"左问？！"你怎么能欺骗小孩子？

"妈妈真的有小宝宝了？"右钻钻立即就不哭了。

"当然，不信你去问你妈妈。"左问替右钻钻擦了擦眼泪。

俞又暖能说什么？她要是说没有，右钻钻铁定要哭得震天动地。

晚上回到寝室俞大小姐就开始发飙了，"左问，你怎么能骗钻钻呢？我上哪儿给她变一个小宝宝出来啊？"

左问斜睨了俞又暖一眼，开始慢吞吞地解起衬衣纽扣来，"我帮她变出来。"

俞大小姐这才后知后觉左先生的打算，可这会儿就是叫天天都不应了。

左先生常年健身，虽然已经是快要奔四的男人了，但是体力好得令人发指，俞又暖被折腾得软软绵绵地连脾气都发不出来了。

完事儿之后，左问居然还抱了三个枕头来放到她脚下，美其名曰这个姿势有利于怀孕。

"我不要怀孕。"俞又暖可是受够了十月怀胎的痛苦了，吃什么吐什么，最后还卧床了两个月，"左问，你说话不算话，当初你明明说过不再让我受苦的。"俞又暖开始打悲情牌。

左问餍足之后总是特别温柔，此刻正轻轻替俞又暖揉着腰，"钻钻一个人太孤单了，而且她太敏感，为了她也为了我，再生一个孩子好不好，暖暖？"

俞又暖最受不了左问对着她耳朵吹气，一吹气她就眼花、腿软，嘴巴都没力气说话了。

事实证明，养了这么多年，俞小姐的土地再度肥沃了起来，而左先生向来是战斗力超群，连 TT 那渺小的 3% 概率都能击穿，不到两个月，俞又暖感觉心里泛酸，去检查果然是再怀上了。

右钻钻的小脸笑得跟太阳花儿似的，她的爸爸妈妈终于又相爱了。

这一回，左看看的名字终于被用上了，小宝宝是个七斤半重的小男宝，生下来就全身红彤彤的，才落地一个小时就睁开了大大的眼睛，非常漂亮。

左看看就像上帝赐给俞又暖的天使一般，让她终于摆脱了"恶妈妈"的宝座。

这话就得从俞又暖带着三岁的左看看再度参加《妈妈去哪儿》了说起。

鉴于俞又暖的名声，节目组其实很不想邀请俞大小姐的，实在是反面榜样太典型了。

可是节目组也要吃饭不是？有左太太上的节目收视率是一点儿不用担心的，娱乐关注度更是期期都上微博热搜。

"俞小姐，你看这是我们这次节目选的几个点，你觉得咱们去哪儿比较好？"导演一脸谄笑地看着俞又暖。

如今的 L&Y 集团如日中天，每回中国访美商团里都能看到左先生的身影，左太太的身份自然不容小觑。

节目组一群小姑娘都有一种左问的眼睛绝对是被翔糊住了的感觉，这种丝毫没有中华民族妇女传统美德的老婆，他居然一娶就是十几年，而且越来越没有离婚的迹象。

俞又暖看了看那几个地点，都是生活条件很不错的地方，看来是节目组特别照顾她了，"明导，不用跟我客气，还是按照你们节目以前的风格走吧。"

明导心想，大小姐，你自己作死可就怪不得我们了。

这回去的是一个还没通电的少数民族山寨，摄制组需要的电，都是自带柴油发电机去的。

左看看是所有小嘉宾里面年纪最小的孩子，但却是所有孩子里生活能力最强的。

隔壁四岁的元元录着录着就喊要拉粑粑了，然后一群小朋友似乎都有了屎意，包括左看看在内。

四周没有茅坑，直接在地里就地解决，还可以肥田。

别的小朋友都无所谓，只有左看看不行，他情愿憋得小脸通红，也绝对不愿意当着摄像头的面拉粑粑。

还好俞又暖早就知道她儿子的性子，把一早准备好的半米高的折叠小屏风拿了出来，围在左看看的四周，这下小男神终于可以解决三急了。

紧接着就是妈妈们用手巾或者湿巾给小朋友擦屁屁的镜头，只有俞又暖一动不动地坐在旁边歇凉。

刚满三岁的左看看小男神不仅自己擦了屁屁，而且还用借来的小铲子挖了一个坑，把自己的粑粑藏得好好的。

令人叹为观止，都不敢相信这是三岁小朋友能做到的。

到了晚上，俞又暖又不敢上厕所，是左看看小朋友听见他妈妈左右翻身的声音，一下就从床上爬起来找到手电，"妈妈，我陪你起床上厕所。"

俞又暖在山寨茅坑里解决三急的时候，左看看就在外面背诵唐诗，"举头望明月，低头思故乡。"

到了早晨，俞又暖还在睡懒觉，左看看就已经起床给她把洗脸水打好了。

小男神特别爱干净、讲卫生，还给自己端了一盆水，把上衣脱了用凉水洗澡。

明导都看不过去了，"看看，别用凉水洗澡，当心着凉。叔叔给你去弄点儿热水好不好？"

左看看摇了摇头，"没关系，用凉水洗澡可以锻炼身体，少生病。"

这一季的节目一经播出，左看看小男神的名声那就是坐实了，小小年纪粉丝就多得海了去了。

至于俞小姐这千年改不了狗吃屎的性子，因为她这个小男神儿子，居然还被人另类解读了出来，由此还有人出了一本百万畅销书——《坏妈妈胜过好老师》。

俞又暖看到书的时候差点儿没气死，"这什么意思啊，夸我还是损我呢？"

左看看面无表情地道："这不对，书名应该叫《坏爸爸胜过好老师》。"

右钻钻同情地看着她的弟弟，真可怜，为了给他妈——俞小姐正名，左先生简直无所不用其极啊。

打着儿子就该穷养贱养的旗号，打小儿就"虐待"左看看，八个月开始就学着用手抓饭吃，一岁多的时候想吃鱼，就得自己学着剔刺，不然就看着，两岁半都不到小家伙儿就开始学着自己擦屁屁，擦不干净没事儿，自己臭着呗。

去节目组的前一个月，更是经历魔鬼训练月，自己打水，自己洗澡，自己穿裤子、袜子、鞋子，还得学着给妈妈梳头。

后来右钻钻都忍不住问左看看："你到底是不是爸爸的亲儿子啊？"

左看看啪地将一份"DNA 检验报告"扔在右钻钻的面前。

看来这位早就怀疑过这件事了，可惜现实是无情的，他的确是左先生和俞小姐爱情的第二颗结晶，并且因为性别为男，所以早早就肩负起了照顾妈妈和姐姐的责任。

不过左先生这样教育孩子，对左看看来说也不是坏事。

至少左看看三岁这一年就已经打败了无数的帅大叔，荣登了当年"我最想嫁的男人"的榜首，并且一路蝉联冠军直到他结婚的那一年，后来嘛，左男神就换了制霸的榜单，荣登"我最想做他的小情儿"的冠军宝座了。

图书在版编目（CIP）数据

左先生，向右转 / 明月珰 著 .– 武汉：长江文艺出版社，2016.5

ISBN 978-7-5354-8593-9

I. ①左… II. ①明… III. ①长篇小说—中国—当代 IV. ① I247.5

中国版本图书馆 CIP 数据核字 (2015) 第 304071 号

左先生，向右转

明月珰　著

选题产品策划生产机构 | 北京长江新世纪文化传媒有限公司

选题策划 | 金丽红　黎　波　安波舜

项目策划 | 王瑞暄

责任编辑 | 景　文　　装帧设计 | 郭　璐　　媒体运营 | 王　玲

助理编辑 | 苏　漫　　内文制作 | 张景莹　　责任印制 | 张志杰

总 发 行 | 北京长江新世纪文化传媒有限公司

电　　话 | 010-58678881　　　传　　真 | 010-58677346

地　　址 | 北京市朝阳区曙光西里甲 6 号时间国际大厦 A 座 1905 室　　　邮　　编 | 100028

出　　版 | 长江出版传媒　长江文艺出版社

地　　址 | 湖北省武汉市雄楚大街 268 号湖北出版文化城 B 座 9–11 楼　　　邮　　编 | 430070

印　　刷 | 北京玥实印刷有限公司

开　　本 | 710 毫米 × 1000 毫米　1/16　　　印　　张 | 21.25

版　　次 | 2016 年 5 月第 1 版　　　印　　次 | 2016 年 5 月第 1 次印刷

字　　数 | 360 千字

定　　价 | 32.00 元

盗版必究（举报电话：010-58678881）

（图书如出现印装质量问题，请与选题产品策划生产机构联系调换）